D0375980

Buch

Örjan ist ein attraktiver Mann in den Vierzigern, ein Lebenskünstler und Genießer, der seine Wirkung auf Frauen genau kennt. Ein Berufsstand interessiert ihn jedoch ganz besonders: Örjan bewundert Prostituierte, deren Machtbewusstsein und Selbstständigkeit. Als jedoch mitten in Stockholm eine mit ihm befreundete Edel-Prostituierte auf bestialische Weise ermordet wird, gerät der »Freund aller Huren«, wie seine alte Freundin Helen ihn spöttisch nennt, unter Mordverdacht. Helen will Örjan helfen und entwendet vom Tatort einen Kassettenrecorder samt Bändern, auf die das Opfer sein Tagebuch gesprochen hat. Je mehr sie jedoch über den Freund in Erfahrung bringt, desto stärker geraten ihre Gefühle für ihn ins Wanken, Sollte Örjan möglicherweise doch der Mörder sein? Ein spannendes Spiel um Macht, Sexualität und Verrat beginnt.

Autorin

Maria Küchen, geboren 1961, ist Schriftstellerin, Literaturkritikerin und Journalistin. Sie hat bisher mehrere Lyrikbände, Romane und Jugendbücher veröffentlicht. Mit ihrem Mann und ihren drei Kindern lebt sie in Stockholm.

Maria Küchen

Die glückliche Hure

Roman

Deutsch von Gisela Kosubek

btb

Die Originalausgabe erschien 2000 unter dem Titel
»Lycklig hora« bei Ordfront, Stockholm.

Umwelthinweis:
Alle bedruckten Materialien dieses Taschenbuches
sind chlorfrei und umweltschonend.

btb Taschenbücher erscheinen im Goldmann Verlag,
einem Unternehmen der Verlagsgruppe Random House GmbH.

1. Auflage
Deutsche Erstausgabe Juli 2003

Umschlaggestaltung: Design Team München
Umschlagfoto: Photonica/Holdens
Satz: IBV Satz- und Datentechnik GmbH, Berlin
FO · Herstellung: Augustin Wiesbeck
Made in Germany
ISBN 3-442-73013-9
www.btb-verlag.de

Unsere Heldin.

Als ich sie schließlich zum letzten Mal sehe, steht sie bewegungslos mitten auf einem Platz im Regen.

Er fällt auf sie herab, diffus und endlos, wie man das aus Büchern kennt. So sieht der Himmel am letzten Tag der Erzählung aus – grau, als wäre die Zeit noch nicht erfunden.

Die Zeit lehrt den Himmel, Farbe und Witterung zu ändern. In dem Augenblick, in dem die Zeit geboren wird, entstehen auch die Geschichten, und der Regen hört auf. Bevor die Zeit erfunden ist, gibt es nur Regen. Er ist immer gefallen und wird es immer tun.

Als die Erzählung endet, hat sich ein finsteres Tiefdruckgebiet über Süd- und Mittelschweden ausgebreitet. Der Regen, den es mitbrachte, hätte in jeder beliebigen Jahreszeit und Stadt fallen können: einer Jahreszeit und Stadt ohne Märchen und Geschichten.

Als ich mich für immer von unserer Heldin trenne, steht sie auf einem Platz im Regen, kerzengerade und mit Tränen in den Augen. Ich beobachte sie aus der Entfernung. Sie hat keinen Regenschirm. Ihr Haar ist feucht geworden und kräuselt sich über den Ohren. Ihre helle Jacke wird übersät von Regenflecken. Sie folgt einem Mann mit dem Blick, bis er ganz im Gewimmel verschwunden ist.

Dann ist es vorbei.

Jetzt – am Anfang dieser Geschichte –, wäre es klug, kurz innezuhalten und unser Gefühl zu befragen. Das machen wir oft, bevor wir anderen Menschen zum ersten Mal begegnen; besonders hier, im mittleren Svealand, wo alles Erzählte endet und seinen Anfang nimmt.

Die Begegnung ist verabredet. Die Unbekannten warten um die Ecke, sie wissen, dass wir bald kommen werden. Wir haben eine vage Vorstellung von ihnen und sind entschlossen, sie zu treffen, aber wir kennen sie noch nicht. Es sind Menschen, deren Leben und Schwierigkeiten uns, wenn wir sie erst einmal kennengelernt haben, etwas angehen werden. Den meisten von uns erscheint es vernünftig, vor einer solchen Begegnung einen Moment innezuhalten und darüber nachzudenken, ob wir wirklich bereit sind, uns in eine Sache hineinziehen zu lassen.

Vielleicht ist es besser, anzurufen und abzusagen oder das Buch zuzuschlagen, ganz einfach wegzubleiben. Eine Begegnung, die erst stattgefunden hat, lässt sich nicht ungeschehen machen, und jede Begegnung verändert.

In der Stille, kurz bevor sie einen Unbekannten das erste Mal trifft, fragt sich unsere Heldin stets: Wie werde ich mich durch den, der dort wartet, verändern? Wird die Veränderung unwiderruflich sein?

Wir glauben gern, dass Entwicklung und Selbsterkenntnis etwas Gutes für den Menschen sind, etwas, zu dem wir durch Erfahrung vermittelte Einsichten gelangen.

Wenn Selbsterkenntnis jedoch zum Preis eines zerstörten Lebens erworben wird – sind wir dann immer noch an ihr interessiert?

Möchtest du dich selbst kennen? Es ist unsere Heldin, die das fragt. Deine und meine. Sie befindet sich dort im Licht. Bald wird sie sichtbar. Der Park, die Bäume …

Sie sitzt unter frisch ausgeschlagenen Kastanien. Noch ist nichts geschehen.

Die Hand liegt auf der Bettdecke, die weiße Decke gleicht einer Landschaft mit roten Seen in den Senken, es zuckt in den Fingern der Frau …

Gerüche im Zimmer, Gerüche aus dem Körperinneren, alle Arten von Gerüchen, es riecht nach Schlachtung, und dann dieses Geräusch …

Es dringt aus dem klaffenden schwarzen Loch mitten im Gesicht der Frau. *Ein Gesicht, das überraschend weit offen ist*, und in ihrer Schulter ein weiteres Loch, im Bauch noch eines und noch eines …

Das klaffende schwarze Loch mitten im Gesicht der Frau, das blutige Gesicht, Blut im Gesicht ist nicht gut, und in ihrer Schulter ein weiteres Loch und im Bauch noch eins. Für denjenigen, der bei einer ermordeten Frau ertappt wird, ist es nicht gut, wenn er Blut im Gesicht hat und Würgemale von den Händen des Opfers am Hals. Es ist nicht gut, die Polizei nicht gerufen und versucht zu haben, die Flucht zu ergreifen …

Nichts, hinter dem man sich verstecken kann, tot, auf Knien, die Beine gespreizt, dazwischen Blut und Kot …

Aber noch ist also nichts geschehen.

Und das wird auch noch eine Weile so bleiben.

Der Tod nimmt sich Zeit. Er wartet ein Stück weiter weg,

unsichtbar, und kommt erst, wenn er selbst dazu bereit ist. Bis dahin verläuft das Leben wie gewöhnlich. Frisch ausgeschlagene Kastanien …

I

Helen!«

O nein, dachte sie. Nicht *er*!

Aber er war es, zweifellos. Er kam quer über die Odengata gelaufen, einfach so. Er sah leider nur sie, und sein Lächeln war breiter als die Startbahn von Arlanda. Ihretwegen konnten ihn die Fahrzeuge gern überfahren; seinetwegen stoppte der Viererbus mit kreischenden Bremsen, und ein bedauernswerter Radfahrer war zu einem Ausweichmanöver auf den Bürgersteig gezwungen. Wie einer wütenden Frau grinste dieser Mann dem Verkehr zu: »Was kann ich dafür . . .!«

Es war mitten im Berufsverkehr. Der Himmel war hoch an diesem Tag über der Innenstadt von Stockholm und vielleicht über der ganzen Welt. Das Viereck der Welt, das der Vasapark bildete, wurde im Südosten vom blassgelben funktionalistischen Gebäude des Eastman-Instituts begrenzt, über dem Eingang die erschreckende Aufschrift: ZAHNBEHANDLUNG FÜR KINDER. Im hoch gelegenen Teil des Parks in Richtung Sankt Eriksplan begann sich das Gras zwischen den Felsflächen zu zeigen. Sie selbst saß auf einer der Bänke am östlichen Ende des Parks, wie festgewachsen zwischen Kastanien, Narzissen und frisch ausgetriebenen Frühjahrssaufbrüdern. Es war zu spät, um sich zu verstecken. Sie klappte das Buch zu, in dem sie gelesen hatte, und versuchte, ihm nicht zuzulächeln.

Die Bäume schlugen gerade aus, und da kam Örjan! Ihr Frauen, erbebt! Der schmierige Rucksack hing ihm schwer über der Schulter. Er war offenbar soeben von weither nach Hause gekommen, wieder einmal. Sie wollte nicht wissen, woher, wirklich nicht, dennoch würde sie sich die ganze großartige Geschichte anhören müssen.

Er umfasste ihr Gesicht mit beiden Händen, und sie musste lachen: »Hör auf, so gefühlvoll zu tun, Örjan, du alberner Kerl. Wie ist es dir ergangen?«

»Wirklich fantastisch, aber davon später. Von allen wunderbaren Menschen sitzt ausgerechnet *du* hier. Einfach so! Kaum landet man in Schweden, trifft man von allen Bekannten als Erstes dich. Wenn das kein unglaublicher Zufall ist! Ich habe nämlich auf dem Heimflug dein Buch gelesen. Unglaublich gut, muss ich sagen. Brillante Gedichte. Mein Gott, ich weiß, wie banal das klingt, aber mir ist, als hätte ich dich erst gestern zum letzten Mal gesehen.«

»Lass es ruhig banal klingen, das ist schon okay, du *bist* einfach banal. Dagegen kannst du nichts machen. Übrigens bist du genau wie immer. Ich glaube, selbst Krieg, Hungersnot und Revolution würden daran nichts ändern. Wird das nie langweilig? Ich meine, wenn man so ganz und gar unwiderstehlich geboren ist?«

»Hör auf, mich auf den Arm zu nehmen, du weißt, wie empfindlich ich bin.«

»Jaja, du bist hypersensibel, und außerdem hast du Ärmster kein Geld, stimmt's? Also gehen wir jetzt ins ›Ritorno‹, und ich lade dich zu einem Kaffee ein. Willst du auch was essen?«

»Ja gern, ich habe nichts gegessen, seit ...«

»Seit vorgestern oder etwas in der Art, ja. Irgendwas Alkoholisches hast du wohl getrunken, nehme ich an. Hast du Spaß gehabt?«

Er hatte rot geränderte Augen, wie immer. Er tat, was er

konnte, um wie ein Mann auszusehen, der ein hartes Leben führte. Schon vor der Zeit waren erste graue Strähnen an seinen Schläfen aufgetaucht, doch sie verkniff sich jeden Kommentar. Es war am besten so. Am Tisch vor dem Café steckte er sich ohne Zittern oder Fahrigkeit eine Zigarette an. Sein Hemd war gewaschen, seine Fingernägel gesäubert und die Augen ... Diese Augen! ...

»Helen, entschuldige, dass ich es sage, aber du bist schön. Du bist die schönste Freundin, die ich habe, und auf dieser Reise musste ich so oft an dich denken. Ich ...«

»Halt die Klappe! Ich gehe jetzt rein und besorg dir was. Kaffee mit warmer Milch, dazu ein Käse- und Schinkenbaguette?«

Diese Hundeaugen. Es wunderte sie stets aufs Neue, wie wirkungsvoll diese Augen sein konnten. Sie selbst hatte erwachsene, schöne, intelligente Frauen im Arm gehalten, die Rotz und Wasser heulten, alles wegen dieser Hundeaugen. Unbegreiflich.

Als sich ihr Blick an das verräucherte Dunkel im Inneren des Cafés gewöhnt hatte, stellte sie fest, dass ihr ältester Kumpel noch immer an der Wand hing. Gekleidet in Blau, dieses ewige Blau vor blauem Hintergrund, ein Mann der muskulösen Sorte mit breiten Schultern und steinernem Gesicht, befand er sich an seinem üblichen Platz und heulte.

Seine Augen waren leere, ausdruckslose Flächen. Aus ihnen liefen Tränenströme die Wangen hinunter. Niemand würde ihn jemals trösten können. Über der Tür mit dem Messingschild NUR FÜR PERSONAL hing er wie eine Ikone, eingeschlossen im Bild seiner selbst, und weinte unaufhörlich.

Wunder konnte man nicht heraufbeschwören. Sie wusste, weder Bitten noch Betteln würden jemals echte Tränen aus seinen Augen hinter der Maske pressen. Sie kannte ihn schließlich seit ihrer frühesten Kindheit.

In der Unterstufe hatte sie in den Sommerferien meist nichts anderes getan, als in den alten Phantom-Comics ihres Bruders zu lesen, selbst dann, wenn die Sonne schien. Am Ende kannte sie jedes Wort auswendig. Mit geschlossenen Augen konnte sie den Inhalt der Sprechblasen wiedergeben. In Halland, im Sommerhaus der Familie, lag sie tagein, tagaus auf der quietschenden Sprungfedermatratze, zugedeckt mit einer muffig riechenden Wolldecke, und weigerte sich, zusammen mit den anderen an den Strand zu gehen.

Sie war zu dick, um zu baden und in der Sonne zu liegen. Das taten nur schlanke, hübsche Mädchen. Ihre Mutter kaufte ihr Bikinis, die sie weinend anprobierte; das Problem war, dass sie Brüste hatte. Keine richtigen Brüste, sondern *Fettbrüste.*

Wenn man in die zweite Klasse ging, sollte man überhaupt nichts haben, was Brüsten glich! Mann sollte mager und platt sein wie ein Junge, am Oberkörper trug man zwei kleine Stoffdreiecke als Vorboten dessen, was eines Tages zu erwarten war. So sahen die hübschen Mädchen aus. Die hübschen Mädchen badeten und lagen in der Sonne. Sie selbst blieb im Haus.

Sie versteckte ihre Fettbrüste unter weiten Shirts, aß kiloweise Knabberzeug, trank Coca-Cola und las die Comics über das Phantom. Wer es unmaskiert zu Gesicht bekam, würde einem schrecklichen Schicksal entgegengehen et cetera. Sie hatte aufgehört zu träumen, dass sie die Heldin sein könnte, die dem Fluch trotzte und ihn damit aufhob. Sie wollte nur Ruhe und Frieden, kein schreckliches Schicksal erleiden. Sein Nierengürtel mit dem Totenkopfzeichen, seine Trikots, die ihn von Kopf bis Fuß verbargen, und gleichzeitig jedem, der es sehen wollte, das Spiel der Muskeln zeigten, seine Tränen …

»Selbst schuld«, zischte sie. »Bleib du nur dort oben, wo du bist.«

Er gab keine Antwort. Das Café hing voller Bilder, die Wände waren von oben bis unten damit bedeckt, doch sie beschäftigte sich nur mit diesem hier, mit dem Bild von dem weinenden Phantom.

Nachdem sie einen Blick auf das Angebot unter der Glasplatte geworfen hatte, ergänzte sie Örjans Bestellung um ein Schokoladenbiskuit. Das würde ihn freuen.

Als Kind hatte sie einen Traum gehabt, in dem sie vor einer Kirche stand; wie ihr später klar wurde, war es eine mittelalterliche Sandsteinkathedrale. Noch heute konnte sie sich an jede Einzelheit des Traums erinnern. Die Kirche glich dem Dom ihrer Heimatstadt, doch gleichzeitig war sie vollkommen anders. Wenn man versuchte, die Kirche zu umrunden, begriff man, wie ungeheuer groß sie war. Das Kind ging an den Außenwänden entlang, ohne eine Tür zu finden, vom langen Gehen wurden ihm die Beine müde, doch gelangte es nie zum Ausgangspunkt zurück. Man konnte die Kirche nicht umrunden, und einen Weg ins Innere schien es nicht zu geben.

Die Kirche umgab ein Park, der genauso klein war wie der in ihrer Stadt, einfach nicht groß genug, um ein solches Bauwerk zu fassen. Eine Stimme im Traum gab ihr die Schuld daran, dass sie nicht weiterzugehen vermochte und einfach stehenblieb: »Du sagst, du hättest dein Bestes gegeben, aber du hättest weitergehen können. Das kann man immer! Du hättest mehr schaffen können!«

Normalerweise wachte sie dann auf. Das wirkliche Vorbild war im Vergleich zur Kirche im Traum armselig, aber immer noch imposant genug mit seinem Turm, dem Kupferdach und dem sonntäglichen Glockenläuten. Sie und ihre Eltern wohnten gleich nebenan, und regelmäßig führte sie den

Hund im Dompark spazieren, obwohl es verboten war. V
Fenster ihres Mädchenzimmers aus konnte sie eine Ecke
Kirche sehen, die wie ein Zipfel grauer Vergangenheit im Heute erschien, nicht wie etwas Konkretes, in dem die Menschen Schutz vor Regen und anderen Unbilden suchten.

Lionga Kauping. Mit großen Buchstaben standen diese Worte als Kapitelüberschrift in einem Buch über die Geschichte ihrer Heimatstadt.

Als sie klein war, glaubte sie lange, dass *Lionga Kauping* der Name eines Chinesen sei, der bei dem Buch mitgewirkt hatte. Es machte großen Eindruck auf sie, dass selbst jemand aus dem fernen China an ihrer unbedeutenden Stadt interessiert war, bis sie begriff, dass es sich hierbei keineswegs um einen Historiker aus dem Fernen Osten handelte, dessen Spezialität schwedische Städte waren.

Lionga Kauping war der Name eines vorzeitlichen Handelsplatzes. Um diesen herum war ihre Heimatstadt im Laufe der Jahrhunderte zur heutigen Größe angewachsen. Nun war sie eine moderne Stadt mit einer Hochschule, einem Flugplatz, mit Pizzerias und Templerorden, mit Skinheads und Regionalmuseum.

Ihre Lage in der Ebene war irgendwie unangenehm. Ständiger Wind. Unmöglich zu verteidigen. Zwischen den Häusern im mittelalterlichen Straßengewirr der Innenstadt schien die Angst von Jahrhunderten zusammengedrängt.

Aus früherer Zeit erinnerte sie sich, wie der Dom im Inneren war: abgestandene Luft und ein säuerlicher Geruch nach altem Holz. Jemand war gestorben. Die Verzierungen der Wände, die aussahen wie Schaumgebäck aus Stein. Holzbänke, bedeckt mit schmutzig orangefarbenen, kratzigen Kissen. Das Bild am Altar aus der Zeit um 1930 zeigte Jesus, den sie nur wenige Jahre später hassen lernte.

Aus einem Gebilde, das einer Vagina in grellen Regenbogenfarben auf dem Umschlag eines New-Age-Kalenders glich, stieg ihr der Erlöser entgegen. Er hielt die Arme auf proportionswidrige Weise ausgestreckt, und seine Augen wirkten verwässert. Als Konfirmandin war sie zu dem Schluss gekommen, dass sie vor diesem Bild von Christus niemals würde heiraten oder ihre Kinder taufen lassen können. Als sie im Gymnasium erfuhr, dass gerade dieser Christus-Kitsch die geliebte Dichterin Karin Boye zu ihren Zeilen über Jesus inspiriert hatte – *gleichermaßen Gott wie junger Mann. Über seiner Stirn lodert hart und jung das Mittelalter* – stürzte ihr Idol vom Sockel, und mit ihm stürzten alle anderen Autoritäten: Sie konnte an keine einzige mehr glauben, wenn sich Dichter von solch miserabler Kunst inspirieren ließen und niemand Widerspruch einlegte.

Eine Erinnerung tauchte auf. Jemand war gestorben. Das orangefarbene Kissen kratzte an ihren nackten Beinen, während der Pfarrer vom Erlöser sprach, der seine Hände allen Toten entgegenstrecke, um sie in seine Obhut zu nehmen.

Als sie an der Hand ihrer Mutter zur Begräbnisfeier gekommen war, hatte es geregnet. Irgendwann während der Zeremonie hatte der Regen aufgehört, und plötzlich funkelte ein vielfarbiges Licht dicht neben ihr auf dem Steinfußboden.

Sie glaubte, einen Schimmer von Gott zu sehen. Es war nicht viel, ein Winken nur, doch war es wirklich Gott, nicht irgendein Sohn-Gottes-in-der-Welt, so wie ihn sich der Pinsler vorgestellt hatte. Daran glaubte sie, bis sie ein, zwei Jahre später ihrer Mutter von dem Ereignis erzählte, worauf diese sie auf der Stelle in den Dom schleppte, um ihr die farbigen Rosettenfenster dicht unterm Dach zu zeigen. Von dort war das Licht gekommen, von weit oben, war durch grünes, blutrotes und purpurnes Glas gefallen.

Die Erinnerung stellte sich ein, als sie über die Schwelle von Örjans Wohnung trat. Auf dem Boden funkelte dasselbe Licht wie in der Kirche, doch hier bewegte es sich. Es kam von einer Traube Glasstückchen, die sich, an dünnen Fäden hängend, glitzernd im Fenster drehten. Dieselben Farben. Dieselben flüchtigen Reflexe.

»Synchronizität«, erklärte er, nachdem sie ihm alles erzählt hatte. »Weißt du, Jung sagt, so etwas geschieht dauernd.«

»Du kannst mich mal mit deinem Jung. Wie bist du denn an diese Bude gekommen? Wirklich unglaublich!«

Sonnenlicht flutete durch das halb geöffnete Fenster. Es ging auf den Hof hinaus, wo Tulpen blühten und ein großer Ahornbaum gerade seine Blätter entfaltete. Örjan besaß nur ein Zimmer, aber es war luftig und bot Platz für alles, was ein Mann brauchte: eine Matratze auf dem Boden, darauf eine orientalische Decke und viele Kissen. Eine Stereoanlage, ein Bücherregal, eine Grünpflanze. Natürlich auch eine Staffelei, denn Örjan malte. Er hatte eine Leinwand in Arbeit, die – apropos Synchronizität – eine Art Regenbogenvagina darstellte.

»Ich habe die hier nur ein halbes Jahr für mich allein«, erklärte er. »Dann kommt Farsaneh zurück. Bestimmt hätten wir hier beide Platz, aber ...«

»Farsaneh?«

»Eine Frau. Du weißt ...«

Er lächelte und wedelte unbestimmt mit der Hand, das schloss die ganze Welt ein und zugleich nichts. Ja sicher, Frauen. Manchmal, wenn sie mit ihm zusammen war, vergaß sie, dass es Frauen gab. Sie vergaß, dass sie selbst dazu gehörte. Sie genoss das kameradschaftliche Frotzeln ungemein, bis zu dem Augenblick, wo das Wort Frauen wieder fiel, das früher oder später das Band zwischen ihnen zerschnitt und sie einfach in der Luft hängen ließ.

Ihre Fettbrüste hatten sich mit der Zeit in etwas sexuell bedeutend Korrekteres verwandelt. Örjan wusste davon, doch war es etwas, das er weder erreichen konnte noch wollte – diese Brüste waren genauso unnötig und lästig wie ein Paar Airbags in einem parkenden Auto. In einem Auto mit Airbags tut man nicht einfach, was einem gerade einfällt, wenn man nicht riskieren will, dass einem die Dinger urplötzlich ins Gesicht explodieren. Manche Bewegungen von Seiten Örjans waren unmöglich. Manche Gesprächsthemen ebenso.

Örjan und sie würden nie zusammen irgendwohin fahren, wo ihre Brüste gebraucht würden. Das wussten sie beide, und sie waren zufrieden mit dieser Art der Freundschaft. Dennoch, sie waren nun mal Mann und Frau und saßen in diesem Auto fest. Es gab keinen anderen Platz für sie beide. Und deshalb verstummte er manchmal hilflos mitten im Satz, den Blick irgendwo unter ihrem Kinn verankert, als wäre sie tatsächlich ... tja, Frau. Eine der Frauen.

»Farsaneh ist aus dem Iran«, erklärte Örjan. »Im Moment reist sie zusammen mit einem guten Freund durch Europa. Wenn sie zurückkommt ...«

Er ließ den Satz im Nichts verklingen und legte eine CD ein. Ein Akkordeon gab den Ton an, dann hörte man Händeklatschen. Tabla-Rhythmen bahnten den Stimmen ihren Weg. Eine hohe Stimme wirbelte die Luft auf, so wie Stoff beim Ausschütteln Staub in Bewegung setzt, der dann im Licht schwebend zurückbleibt. Der Luftzug brachte die Glasstückchen im Fenster zum Drehen.

Als sie die Augen schloss, sah sie das Gespinst der Adern in Lidern und Netzhaut. Das war eine Sache, an die sie sich aus frühester Kindheit erinnerte: Wann immer man wollte, konnte man die Augen schließen und eine Welt aufsuchen, die ohne Hetze pulsierte. Eine heiße, schwarzrote Welt, deren Tempo mit dieser Musik zusammenfiel, die einfach nicht enden durfte.

Die Sprache des Liedes erzeugte einen Rhythmus, der umso deutlicher wurde, weil Helen die Bedeutung der Worte nicht verstand. Zuweilen wirbelten sie ungezügelt tief in der

Kehle des Sängers und stiegen dann wie Blasen an die Oberfläche, wo sie zerplatzten und neuen Inhalten Platz machten. Sie zuckte vor Schreck zusammen, als Örjan den CD-Player unvermittelt ausschaltete.

»Pakistan«, sagte er.

Und schaute sie mit kindlicher Erwartung an. Seine Miene irritierte sie maßlos. Man konnte eine solche Musik doch nicht mittendrin ausschalten, konnte nicht, wenn einem danach war, auf den Kopf drücken und in eine andere Spur wechseln! Wenn die Musik erst einmal begonnen hatte, musste man sie weiterspielen lassen bis zum Ende!

»Was ist mit Pakistan?!«

»Ich bin da gewesen! Komme gerade von dort. Das hier ist pakistanische Musik.«

»Oho, du bist in Pakistan gewesen und hast diese CD von dort mitgebracht?«

»Nein, die habe ich bei ›Mega Records‹ gekauft, das ist Nusrat Fateh Ali Khan. Seine Platten bekommt man überall auf der Welt, also daran ist nichts Besonderes, aber begreif doch, *ich* bin in *Pakistan* gewesen!«

Vom Hof waren Stimmen zu hören. Eine Mutter schimpfte mit ihrem Kind, sie müssten sich beeilen, könnten nicht den ganzen Tag hier herumstehen. Das Kind gab keine Antwort, weinte nur halbherzig. Helen ging zum Fenster, gerade noch rechtzeitig, um zu sehen, wie die Mutter den Jungen auf den Kindersitz ihres Rades hob und mit zornigen Bewegungen festschnallte.

»Diese Mama hat bestimmt sehr lange keinen Sex gehabt«, sagte Örjan ihr ins Ohr.

»Und wie viele andere Mütter haben lange keinen Sex gehabt und sind trotzdem lieb zu ihren Kindern? Keinen Sex zu haben, ist doch keine Entschuldigung!«

Sie wischte die Tränen weg. Er hatte nichts gemerkt. Da wäre so vieles, über das man reden könnte ... ihre Erinnerungen … ein Kind … Stattdessen gab sie sich damit zufrieden, seinen Bericht anzuhören: von Motorradtouren über Bergstraßen, Tausende Meter über dem Meer, von Liebesabenteuern mit Hippie-Prinzessinnen, die sich nie an einen Mann zu binden gedachten, von sternenlodernden Nächten, von Lagerfeuern. Sandstränden und Haschisch. Er hatte viele Geschichten im Gepäck. Er war schließlich lange fort gewesen.

»Als ich gefahren bin, hatten wir Mai«, sagte er, »und jetzt ist wieder Mai. Die Jahre vergehen, und doch verläuft alles nur im Kreis, wenn du begreifst, was ich meine. Als bestehe die Zeit eigentlich nur aus einem einzigen Jahr, das sich ständig wiederholt.«

»Wie tiefsinnig! Ist das irgendein alter morgenländischer Gedanke?«

Einen Moment schien er ernsthaft verletzt. Dann war es wieder da, das große Örjansche Lächeln, das hier wie im Orient ganz sicher Herzen zum Schmelzen bringen konnte. Zu guter Letzt stand sie in seiner Kochecke an der Spüle, hackte Zwiebeln und Paprika klein, lauschte seinen Anekdoten über Mulla Nasruddin, und die Mutter mit dem quengelnden Kind war vergessen.

Sie ließ die Vergangenheit ruhen. Heute war heute. Sie lebte JETZT. Dieses Jetzt konnte ihr niemand nehmen.

Wisst ihr, was ich euch erzählen will? – Nein. – Dann gehe ich meiner Wege, es würde mir nie einfallen, vor einem so unwissenden Auditorium zu sprechen.

Wisst ihr, was ich euch erzählen will? – Ja. – Dann gehe ich meiner Wege, denn wenn ihr es bereits wisst, braucht ihr mich nicht.

Wisst ihr, was ich euch erzählen will? – Manche von uns wissen es, andere nicht. – Dann gehe ich meiner Wege, und diejenigen von euch, die schon Bescheid wissen, können die anderen informieren, die noch nichts wissen.

»Der Sufismus ist eigentlich der Kern aller Religionen«,

erklärte Örjan, während die Zwiebeln im Wok brutzelten. »Der heilige Franziskus war Sufi, und der Franziskanerorden war zunächst ein sufistischer Orden. Er war von den Gedanken des Jalaluddin Rumi inspiriert, auf den die tanzenden Derwische zurückgehen. Nicht vielen ist das bekannt, aber es ist wirklich so. Rumi hatte begriffen, dass alle religiösen Lehren einen Aspekt des Sufismus darstellen. ›Jesus ist in dir, suche seine Hilfe. Und wenn du in dir suchst, dann gehe nicht von den Bedürfnissen eines Pharaos aus.‹ Willst du einen Schluck Wein?«

Er mischte die Zwiebeln mit der Paprika und gab Garam Masala dazu. Sie nahm ihr Glas, setzte sich auf die Matratze und versuchte nur an Dinge zu denken, die sie vor sich sah. Sie konzentrierte sich auf die Stapel von Büchern und CDs, auf die Lichtreflexe des Mobiles, die von einer Zimmerecke in die andere gewandert waren und bald erlöschen würden, den Hausaltar neben dem Bett mit seinem Weihrauchfässchen und dem kleinen Messingbuddha und schließlich auf die mit Staub bedeckten Tarotkarten. Keinem anderen Gedanken war es erlaubt, an die Oberfläche zu dringen. Auch keiner Erinnerung. Einfach nur JETZT. Jetzt.

»Es ist lange her, dass du diese Karten gelegt hast, stimmt's?«

Er kam von der Kochecke auf sie zu, in jeder Hand einen Teller. Dampf stieg vom Essen auf. Jetzt setzte er einen Fuß vor den anderen. Seine nackten Füße waren braungebrannt und schön. Zwischen dem Hosenbund und seinem verwaschenen, viel zu kurzen T-Shirt sah man Haut und Haare. Als er ihr den Teller reichte, berührten seine Finger kurz die ihren, und jetzt – genau jetzt – sollte seine Gegenwart sie vielleicht erregen. Sie versuchte es, aber es ging nicht.

»Die Karten da habe ich noch nicht mal angerührt«, sagte Örjan. »Das sind nicht meine, sie gehören Farsaneh. Wollen mal sehen ... Haha, natürlich hat sie die von Crowley, hätte man sich ja denken können. Was wohl sonst? Diese Frau ist der reinste Sex.«

Er grinste zufrieden und ließ es sich schmecken. Wenn er aß, sah er aus wie ein Halbwüchsiger, der im Speisesaal der Schule saß. Mit aller Kraft stopfte er das Essen in den Mund, und dann schien es ohne jedes Kauen und Schlucken geradewegs im Magen zu landen.

»Crowley war wirklich *something*«, sagte er, die Backen voller Reis und Paprikagemüse. »Hast du was von ihm gelesen?«

»Ich glaube, ich kann damit nicht viel anfangen. Soviel ich verstanden habe, war er in erster Linie ganz schön verrückt, verbrachte seine Zeit damit, Singvögel umzubringen, bumste jeden, den er zu fassen bekam, und schiss den Leuten auf den Teppich, also ...«

»Schiss den Leuten auf den Teppich? Wow! Hat er das wirklich gemacht?«

Sie seufzte. Das Essen war nicht besonders gut. Schmeckte nur nach Gewürzen, der Reis reichte nicht aus, um das Brennen am Gaumen zu lindern, und nach wenigen Bissen hörte sie auf.

Sie wünschte sich, allein zu sein.

Weitaus später – nachdem das Entsetzliche gekommen und gegangen war, jenes, das auf ihrer Netzhaut so grausame Bilder eingeätzt, in ihrer Hirnrinde so furchtbare Erinnerungen hinterlassen hatte, dass sie Nacht für Nacht schreiend aufwachte – weitaus später erinnerte sie sich widerstrebend daran, dass sie sich eine Katastrophe gewünscht und sie dann auch bekommen hatte.

Als sie damals in der grauen Morgendämmerung auf der Parkbank saß, wollte sie, dass etwas geschehen solle, das einfach alles in Stücke riss.

Sie, die jetzt sechsunddreißig war, fühlte sich wie die Bewohnerin einer Scheinwelt, die lediglich aus Kulissen bestand, wo alles nur zum Spaß geschah. Irgendwann im Frühjahr hatte sie die Kontrolle über ihre Forschungsarbeit endgültig verloren, sie konnte sie nicht mehr ernst nehmen. Die Arbeit war nur ein Teil des Theaterstücks, nichts anderes – ein Schauspiel, in dem Menschen sich wie Tiere um jedes Kuchenkrümelchen stritten, und warum das alles? Weil jeder Einzelne diesen einen ganz bestimmten Posten wollte, der ihm sein Auskommen garantierte, während er weiter an der Prosodie bei Gunnar Björling, der frühen Bilderwelt Gunnar Ekelöfs oder irgendeinem anderen Detail der Literatur herumbosseln konnte. Bei ihr war es nicht anders. Auch sie wollte das, nein, es stimmte nicht, sie hatte es gewollt.

Alle hatten sie ermuntert, angefangen vom Doktorvater und den Professoren bis zu ihren Studienkollegen, die allmählich zu Konkurrenten wurden. Sie galt als neuer Stern am Himmel der Literaturwissenschaft, oder sie hätte es werden können, wenn sie nur fleißig genug gearbeitet hätte – doch je weiter ihre Forschung vorankam, desto mehr verlor sie den Kontakt zu den Dingen, die sie früher einmal geliebt hatte.

Sie konnte sich nicht mehr wie früher der Dichtung widmen, um Trost und Freude an der Sprache zu finden. Alles war nur Schein, die angebliche Liebe der Menschen zur Literatur ebenso wie die Literatur selbst. Jedenfalls hatte sie dieses Gefühl. Sie hätte sich nie bei diesem Doktorandenkurs anmelden dürfen.

Immer mehr widerstrebte es ihr, neue Texte vorzulegen; ja, sich überhaupt hinzusetzen und sie zu schreiben, erschien ihr undurchführbar und sinnlos, und die Seminare bereiteten ihr Übelkeit.

Ihr Leben war festgefahren. Alle Türen schienen geschlossen, und offenbar gab es keine andere Möglichkeit für eine Öffnung, als dass irgendetwas sie aufsprengte.

Es musste etwas geschehen.

Sie wünschte sich eine Katastrophe, und die sollte sie auch bekommen.

Im gekachelten Gang zu den Bussen hinunter lag Schmutz und Abfall. Sie ging so schnell sie konnte, ohne zu rennen. Alles würde von Anfang an falsch laufen, wenn er auf sie warten musste. Früher oder später würde es auf jeden Fall schief gehen, das gehörte einfach dazu, doch wollte sie dieses Wochenende wenigstens so gut wie möglich beginnen lassen. Das konnte gelingen, wenn der Bus von Gustavsberg nicht schon da war. Wenn ihr Sohn in seiner grünen Nylonjacke und den Jeans mit dem vermutlich extremsten Hängearsch von ganz Värmdö nicht bereits dort unten stand und sich fragte, warum sie nicht rechtzeitig auftauchte und was er hier eigentlich machte, warum man jedes zweite Wochenende mit jemandem verbringen musste, der eine komische Bude und einen komischen Job hatte und dessen komische Freunde komische Dinge taten. Warum konnte man nicht lieber mit seinen Kumpels durch die Gegend ziehen oder die Zeit zu Hauses mit Computerspielen verbringen, einfach ganz normal sein?

Sie stolperte.

Ihre Umhängetasche rutschte über den verdreckten Boden, ging auf, und Schlüssel und Portemonnaie fielen heraus. Die Frau, die ihr entgegenkam, bückte sich, hob die Sachen auf und reichte sie ihr mit einem Lächeln, das überraschend herzlich wirkte.

»Ist alles in Ordnung? Haben Sie sich wehgetan?«

»Nein, nein, alles okay, überhaupt kein Problem ...«

Sie hatte sich das Schienbein gestoßen. Es tat höllisch weh, aber sie biss die Zähne zusammen. Die fremde Frau reichte ihr die Hand und half ihr auf.

Sie sah aus wie die tadellos gekleidete Angestellte eines skandinavischen Reisebüros – sie trug Basecap und eine Windjacke mit Firmenzeichen, war blond und hübsch, ohne herausfordernd zu wirken. In ihrer Begleitung befand sich ein sandfarbener Mann, der Generaldirektor in jeder beliebigen staatlichen Behörde sein konnte. Helen starrte der Frau ins Gesicht und fragte sich, wo sie ihr schon einmal begegnet war. Plötzlich schoss ihr ein Bild von Örjan in einem Restaurant durch den Kopf – Örjan und diese Frau hier?

Nein.

Völlig unmöglich.

»Haben wir uns schon mal irgendwo gesehen?«, fragte die Frau.

»Sie kommen mir bekannt vor ...«

»Ich weiß nicht ... Ich glaube nicht ... Entschuldigung, ich habe es furchtbar eilig ...«

Kurz darauf hatte Helen den Sturz und das merkwürdig bekannte Lächeln vergessen. Allein der Schmerz im Bein war geblieben. Es würde ein ordentlicher blauer Fleck werden, aber das war nicht weiter schlimm. Das Schmerzhafte war meistens nicht wirklich gefährlich, und umgekehrt: Das tatsächlich Riskante machte selten viel Aufhebens von sich. Es wirkte im Stillen, bis man ausgezehrt und geschädigt war, bis es keine Rettung mehr gab –, erst dann zeigten sich die Symptome, und man sah erst dann die Gefahr, wenn es zu spät war.

Radioaktive Strahlen. Ideen, Verhaltensweisen und Menschen, die man einfach hinnahm, so, als wären sie unausweichlich und ganz selbstverständlich fester Bestandteil dieser Welt, wo sie dieselbe doch, ohne Alarm auszulösen, verwüsteten …

Solange es wehtut, dachte sie, ist alles okay. Erst, wenn der Schmerz aufhört, bin ich in Gefahr, weil ich dann nicht mehr auf der Hut bin. Ein Schmerz, den man nicht spürt, ist der verräterischste von allen.

Hätte man in diesem Moment ihre Gedanken lesen können, hätte man einen Menschen vor sich gesehen, dem der eigene Schmerz eine Quelle der Sicherheit war. Erschreckend? Absolut. Ungewöhnlich? Vielleicht.

Time is definitely moving on, check your watches and your clocks, say turn it up, time is moving on, you better get ready before it's gone …

HipHop, Jazztrompeten und Schneegestöber; nasse Flocken wirbelten draußen im Dämmerlicht. Ihr Sohn saß auf dem Sofa und gab sich unbeeindruckt von der Musik, die durch den Raum wogte, während sie den Tisch für sie beide deckte. Tag für Tag dieselben lebenserhaltenden Dinge: Mittagessen kochen, zu Mittag essen, kochen, essen, kochen und essen, schlafen, aufstehen und erneut schlafen, arbeiten und über der Arbeit gähnen, aus dem Fenster schauen und denken ›morgen …‹, als würde das Leben ewig dauern, als könnte der Tod nicht hinter der nächsten Ecke lauern.

Er holt dich, wann er will. *Check your watches and your clocks …*

»Was machen wir morgen?«

Er gähnte heftig und sah sie an.

»Wir werden ein bisschen was einkaufen, und abends sind wir zum Essen eingeladen. Falls du keine anderen Pläne hast …?«

Er zögerte. Noch bevor er den Mund aufmachte, wusste sie, was kommen würde: »Bei einem meiner Kumpels findet eine Party statt, draußen in Gustavsberg«, sagte er. »Weißt du, alle meine Freunde kommen. Also habe ich gedacht, ich könnte hinfahren und dann bei Papa schlafen, und hinterher ...«

»Sicher. Mach das.«

»Ist es okay? Du bist nicht traurig oder so?«

Früher hatte sie bei diesen Gelegenheiten immer mit ihrem breitesten Mama-Lächeln reagiert: »Natürlich bin ich nicht traurig, mach nur, wozu du Lust hast, ich hoffe, du hast eine Menge Spaß.« Sie wollte keine Mutter sein, die sich als Märtyrerin gab. Sie und ihr Sohn hörten schließlich dieselben Platten! So eine Muter konnte man nicht sein, wenn man die eigenen Klamotten im selben Laden kaufte wie der Sohn im Teenageralter und wenn man sich obendrein noch seine Jeans auslieh!

Er hörte sogar ihre HipHop-CDs. Zumindest hatte er das bis vor kurzem getan. Jetzt allerdings schien für ihn HipHop nicht mehr so interessant zu sein. Im Moment schwärmte er für Death Metal und den Hardrock der Siebziger und spielte stattdessen ihre alten Deep-Purple-Platten ab.

Und dennoch ...

Er mochte die Platten, aber nicht deren Besitzerin. Mama war eben Mama, er genierte sich für sie, fand ihr Leben komisch. Zwischen ihnen war eine Mauer entstanden, die Popmusik nicht einreißen konnte ...

Eine Mutter sollte keinen HipHop mögen und nicht als Untermieterin in einer engen Teenager-Bude wohnen, wo auf dem Fußboden Klamotten und CD-Cover herumlagen. Richtige Mütter wohnten in Eigenheimen, backten Kuchen und besaßen eine Nähmaschine, die richtig viel Geld gekostet hatte. Oft sah sie, dass er sie völlig daneben fand. Er traute ihr nicht. Hielt sie auf Distanz. Sie ähnelte ihm zu sehr.

Erwachsene waren nicht mehr erwachsen, sie waren ewige Teenager, während die Teenager immer früher erwachsen wurden. Grenzen wurden ausradiert, und neue Grenzen entstanden an paradoxen Stellen.

Doch plötzlich, wenn sie glaubte, überhaupt keinen Zugang mehr zu ihm zu finden, ließ er sie direkt an sein Herz heran. Und umgekehrt: Wenn der Weg völlig offen zu liegen schien, schloß er sie mit einem Mal aus, als sei sie seine ärgste Feindin.

War sie ausgeschlossen, dann war sie es um so vieles mehr, als es sein Vater und die Stiefmutter je sein konnten. Schließlich waren die beiden genauso, wie sie zu sein hatten, nämlich richtige Eigenheimbewohner und Kuchenbäcker, die sich im Fernsehen stets »Terra-X« ansahen und niemals »Akte X«. Die beiden waren von einem anderen Planeten. Hatten nie eine HipHop-CD besessen und lauschten noch den Beatles, obwohl die auch schon in ihrer Jugend längst passé waren.

Richtige Mütter und Väter ließen samstagnachmittags »Strawberry fields« laufen, während die Frau Hemden und Blusen bügelte und der Mann die Nummer seines Girokontos auf eine Überweisung nach der anderen schrieb. »Sergeant Pepper's Lonely Hearts' Club Band« drehte sich für ewig auf dem Plattenteller, so, als sei seit den Jahren um neunzehnhundertsechzig überhaupt nichts geschehen – weder in der Popmusik noch zwischen den Generationen.

Es war zum Heulen.

»Klar bin ich traurig. Was glaubst du wohl?! Aber es ist schon okay.«

Sie aßen schweigend. Der Regen klatschte ans Fenster. Die Musik schwappte durch den Raum.

»Du könntest doch mit zur Party kommen«, sagte er plötzlich.

Ihr fiel die Gabel mit leisem Klirren auf den Teller. Sie starrte ihn an.

»Ja, ich meine es ernst!«, fauchte er. »Ich will, dass du mitkommst!«

»Wenn du das nur vorschlägst, um nett zu sein ...«

»Kommst du nun mit oder nicht?«
Time is moving on, you better get ready …
»… Klar komme ich mit«, sagte sie.

Wenn es dämmert, sammeln sich die Krieger der Stadt in den Ecken der Finsternis.

Die Stadt ist nicht groß. Nähert man sich ihr aus der Luft, sieht man, dass sie lediglich aus einem Häufchen glitzernder Lichter in einer Unendlichkeit von Seen, Nadelwäldern und Wildnis besteht. Sie ist die Hauptstadt eines Landes, in dem die Menschen an Entfernungen gewöhnt sind. Sie schätzen den Wald und die Einsamkeit mehr als Tumult und Gedränge; ihre Hauptstadt ist deshalb kühl und sauber, ohne enges Straßengewirr.

Von Norden kommen zuweilen klappernde Güterzüge, beladen mit Erz. Sie durchqueren den mittelalterlichen Stadtkern, und die Erschütterung zermürbt die Ziegel der jahrhundertealten Bauten. Von Süden kommen Touristen und bewundern alles: das Wasser, die Brücken, die Altstadtinsel und die anderen Inseln.

Jetzt ist es dunkel.

Es ist Freitag, und überall glitzern Lichter. In der Götgata auf Södermalm wird es entlang der Restaurantmeile langsam voll. Vor den Geldautomaten an der Steigung von Slussen herauf warten diejenigen, die schon ein paar Schnäpse intus haben und jene, die gleich ihr erstes Glas leeren werden. Die Stimmung steigt.

Dort steht ein Trupp Männer aus Schonen, alle mittleren

Alters, an den Fingern stumpfe Eheringe. Leicht schwankend pfeifen sie den vorübergehenden Frauen hinterher. Jungen und alten, den gerade erblühten Blumen und jenen, die bereits verwelken, – jede erhält ihren Anteil an Aufmerksamkeit. Wir leben in einer gleichberechtigten Gesellschaft, und diese Männer, die auf einem Gewerkschaftskongress in der Stadt weilen, sind ihre Wächter. Allesamt sind sie frisch rasiert und wirken Vertrauen erweckend in ihren Anzügen und Mänteln; sie wohnen im traditionellen Hotel ›Malmen‹. Morgen geht ihr Flieger nach Hause, doch heute wollen sie noch die Stadt unsicher machen. Sie werden ihren Abend in der verräucherten Kneipe ›London & New York‹ beenden, am selben Tisch wie ein paar Blondinen in den Vierzigern – gründlich geschminkt und kostspielig parfümiert, in kurzen schwarzen Röcken. Fröhliche, nette Single-Damen voller Lebenslust, die Wert auf ihre Freiheit legen.

Eine von ihnen geht mit einem der konferierenden Männer aufs Hotelzimmer, wo er prompt ihren Push-Up-BH aufzufummeln versucht. Sie bricht in hysterisches Weinen über das Leben im Allgemeinen und die Männer im Besonderen aus, all diese hoffnungslosen Kerle, die nicht über Gefühle reden können und nur auf ein kurzes Abenteuer neben der Tristesse ihrer Ehe aus sind. Und wenn sie dann die Chance haben, sind sie nicht einmal im Stande, ihr Ding hochzukriegen, sie riechen nach Schuld und Schnaps aus dem Mund, wenn sie murmeln: »Ich kann nicht ... Ich ... Weißt du, meine Frau ...«

Der Mann aus Schonen schläft mit dem Rücken zu ihr ein und fängt sofort an zu schnarchen. Die Single-Blondine schluchzt trocken in die Dunkelheit, ohne dass sie jemand hört. Am Ende kuschelt sie sich dich an seinen Körper, sucht dessen Wärme, und wartet darauf, dass er aufwacht.

Als er es tut, ist alles vorbei. Er unterdrückt den Impuls, ihr Geld zu geben. Sie hakt den BH zu, zieht das Kleid und die Strumpfhose über, an der eine Masche gelaufen ist, sammelt ihre Sachen ein und nimmt die U-Bahn nach Hause.

Zwei Burschen, noch keine zwanzig, stehen direkt hinter den Schonen in der Schlange. Sie sind keine Junkies, nur ein wenig tollkühn. Alles ist möglich. Das Leben ist grenzenlos. Einer von ihnen wird bald in einer nahe gelegenen Querstraße eine Überdosis nehmen und den Abend in der Notaufnahme beenden. Gerettet von Krankenwagenpersonal und der Polizei, die über den Posten allzu guten Heroins seufzen, der gerade in der Stadt zirkuliert. Sein Kumpel wird neben ihm sitzen, seine Hand halten und weinend zu jedem, der vorbeikommt, sagen: »Er ist mein bester Freund. Wir kennen uns schon seit dem Kindergarten.«

In einem Östermalm-Restaurant auf der anderen Seite des Wassers hockt an diesem Abend ein harter Kern von Gegenwartsautoren, die allmählich nach Hause gehen werden, um Bücher über eben jenes Östermalm-Restaurant zu schreiben, in dem sie zu hocken pflegen. Im ›Pelikan‹ auf Södermalm sitzen Schauspieler und Musiker, Möchtegernschauspieler und Möchtegernmusiker, für die Östermalm einfach nicht existiert; Östermalm ist erstunken und erlogen. Die richtige Stadt endet bei Slussen. Diejenigen, die etwas werden wollen, tragen hennafarbene Rastalocken und ernähren sich vegetarisch; ihre Nasenflügel und Lippen sind mit Silberschmuck gepierct; sie trinken Bier, rauchen Zigaretten und werden von den Kellnerinnen angefaucht, wenn zum Servieren kein Platz mehr bleibt.

An einem der Tische spuckt Örjan große Töne. Er hat viel zu erzählen. Das Mädchen neben ihm versucht nicht, ihn anzumachen; sie sitzt still und kerzengerade da, ihre Augen wirken wie aus Glas. Ohne eine Miene zu verziehen, raucht sie eine Zigarette nach der anderen. Sie hat sich in eine riesige Strickjacke gehüllt, so als friere sie trotz der Hitze im Raum. Ihre Lippen schließen sich um den Filter, öffnen sich wieder, schließen und öffnen sich, schließen sich erneut, regelmäßig wie eine Blume. Ihre Handgelenke sind zart, und ihr schwarzes Haar ist an den Wurzeln schmutzig blond nachgewachsen. Morgen wird sie es nachfärben.

Sie verfolgt das Geschehen mit dem Blick, ohne daran teilzuhaben. Sie will es nicht. Bleibt für sich. Örjan hat sie hergeschleppt, doch eigentlich hat sie keine Zeit, hier herumzusitzen.

»Ich muss gehen, die Arbeit«, sagt sie.

»Jetzt …?! Aber wir sind doch gerade erst gekommen?«

»Genau jetzt, ja. Bis bald.«

Sie greift nach der Tasche, erhebt sich ohne Eile. Das Kleid unter der Strickjacke schmiegt sich eng um ihre Schenkel. Sie trägt glänzende schwarze Strumpfhosen. Als sie geht, schauen ihr die anderen Gäste hinterher, doch sie geht nicht, um angeschaut zu werden. Sie läuft einfach nur los. Örjan zuckt mit den Schultern.

»Was war mit ihr?!«

»Nichts. Sie muss einfach zur Arbeit.«

»Und was macht sie?«

»Ist doch egal. Alle haben etwas vor, du doch auch, oder? Wie geht es eigentlich mit dem Film, den du mit deinem Kumpel machen wolltest?«

»Wir müssen uns um Geld kümmern. Bisher haben wir noch keins. Aber wenn wir es erst beantragt haben …«

Die kleine Stadt leuchtet und blinkt wie ein Flipperspiel. Kälte schließt sich um das Mädchen, das gerade von Örjans Tisch aufgestanden und aus der Gaststätte auf die Straße hinaus verschwunden ist. Sie geht rasch, um die Wärme zu halten.

»Du kennst wirklich viele Frauen!«

»Hmm … Alle meine guten Freunde sind Frauen. Könntest du mir noch ein Bier bezahlen, das wäre wirklich nett, ich verspreche dir, sobald ich das Geld vom Sozialamt habe, bekommst du jede einzelne Öre zurück. Und wann glaubst du, dass ihr mit dem Zuschuss zu diesem Film rechnen könnt?«

Die Gespräche im Raum gleiten wie Rauchschwaden ineinander und lösen sich wieder. Nichts ist fest. Alles verflüchtigt sich. *Time is definitely moving on ...*

Kälte und Dunkelheit schließen sich um das junge Mädchen. Sie geht nicht, um gesehen zu werden, wiegt sich nicht in den Hüften, wirft das schwarze Haar nicht in den Nacken. Sie geht ohne Eile. Ihre Schritte sind ruhig und bestimmt, sie läuft wie ein Mensch, der weiß, wohin er unterwegs ist. Sie blickt geradeaus, um sie herum gibt es auch nicht viel zu sehen. Manche Ampeln haben aufgehört zu schalten, sie blinken jetzt nur gelb. Wenigstens daran erkennt man die Nacht in der kleinen Hauptstadt der nördlichen Hemisphäre, in der die Zeit zwischen Abend- und Morgendämmerung bald so kurz und hell sein wird, dass man kaum noch Nacht dazu sagen kann.

Das Mädchen geht und geht. Sie könnte sich ein Taxi leisten, doch ist sie von Natur aus geizig, und außerdem ist Gehen gut für den Körper. Sie kennt ihren Körper. Straff und muskulös bewegt er sich unter der Kleidung.

Sie ist erst siebzehn Jahre alt, bald wird sie achtzehn. Sie wohnt in dieser Gegend, teilt sich die Wohnung mit einer Freundin, hat eine Bankkarte für ihr Konto, an das ein kleiner Kredit gekoppelt ist, bezahlt Strom- und Telefonrechnungen vor dem Verfallsdatum und ist stolz darauf, es zu können. Alkohol trinkt sie nur selten, und sie nimmt keine Drogen; sie hat gesehen, was die anrichten können. Wer Drogen nimmt, ist gefangen, und das will sie nicht sein. Ihre

Freiheit ist ihr wichtig – gehen zu können, wohin sie will und wann immer sie will, keinen um Erlaubnis fragen zu müssen, sich nicht kaputtschuften zu müssen bei einem tristen Job unter einem tristen Chef, einfach tausend Möglichkeiten vor sich zu haben und niemandem zu gehören.

Das antwortet sie Örjan, wenn er fragt, warum sie so lebt – »ich will niemandem gehören«. Und er, dieser wahnsinnig toll aussehende Mann, der so viel älter ist als sie und nie versucht, sie zu irgendetwas zu benutzen, sieht sie dann bewundernd an. Sie imponiert ihm. Dagegen hat sie nichts.

Ihre Augen wirken wie aus Glas, ihre Schritte hallen zwischen den Häuserwänden, sie geht wie ein Uhrwerk.

Sie ist keine Hauptfigur, weder von dieser Geschichte noch von sonst irgendeiner. Sie ist nur eine von tausend und abertausend Personen, die unentwegt auf den Straßen der alltäglichen Orte entlanggehen, wo auch wir uns befinden. Sie tangieren unser Leben, ohne dass wir es auch nur ahnen; manchmal stehen sie hinter uns auf der Post an, dann wieder sehen wir sie im Supermarkt oder beim Kleiderkauf. Selbst wenn uns niemand von ihnen erzählt, berührt ihre Realität immer wieder unsere eigene, als gingen sie uns etwas an. Wir sind wir. Die anderen sind die anderen. Zwischen »uns« und »ihnen« aber gibt es keine Grenze.

Das Mädchen mit dem schwarzen Haar bleibt an derselben Stelle wie immer stehen und steckt sich eine Zigarette an. Sie ist unauffällig. Trägt keine hohen Absätze, und unter der offenen Jacke ist kein Ausschnitt zu sehen. Die freie Hand versteckt sie im Jackenärmel. Um die Kälte zu vertreiben, tritt sie von einem Fuß auf den anderen. Sie nimmt gemächlich ein paar Züge und lässt den Blick schweifen.

Der Mann, der schließlich auftaucht und neben ihr stehenbleibt, ist ihr bekannt. Er pflegt genau an diesem Wochentag und ungefähr um diese Zeit zu erscheinen. Die beiden begrüßen sich nicht, und sie überlegt auch nicht, wie er heißen mag. Sie weiß, dass sie jetzt aufhören muss, sich die verschiedensten Dinge zu fragen. Alles wird schnell gehen, und dann kann das Denken wieder beginnen. Bis dahin gestattet sie sich nur einen einzigen Gedanken, sie hämmert ihn ihrem Bewusstsein ein, um es ganz damit auszufüllen, damit nichts anderes dort Platz hat und alles Schlimme am Eindringen gehindert wird. Jetzt gibt es nur den beharrlichen Gedanken »Geld ist Freiheit, ist Freiheit, ist Freiheit.«

Geld ist Freiheit. Er drückt es ihr in die Hand, bevor es zu irgendetwas kommt. Das ist eine stille Übereinkunft zwischen ihnen, die Freiheit auf die Hand, bevor es etwas gibt, beinahe wie in einem Werbefilm. Freiheit, sicher verpackt in einer kleinen Schachtel. Ihr Herz ist diese harte kleine Schachtel, aus der man nichts nehmen und in die man nichts hineinlegen kann. Vor langer Zeit wurde sie verschlossen, und der Schlüssel fiel in den Fluß, versank und wurde nie wieder gesehen.

Mutter sagte: »Geld ist Freiheit, vergiss das nicht. Das musst du dir merken: Wenn du Geld hast, kann dir keiner was anhaben. Aber ohne Geld bist du verloren, denn du bist ganz allein, hast nichts, besitzt nur dich selber, solche wie wir haben nur unseren Körper und unsere Seele, wir besitzen kaum die Kleider auf dem Leib, und Geld ist Freiheit. Werde nicht wie ich, meine Kleine, nicht wie ich, nur nicht wie ich, sieh zu, dass du den Kopf überm Wasser behältst, und werde nicht wie ich ...«

Nicht durch den Mund atmen. Nicht durch die Nase. Nicht atmen. Wenn sie Glück hat, kann sie den Job erledigen, ohne Luft zu holen. Im besten Fall wird alles blitzschnell gehen, sie kennt ihn und weiß, wenn sie es geschickt genug anstellt ...

Wenn sie nicht so geschickt ist und atmen muss, wird er jammern »Hör nicht auf« und völlig schlaff werden. Er ist sowieso immer ziemlich schlaff, doch wenn sie unterbricht, um Luft zu holen, wird er gänzlich weich in ihrem Mund, wie eine Nacktschnecke. Dann wird die Sache länger dauern, schlimmstenfalls sehr lange, und sie wird den Geruch spüren müssen. Hinterher hat sie stets einen Geschmack nach Schnecke im Mund, sauer, nach toter Schnecke. Dem kann sie nicht entgehen, doch hat sie eine Flasche Mineralwasser bei sich. In diesem absolut modischen Beutel, den sie im ›Pelikan‹ vor etwa einer Stunde vom Stuhlrücken nahm, steckt alles, was sie braucht: Mineralwasser, Zahnbürste und Zahnpasta, Kaugummi, Handy und Tränengasspray.

Gleich neben ihnen liegt ein enger Durchgang, von der Straße aus ist er nicht einzusehen. Dort gehen sie hinein, und er lehnt sich schwer gegen die Wand. Während er die Hose aufknöpft und seinen Penis herausangelt, atmet sie ein einziges Mal tief ein. Sie hat gelernt, wie man sparsam mit Luft umgeht und wie man sich nicht übergibt, wenn man etwas in den Hals bekommt, etwas Großes, Zähes, das mehr voraussetzen würde, als der hier zustande bringt. Sein Ding ist nicht groß und dick, nicht fordernd, es will nur in ihrem Mund ruhen, während sie saugt und bläst, ohne Luft zu holen.

Nach einer bestimmten Zeit, wenn er zu winseln beginnt, bewegt sie die Zunge so, dass er kommt, sein Glied warnt sie, indem es zu zucken beginnt und eine kleine Menge salziger Flüssigkeit ausspuckt. Wenn sie die schmeckt, gibt sie ihn frei, nichts kann mehr schief gehen, sie nimmt seinen Penis in die Hand, knetet ihn und achtet darauf, dass das Sekret an die gegenüberliegende, etwa einen Meter entfernte Wand geht.

Er mag es, wenn das Sperma bis an die Wand spritzt, dann hat er das Gefühl, besonders weit gekommen zu sein. Wenn er zufrieden ist, erhält sie hinterher eine Extrazulage, das gehört zum Ritual. Sie darf nicht mit zusätzlichem Geld rechnen, er wird es ihr hinterher überreichen, mit der Miene eines Mannes, der Macht hat. Woran er denkt, wenn sie ihm einen bläst, weiß sie nicht, und sie grübelt auch nicht darüber nach. Sie ist nicht neugierig und dennoch macht sie sich gewisse Vorstellungen davon. Vermutlich malt er sich aus, er sei jemand, der das Sagen hat – ein Geschäftsmann, eine Fernsehgröße, ein Aufseher im Konzentrationslager. Die Leute haben so viele Fantasien im Kopf, das hat sie bei diesem Job gelernt. Daher sagt sie oft zu jenem toll aussehenden Mann, der sie bewundert: »Ich weiß eine Menge, was andere nie erfahren, darüber, was die Menschen in sich haben.«

Einige wollen reden. Sie sagen alles Mögliche, wenn sie ihren Penis im Mund hat, geben ihr die unterschiedlichsten Namen. Nennen sie Nutte, Fotze, kleines Miststück, Schwesterchen oder Mama. Aber der hier schweigt. Er winselt, das ist alles. Er sieht weder gut aus, noch ist er hässlich, er ist auch nicht viel älter als sie. Manchmal fragt sie sich, wie ein so junger Bursche schon nach altem Kerl riechen kann, wie kommt es, dass er sich nicht wäscht, hat ihm niemand beigebracht, sich sauber zu halten? Was hat ihm seine Mutter von Frauen erzählt? Geld ist Freiheit, ist Freiheit, ist Freiheit, her mit Wasserflasche und Zahnbürste. Wenn er gegangen ist, putzt sie ihre Zähne ebenso eifrig und gründlich, wie sie es in der Kindheit gelernt hat.

Sie erinnert sich an diese Zahnärztin im weißen Kittel, die immer so freundlich lächelte und sagte: »Kein einziges Loch, wie tüchtig du bist.« Dann durfte sie sich einen Aufkleber aussuchen, und hinterher kam Mutters Kommentar, wie unglaublich viel ein Zahnarzt doch verdiene, aber dass Zahnärzte unter dem High-Society-Pack trotzdem nur wenig zählten. Zahnarzt würden die Kinder feiner Leute nur dann, wenn sie nicht das Zeug zum richtigen Arzt hätten, so Mutter. Geld ist Freiheit.

Manchmal fragt sie sich, woher der junge Bursche mit dem Schwanz eines alten Kerls das Geld hat. Sie ist überzeugt davon, dass er es nicht selbst verdienen muss, nicht, weil er noch so jung ist, sondern weil er hinterher immer den Gesichtsausdruck eines Mannes hat, der nicht zu arbeiten braucht, um vögeln zu können.

Vielleicht stiehlt er es aus Vaters Brieftasche, oder er hebt es von einem Sparkonto ab. Sie weiß, dass Kinder reicher Leute oft Sparkonten besitzen, auf die ihre Eltern jeden Monat das Kindergeld einzahlen, und Oma steuert hin und wieder einen Tausend-Kronen-Schein bei, es ist ein Konto für die Zukunft.

Sie ist siebzehn Jahre alt und weiß eine Menge, zum Beispiel, dass der junge Bursche mit dem Schwanz eines alten Kerls nie merken darf, dass sie sich so schnell wie möglich die Zähne putzt, wenn sie mit ihm fertig ist. Sie reibt sich sein Smegma von der Zunge, spuckt immer wieder aus, spült, bis die Flasche leer ist, und irgendetwas sagt ihr, dass sie in Gefahr wäre, wenn er das sah. Ihr Job ist gefährlich, doch nur, wenn einem Wesentliches in der Psyche der Menschen entgeht, dafür aber glaubt sie zu klug zu sein. Sie vertraut ihrer Intuition so blind, dass sie kaum merkt, dass diese existiert. Der Bursche darf auf keinen Fall sehen, dass sie sich die Zähne putzt, Punktum.

Während er zum U-Bahn-Eingang beim nächsten Häuserblock unterwegs ist, freut er sich an dem Gedanken seines Geschmacks in ihrem Mund. Er stellt sich vor, dass sie es genießt, damit einzuschlafen und aufzuwachen und dass sie sich schon nach dem nächsten Mal sehnt. Sein Penis wird hart bei dieser Vorstellung, härter als zuvor. Richtig hart wird er nur, wenn er allein ist, und er freut sich schon auf den eigentlichen Höhepunkt, den er sich heute Abend, sobald er die Tür hinter sich geschlossen hat, selbst verschaffen wird. Das ist wirklich er, sein richtiger Steifer und sein Traum von ihr, die er keinesfalls öfter aufsuchen wird als einmal die Woche; einmal die Woche ist genau richtig. Nur zu ihr kann er gehen, keine bläst wie sie. Er hat es versucht, aber die anderen waren nicht wie sie. Nicht dass sie besser oder schlechter gewesen wären, sie waren einfach nur anders, sie passten nicht zu ihm.

»Wie war dein Tag?«, ruft seine Mutter aus dem Wohnzimmer, die eine ganz normale Zahnärztin ist, mit einem wohl geordneten Leben in einer intakten Familie, und er antwortet: »Danke, gut. Aber ich bin total müde, ich gehe sofort ins Bett.«

Während er stolpernd zum Bett stürzt, reißt er seine Jeans herunter. Er wirft sich der Länge nach auf die Tagesdecke und verdreht die Augen, er stößt heftig zu, als würde er jemanden nehmen. Sie ist es, die er nimmt, sie, und doch ist sie nichts Besonderes, es könnte jede Beliebige sein. Doch jetzt ist es zufällig sie, weil nur sie ihn so ablutschen kann. Nein, keine andere bläst wie sie. Mit einem normalen Mädchen hat es überhaupt noch nie geklappt, die kapieren es nicht. Sie kümmern sich nicht darum, was er braucht. Er braucht eine Zunge, die sich am Eichelrand entlangtastet, genau, wie ihre es tut. Seine Hand bewegt sich auf und ab wie ein Kolben. Jetzt kommt er richtig, es ist ein enormer Erguss, der ihn völlig entleert.

Hinterher fühlt er sich so öde und kalt wie der Weltraum. Warum vergisst er immer, wie es hinterher ist, dass es so schrecklich ist? Er wird es nicht noch einmal machen, nie wieder.

Zur gleichen Zeit wirft sie Zahnbürste und Wasserflasche in einen Mülleimer, weit weg von ihrem Treffpunkt, in einem anderen Stadtteil. Sie fürchtet so sehr, von ihm ertappt zu werden, dass sie sich nicht traut, die Sachen irgendwo in der Nähe loszuwerden.

Dem toll aussehenden Mann, der sie nie um solche Gefallen bittet, hat sie erzählt, dass zwischen ihr und manchen Kunden zuweilen ein starkes wortloses Verständnis bestehe.

Sie ist sich nicht sicher, ob er wirklich versteht, was sie meint, und sie scheut sich, es allzu eingehend zu beschreiben. Seine Bewunderung tut ihr gut. Vielleicht braucht sie inzwischen diese Bewunderung sogar. Manchmal hat sie den Wunsch, öfter mit ihm zusammen zu sein, doch dafür bleibt keine Zeit.

Die Zeit verging wirklich schnell. Gestern – schien es Helen – war ihr Sohn noch ein flaumweiches Kerlchen, mit einer Zahnlücke an der Stelle, wo die Schneidezähne sitzen sollten. Heute maß er ohne Schuhe eins achtzig, und sie würden zusammen zu einer Party gehen. Ein unwirkliches Gefühl.

Eine *Somali*, von Kopf bis Fuß in dunkelgrünes Tuch gehüllt, verschwand mit ihren beiden kleinen Kindern durch die Drehtür bei ›McDonalds‹. Das Leben auf der Straße war wie immer –, es herrschte Betrieb, doch es fehlte an Lächeln, an Gerüchen und Geräuschen. Helen fragte sich, wie man sich wohl fühlte, wenn man aus Afrika stammte und in dieses Land kam, das wie in Watte gebettet schien, wo alles ruhig und langsam verlief. Die Ampeln schalteten ohne Eile von Rot auf Grün und wieder auf Rot. Die Verkäufer auf dem Markt priesen ihre Ware nicht mit lautem Geschrei an, sie standen schweigend zwischen den aufgehäuften Früchten. Bald würden sie für heute zusammenpacken.

Wie ein Schatten blieb Örjan Helen und ihrem Sohn auf den Fersen. Er hatte die beiden überreden können, ihn auf die Party mitzunehmen. Er wolle sehen, wie die Jugend so lebe, hatte er erklärt. Die drei nahmen die Treppe zu den Bussen nach Värmdö hinunter. Der ihre stand schon abfahrbereit.

Sie mussten wie die Verrückten quer über die Gleise der

Saltsjö-Bahn rennen und konnten gerade noch in den Bus schlüpfen, bevor sich die Türen zischend schlossen. Wenige Augenblicke später rollten sie den Stadsgårdskai entlang, auf dem Weg aus der Stadt.

Am anderen Ufer stach die Achterbahn von Gröna Lund ins Auge, ein hellblaues Gewirr aus Stahlbalken und Schienen. Auf der rechten Seite des Busses schien ein Granitfelsen den Lack von den Autos zu schaben; vom Katarinaväg hoch oben fiel die Wand senkrecht ab.

»Wie lange dauert es bis nach Gustavsberg?«

»So zwanzig Minuten. Geht ziemlich schnell.«

Örjan fragte, und ihr Sohn antwortete, nur reine Konversation, nichts von Bedeutung. Sie saßen nebeneinander auf dem Doppelsitz vor ihr, und Helen betrachtete ihre Nacken, versuchte vergeblich, sich Örjan als Vater vorzustellen.

Vermutlich würde er nie Kinder haben, höchstens versehentlich, und das war auch am besten so. Oder? Es gab natürlich auch die Möglichkeit, dass Örjan ein Vater werden würde, der sich sehen lassen konnte, locker und verspielt, aufmerksam und lieb. Er zeigte anderen gern die Welt. Mit einem Kind hätte er wirklich die Chance dazu. Sie fuhr mit dem Gedankenspiel »Örjan als Vater« fort, bis es sie, zusammen mit dem Brummen und Schaukeln des Busses, einzuschläfern begann.

»Mama, hallo! Jetzt, wo wir zur Party wollen, kannst du doch nicht schlafen! Also wirklich!«

Manchmal verlor ihr Sohn seine fünfzehnjährige Autorität und wurde wieder zu dem kleinen Jungen, den sie aus den Jahren, als es nur sie und ihn gab, in Erinnerung hatte. Doch meistens war er sehr weit weg.

Sie wusste nicht mehr, wann er angefangen hatte, fast alles an ihr zu kritisieren – das Essen, das sie kochte, die Möbel in ihrer Wohnung, das Fehlen eines Fernsehers. Sie hätte auch nicht viel gegen seine Unzufriedenheit tun können.

Als der Vater ihres Sohnes dann freundlich meinte, es sei jetzt wohl an der Zeit, dass der Sohn ganz zu ihm ziehe – schließlich habe er selbst eine intakte Familie, in der Kontinuität herrsche, und sie lebe ja doch auf ganz andere Weise –, da ließ sie es geschehen. Der Sohn zog um, ihr brach das Herz, und der Arzt verordnete Antidepressiva und schrieb sie ein halbes Jahr wegen völliger Erschöpfung krank. Sie begriff, dass man diese Nervenschwäche, die Depressionen und die lange Krankschreibung gegen sie verwenden konnte. Alles konnte man gegen sie verwenden, vertrauliche Mitteilungen und alte Erinnerungen. Ihr Junge mochte seinen Vater lieber als sie, und das Herz eines Kindes zerreißt man nicht.

»Mama! Aufwachen! Wir sind bald da!« Sie hatten das Abfertigungsgebäude der Viking Lines und das dahinter liegende riesige rote Schiff schon seit langem passiert.

Sie waren vorbeigefahren am Gewirr der Kleinwerkstätten von Lugnet, das von Betonpfeilern und Brückenbögen verdeckt war. Bald würde es dieses Gebiet nicht mehr geben. Alles sollte dem Erdboden gleichgemacht werden, um Platz für andere Dinge zu schaffen. *Time is definitely moving on, check your watches and your clocks, say turn it up, time is moving on, you better get ready before it's gone …*

Die Schnellstraße nach Värmdö führte dicht an den Vororten südlich von Södermalm vorbei. Waldstücke begannen schon bald die Bebauung zu unterbrechen. Ein- und Ausfahrten glitten in intrikaten Schleifen in- und auseinander. Bus um Bus fuhr an den beiden aufragenden Türmen der Sendemasten von Nacka vorbei, dann ging es durch noch einen Vorort, eine weitere Gruppe Mietshäuser und bald auch durch Ansammlungen immer größerer Einfamilienhäuser mit immer ausgedehnteren Gärten.

Schließlich bestand die Welt nur noch aus Büschen und Wildzäunen, aus Kiefern, Espen und hier und da in feuchten

Senken ein paar Birken, die bald ausschlagen würden. Auf einem Waldgrundstück rostete ein blaues Autowrack ohne Motor, Räder und Scheinwerfer vor sich hin. Jetzt nur noch Natur. Die Straße wurde schmaler. Sie schlängelte sich an Seen, Wiesen und Eichenhängen entlang. Wie Fliegenpilze tauchten plötzlich linker Hand rote, terrassenförmige Häuser auf.

»Dort ist es«, rief ihr Sohn, aber sie schafften es nicht mehr, auf den Knopf zu drücken.

Stattdessen fuhren sie bis zum Zentrum von Gustavsberg weiter und liefen von dort aus zurück.

Man konnte sich Örjan als biologischen Vater vorstellen, doch ein guter Ersatzvater würde er niemals werden. Er und ihr Junge schienen am ehesten Brüder zu sein, wie sie da Seite an Seite vor ihr her gingen, jeder eine Plastiktüte am Handgelenk. Der Beutel ihres Sohnes enthielt drei Büchsen Dünnbier, bezahlt von seiner Mama, während Örjan tatsächlich imstande gewesen war, sich eine Flasche Wein zu leisten. Diese Flasche allein reicht jedoch aus, um ihn beim Ausscheidungsspiel für die heilige Liga der Stiefväter zu disqualifizieren –, er begriff nicht, dass man sich auf Partys von halbwüchsigen Kindern nicht selbst volllaufen lassen durfte. Nun ja. Sie konnte diese Theoreme außer Acht lassen, Örjan war kein Ersatzvater, sondern eher ein weiteres Kind, das sie unter ihre Fittiche genommen hatte, genau wie alle anderen Männer, die ihr seit ihrer Scheidung begegnet waren.

Als der Sohn noch klein war, hatte sie zwischen Stillen und Windelwechseln als freiberufliche Texterin gearbeitet und überraschend viel Geld nach Hause gebracht. Der Bedarf nach ihrer Arbeit ging bald über ihre Möglichkeiten. Die Auftraggeber schrien nach mehr, und ihr Mann schrie, sie würde den Sohn vernachlässigen, sie solle nicht glauben, er lasse es zu, dass sie sein Kind in die Hände von Babysittern gebe, um abends und an den Wochenenden, wenn er nicht zu Hause sei, zur Arbeit loszuziehen.

Ihr Mann hatte sie in seine Obhut nehmen wollen, und es war ihm auch gelungen. Sie war so behütet gewesen, dass es ihr für das ganze Leben reichte, und sie hatte darauf verzichtet. Aber schaut sie euch jetzt an. Kein eigenes Zuhause. Kein Geld. Mit Leuten zusammen, die in unklaren, instabilen Verhältnissen lebten, während ihr Sohn fern von ihrer Einflussnahme in den begüterten Ecken von Värmdö, in einer Familie mit Kontinuität aufwuchs. Sie war nichts. Überhaupt nichts.

Die Party war wie alle anderen schläfrigen Wohnungsfeste, die sie in den letzten zwei Jahrzehnten erlebt hatte. Einige Typen hockten in der Ecke des Wohnzimmers, tranken Bier und hörten Deep Purple – ja, tatsächlich Deep Purple, als sei seit Helens eigener Jugend kein einziger Tag vergangen – und fragten sich, wo all die Mädels abgeblieben waren.

»Trinkst du nichts, weil ich dabei bin?«

Sie fragte ihren Sohn, der schon eine Ewigkeit an der Cola nippte, die er im Kühlschrank gefunden hatte.

»Nee, das ist nicht wegen dir. Ich bin einfach nicht fürs Saufen.«

»Wieso denn das? Ich meine, wie schön! Aber warum?«

»Weil Papa säuft.«

Seine Augen waren völlig durchsichtig, das Licht strömte hindurch, ohne auf Widerstand zu stoßen. Noch nie hatte sie so helle blaue Augen gesehen. Und gleichzeitig gab es keine anderen Augen auf der Welt, die sie so gut kannte.

Es gab so vieles, was sie hätte sagen können. »Ja, ich weiß, dass dein Vater säuft, allerdings hatte ich eigentlich gehofft, er habe damit aufgehört. Er hat schon gesoffen, als ich dich im Bauch hatte und auch, als du gerade geboren warst. Er roch nach Zigarettenrauch und Alkohol, als er uns das erste Mal nach deiner Geburt in der Klinik besuchte; und als er gegangen war, fing ich an zu weinen. Da fragte die Kinderschwester, ob ich Probleme hätte, ob das Problem der Familie vielleicht darin bestünde, dass der Vater des Kindes zu viel trank. Ich log und sagte: ›Nein, nein, alles in Ordnung, wir haben keine Probleme, ich bin nur im Moment etwas labil.‹ Ich schützte ihn. Das habe ich auch später getan, aus Scham. Ich habe mich so dafür geschämt, dass ich anscheinend nichts Besseres verdient habe.«

»Dein Vater tut, was er kann«, sagte sie zu ihrem Sohn. »Er hat vielleicht ein paar Schwächen, aber er tut, was er kann.«

Und der Sohn verschloss seinen Blick.

»Guck mal hier«, sagte er nach einer Weile. »Was für eine Scheißmusik, eh.«

Er warf ihr ein CD-Cover zu. Der Name der Band war ihr völlig fremd, nichts rührte sich in ihrem Gedächtnis. *Ultima Thule?!* Ein Eisbrecher hätte so heißen können.

»Nie gehört«, sagte sie. »Ich weiß überhaupt nicht, was das ist.«

»Ach nicht? Solltest du dir aber mal anhören. Jerry dort drüben, der fährt auf so was ab.«

Der Sohn sah sie prüfend an. Sie wusste nicht, was sie antworten sollte. Er riss ihr das Cover aus der Hand und fingerte mit einer Miene plötzlichen Interesses daran herum.

»Jerry ist übrigens cooler, als er aussieht«, sagte er.

Jerry war ein Typ mit kurz geschorenen Haaren und viel zu vielen Muskeln, sein Bizeps wirkte wie aufgeblasen. Er lümmelte in einem mit Cordsamt bezogenen Stahlrohrsessel auf Rädern, der aussah, als sei er aus dem 1976er Katalog von Ikea. Als er seinen Blick durch den Raum schweifen ließ, geschah es mit Besitzermiene: Das hier waren seine Wohnung, seine CDs, seine Freunde, seine Welt.

Ihr Sohn war jetzt Jerrys Kumpel.

Die Sache gefiel ihr überhaupt nicht, doch sie vertraute ihrem Sohn. Wenn Jerry nicht in Ordnung war, würde ihr

Sohn schon von ganz allein dahinter kommen. Er war clever genug. War imstande, sich ein eigenes Urteil zu bilden.

Jerry blickte zu ihnen hinüber, und er grinste Helen zu, ohne sie richtig fixieren zu können.

»Wir gehen«, erklärte sie.

Ihr Sohn hatte nichts dagegen. Der Nachtbus brachte sie zurück in die Stadt, der Samstagabend wurde zum Sonntagmorgen, ein weiterer Tag verging, und am Montag kehrte er zu der intakten Familie zurück.

SIEG HEIL, schmierte einer seiner Kumpel in derselben Nacht auf ein Straßenschild. Er war betrunken und konnte nur mit Mühe den Laternenpfahl hochklettern und sich festklammern, um den Markerstift aus der Tasche zu angeln. Nachdem er fertig war, plumpste er zu Boden und stieß sich ziemlich heftig, doch das war ihm die Sache wert. Schließlich hatte er sich Gehör verschafft, und was pflegte seine Schwedischlehrerin immer zu sagen? »Redefreiheit gibt es nicht umsonst.«

Aber wie kannst du nur so was Idiotisches sagen! Wie kannst du so was behaupten?! Ich hab dich wirklich verdammt gern, aber manchmal bist du so naiv, dass man sich schämen muss, mit dir befreundet zu sein!«

»Helen, wenn du deine Stimme vielleicht ein bisschen senken könntest, dann bräuchte *ich* mich nicht wegen *dir* zu schämen, okay? Du brüllst! Die Leute starren uns an!«

Örjan ließ seine Stimme ganz auf den Boden des Zwerchfells sinken und sah sie mit diesem hundertprozentig neutralen Gesichtsausdruck an, der bedeutete, dass er stinksauer war.

»Ist mir scheißegal, ob ich schreie«, flüsterte sie. »Du kannst einfach nicht dermaßen naiv sein, ohne dass man dich anbrüllt, begreif das doch. Es geht nicht, dass du hier sitzt und behauptest, Prostituierte seien glückliche Menschen, und dann noch erwartest, ich würde dir lächelnd zustimmen. Vielleicht sind ja andere Weiber immer deiner Meinung und lächeln, egal, was du sagst. Ich bin aber nicht so, okay?«

»Okay. Aber du redest von Dingen, bei denen dir die Erfahrung fehlt. Wie viele Huren kennst du eigentlich?«

Er legte seine trockene, warme Hand auf die ihre. Sie zögerte einen Augenblick, bevor sie sich der Berührung entzog. Die Leute an den Nachbartischen starrten tatsächlich, diskret und interessiert. Es war ein grauer Nachmittag, und dieser Streit schien die Gäste des Lokals aufzumuntern. Das übliche Publikum – Kunststudenten, elegante junge Anwohner, Leute aus dem Sender und der eine oder andere Bauarbeiter – pflegten nicht viel Aufhebens von sich zu machen. Hier saß man und las, redete gedämpft oder brabbelte mit seinem Baby. Aber bei diesem Paar hier war es anders. Da sprühten die Funken.

»Ich kenne überhaupt keine Huren«, zischte sie. »Und wie viele kennst du?«

»Also, ich habe in Lateinamerika fast einen Monat mit Prostituierten zusammengelebt und verstehe, weshalb man sie Freudenmädchen nennt. Hättet ihr normalen Frauen einen solchen Zusammenhalt und eine solche Fähigkeit, euch gegenseitig Wärme zu geben, dann wäre das ganze Gleichberechtigungstheater überflüssig. Diese Mädels laufen nicht herum und jammern. Sie vögeln, bekommen Geld dafür, und in der übrigen Zeit kümmern sie sich umeinander. Um mich haben sie sich auch gekümmert.«

»Sie haben dir wahrscheinlich was zu essen gegeben. Ließen dich in einer Ecke übernachten, ohne dass du dafür bezahlen musstest. Und spielten dir das Stück ›Glückliche Huren‹ vor, um den kleinen süßen Schweden ein bisschen auf den Arm zu nehmen.«

Ausnahmslos alle Gäste saßen nun mit gespitzten Ohren da. Die Münder hatten aufgehört zu kauen, das Besteck lag still auf den Tellern. Örjan und Helen hatten ihre Stimmen gesenkt, bis fast nichts mehr zu hören war, doch das verstärkte nur die Aufmerksamkeit des Publikums.

Von südamerikanischen Nutten unter die Fittiche genommen? Was für ein Mann! Über so einen musste ja wohl jede Frau früher oder später in Wut geraten. Besonders bei dem Aussehen. Die Haare reichten ihm bis fast auf die Hüften, und was für einen tollen Blick der hatte und dann diese

Oberarme … die Augenpaare mehrerer junger Mädchen hafteten an Örjans fantastischen Oberarmen und konnten sich nicht losreißen. Er war einfach unwiderstehlich. Helen sah es und hasste ihn dafür.

Seine Unwiderstehlichkeit verschaffte ihm einen Vorteil, gegen den sie nicht ankam. Natürlich weckte ein Man wie er Aggressionen bei Frauen, weil keine ihn unterkriegen oder ihm gerecht werden konnte. Selbstverständlich. Sein Blick sagte ihr, dass er dafür Verständnis hatte – er verzieh ihr, was für ein Miststück.

»Ich nehme an, *du* musstest dir von diesen Engeln keinen Sex kaufen. Hast du ihn gratis bekommen?«

»Hör mal, ich habe mit keiner Einzigen geschlafen. Ich war mit einer Frau unterwegs, und sie und ich haben …«

»Ach ja? Also haben diese Frauen nicht mit *dir* geschlafen?! Weil du so offensichtlich keine Kohle hattest und es deshalb Zeitverschwendung gewesen wäre, mit dir ins Bett zu gehen, auch wenn du noch so toll aussiehst?«

»Du scheinst zu glauben, Prostituierte seien Roboter, die alle menschlichen Gefühle abschalten und nur an Geld denken. Ich kann dir versichern, dass es nicht so ist, aber du brauchst mir natürlich nicht zuzuhören, wenn du nicht willst. Das tust du ja ohnehin verdammt selten, ich meine, zuhören.«

»Du, ich höre zu! Und okay, ich glaube dir, es gibt glückliche Huren. Wollen wir jetzt gehen? Ich muss nur erst aufs Klo.«

»Hm, *take your time,* ich warte gern.«

Der Raum füllte sich wieder mit dem üblichen Gemurmel. Draußen auf der Straße schob eine Mutter im Pelzmantel ihren Kinderwagen vorbei. Trotz des trüben Wetters saß ihre Sonnenbrille genau dort, wo sie sitzen musste, über der Stirn. Das in Wellen gelegte Haar wurde durch Spray in Form gehalten. Ihr Gesicht war offen und hart, als hätte es schon vor langer Zeit gelernt, den Wind zu ertragen, ohne eine Miene zu verziehen. Helen begriff nicht, warum sie Mitleid bekam.

Überhaupt verstand sie sich im Augenblick selbst nicht.

»Hier«, sagte Örjan und streckte die Hand nach einer Postkarte im Wandgestell aus. »Die hier ist nur für dich, du Wilde.«

»Liebling, du bist die Größte«, stand da mit weißen Buchstaben auf schwarzem Grund. Sie drehte die Karte um und lächelte spöttisch: »Ach ja? Das hier ist eine Werbung für ein Schuppenshampoo, besten Dank für das Kompliment. Alle weißen Punkte verschwinden. Liebling, *du* bist wirklich *der Größte*!«

»Geh jetzt pinkeln und zwar sofort.«

Er verweigerte den Blickkontakt. Hartnäckig starrte er auf den schmutzig weißen Kachelfußboden.

Draußen auf dem Narvaväg fuhr in diesem Moment der Vierundvierziger vorbei, und der rote Buskörper füllte für einen Augenblick das ganze Fenster aus. Dann verschwand er, genauso schnell, wie er gekommen war, und gab die übliche Aussicht wieder frei. Sie sah das Haus auf der anderen Straßenseite mit seiner hellen Steinfassade, den Rundbogenfenstern und dem Eingangsportal; sah die Lindenallee mitten auf der Esplanade, die vom Spazierweg zum Parkplatz verkommen war, und dazu die unablässig vorbeibrausenden Autos. Das trübe Wetter tauchte alles in ein höchst realistisches Licht.

Östermalm existierte wirklich.

Sie war bereit, das Risiko auf sich zu nehmen, diese Wahrheit im ›Pelikan‹ oder sonst wo südlich von Slussen persönlich zu bezeugen. »Ich weiß es, denn ich bin dort gewesen.«

Um auf die Toilette zu gehen, musste man die Küche des Lokals durchqueren, wo ein paar Lachshälften gerade zum Auftauen im Spülbecken lagen. Leitungswasser strömte auf sie herab. Ein Blech riesiger runder Zimtstücke stand zum Abkühlen auf dem Tisch, und die Kaffeemaschine lärmte. Helen ging eilig auf den Hof hinaus. Der Regen spritzte ihr ins Gesicht. Die Welt war grau, durch und durch grau.

In der Toilette sank sie auf den Sitz und starrte eine Weile ins Leere.

Sie seufzte. Irgendetwas in ihr zerrte und riss, wollte hinaus. Unfreiwillig strich sie sich mit der Hand über die Brust und begriff plötzlich, was mit ihr los war. *O nein.*

Doch, ja.

Die Hand gehorchte ihrem Kopf nicht. Sie wollte weiter, überall hinein – unter das Shirt, hinter den Hosenbund. In ihr pochte es, als säße ein Tier in ihrem Fleisch gefangen, zum Teufel auch! Was für ein Mist!

»Auf keinen Fall«, sagte sie zu ihrem Spiegelbild. »Vergiss es. Ich mache es nicht.«

Die Hand wimmerte. Die Brüste bebten, und ihre Möse bettelte und winselte, doch ein für allemal: *NEIN*!

Sie blieb eine ganze Weile sitzen, ohne irgendetwas ausrichten zu können, und holte nur tief Luft – aus und ein, aus und ein, bis sich die Erregung wieder legte.

Vorbei war sie nicht, aber es gelang ihr zumindest, dem Drang nicht nachzugeben. Warum das so wichtig war, begriff sie selbst nicht.

»Das hat aber gedauert! Ich habe schon gedacht, du hättest dich selbst mit runtergespült ...«

»Das würde dir gefallen, was? Wirklich nicht zu glauben, wie ungeheuer lustig du immer bist, Örjanboy.«

Schweigend verließen sie das Lokal mit seinen zwei Sorten frisch gepresstem Fruchtsaft, der geschmackvoll patinierten Einrichtung und allem, was noch zu einer angesagten Kneipe im Jahr 1999 gehörte – einschließlich der jungen Männer mit den viereckigen schwarzen Brillen à la sechziger Jahre und den Koteletten wie in den Siebzigern.

Es war, als versuchte die Zeit, sich in ihre Schale zurückzuziehen, um die Sicherheit beizubehalten, die direkt nach dem kalten Krieg geherrscht hatte. Damals – in der Epoche der schwarzen Brillen und der Koteletten – hatten die westlichen Länder einen Wohlstand erreicht, der unzerstörbar erschien, so dass die Privilegierten unter den jungen Leuten, um wenigstens irgendeine Art von Spannung zu erzeugen, mit dem Spiel »Wir wollen eine Revolution« begannen.

Jetzt wollte keiner mehr eine Revolution. Alle wollten retro sein, wollten Functional Food essen, angesagte Drinks schlürfen und ihr Inneres befragen. Alle wollten pseudo sein, und wem gelang das wohl am besten? Natürlich Örjan!

»Ist es noch immer okay, wenn ich zum Essen mitkomme?«, fragte er. »Vielleicht willst du es nicht mehr. Ich meine, ich habe schließlich gemerkt, dass du richtig sauer geworden bist, und ich verstehe auch, warum. Es ist nur so, dass so viel Voreingenommenheit herrscht, besonders bei euch Frauen, wenn es darum geht, was eine ...«

»Kannst du jetzt mit dem Gerede über die glücklichen Huren aufhören? Sei so nett und halt einfach die Klappe. Ich respektiere deine Erfahrungen und will mich nicht länger mit dir streiten. Wir können doch wohl aufhören, über das Thema zu diskutieren, oder?«

»Ja, aber ...«

Ihr Blick brachte ihn dazu, den Mund gleich wieder zu schließen. Er begriff, dass sein Abendessen sonst wirklich in Gefahr war.

Während des langen Spaziergangs den Strandväg hinunter und vorbei am Nybrokaj sagte keiner von beiden auch nur ein Wort. Erst als sie die halbe Strecke zu ihrer Wohnung zurückgelegt hatten, fühlte sie, dass etwas in ihr nachgab und das Eis zu tauen begann.

Man konnte Örjan nicht böse sein. Es hatte einfach keinen Sinn.

»Wem gehört eigentlich diese Wohnung hier?«, fragte er, als sie in ihrem Haus die schmale Steintreppe schnaufend hochstiegen.

»Ich habe sie von einer Verwandten gemietet, die im Ausland ist. Wenn ich Pech habe, fliege ich bald raus, habe ich aber Glück, kann ich vielleicht den Mietvertrag übernehmen. Ich weiß überhaupt noch nicht, was werden wird. Bitte zieh die Schuhe hier draußen aus, sonst schleppt man so viel Sand in die Diele.«

›Die Diele‹ war in Wirklichkeit nur ein winziger Flur und als sie ihre Jacke anhängte, stießen seine Beine und Hüften gegen die ihren.

Plötzlich drehte er sich zu ihr um, und sie drückte ihren Körper mit aller Kraft an ihn, weil es nicht zu vermeiden war, allein deshalb. Um Distanz zu halten, war es einfach zu eng hier und zu heiß in Helens Innerem.

»Es würde sich wirklich toll anhören«, murmelte sie, die Lippen an seinem Mund, »wenn man sagen könnte, wir beide hätten schon lange auf diesen Moment gewartet, aber ...«

» ... Aber das haben wir nicht, nein.«

Seine Zunge fuhr blitzschnell in ihren Mund, und sie verstummte. *Verdammtescheißeaberauch ...*

Sie spürte seine Härte an ihrem Körper. Ungeduldig begann er zu schnappen und zu beißen, sie spreizte die Beine, und im nächsten Augenblick war er in ihr, es ging überhaupt nicht zu schnell. Sie hörte sich selbst stöhnen und schreien, wie die Menschen im Film, die plötzlich von der Lust übermannt werden und einander im Flur nehmen müssen, ohne es zu schaffen, sich ihre Kleider völlig auszuziehen. Er rotierte in ihr und flüsterte ihr »du Hure, du Fotze, du kleines Miststück« ins Ohr, und sie war bereit, überhaupt keine Frage, und sie kam. Kam und kam immer wieder, in heftigen Wogen, und während es geschah, hielt er sie überraschend zärtlich fest. Und dann ...

»Du bist verrückt«, stieß sie hervor, den Blick noch immer tief in dem seinem. »Durch und durch verrückt, du schöner, widerlicher Teufel.«

»Hmm ... Es hat uns beiden gefallen, oder?«

»Du Blödmann, du hörst dich an wie ein Doktor. Was tust du im Moment, machst du Visite?«

Sie lachten, sich noch immer umschlungen haltend, und dann machten sie das Essen. Als er schließlich ging, hoffte Helen, dass sie sich an einem der nächsten Tage wiedersehen würden, und dass dann alles wie früher wäre, so als sei nichts geschehen.

Sie hatte kein Problem damit.

Momentan hatte sie mit nichts ein Problem.

Sie fühlte sich völlig frei.

Gegen Mitternacht schlief sie ein, an Armen und Brüsten blaue Flecke von seinen Griffen und Bissen. Es war ein schöner Schmerz.

Mir kann nichts Schreckliches geschehen, dachte Örjan.

Niemals hatte er Angst gehabt vor der Dunkelheit oder den Männern, die oft an den Straßenecken unbekannter Städte herumlungerten und ihn, den Fremden, mit Blicken musterten, die alles bedeuten konnten. Er besaß nichts, und deshalb brauchte er sich nicht zu sorgen; es gab nichts, was man ihm wegnehmen konnte. Mittellosigkeit war der beste Leibwächter in Stadtvierteln, in die andere Touristen keinen Fuß setzen würden, allerdings bezeichnete er sich selbst nicht als Touristen, er war ein Reisender.

Er war gereist, so lange er denken konnte.

Das letzte Jahr der Oberstufe hatte sich in einem Nebel des Ich-muss-raus, Ich-muss-weg-von-hier verloren. Er hatte keinerlei Erinnerung an den Unterricht, an die Lehrer, die Klassenkameraden, und er bedauerte es nicht; ebenso wenig hätte er Bedauern empfunden, wenn er sich erinnern könnte. Es war keine schwarze oder schmerzhafte Rastlosigkeit, die ihn stets aufs Neue um die Erde trieb. Er wollte leben, das war alles, und während er lebte, wollte er in Bewegung sein ... Sobald das Lied »Die Blütenzeit bricht nun an« verklungen war und alle ihre Zeugnisse bekommen hatten, war er zum Bahnhof aufgebrochen. Er war buchstäblich direkt von der Schule abgehauen. Und jetzt, sieben bis acht lange Reisen später ...

Um dabei klarzukommen, konnte man nicht den Mittellosen spielen, man musste wirklich arm sein. Sobald er Geld in der Tasche hatte, war ihm das anzusehen, und er zog üble Leute an, die vorgaben, neugierig auf den Fremden zu sein – *come with us, we are friends, we show you good things, ya?* – und ihn in Situationen zu bringen suchten, aus denen sie Vorteile ziehen konnten.

Keiner raubte jedoch einen völlig abgebrannten und abgerissenen Westeuropäer aus, der ernsthaft auf der Jagd nach etwas Essbarem und einer Ecke zum Pennen war, einem Brotkanten, einer Parkbank, alles kam in Frage. Einem solchen Mann brauchte man auch keine Drogen oder Sex anzubieten. Hingegen musste man den eigenen Besitz und das eigene Revier bewachen und dem Habenichts klar machen, dass es ihm schlecht ergehen würde, sollte er auch nur versuchen, sich hier etwas zu krallen. Örjan hütete sich, wie ein Dieb, ein mutmaßlicher Zuhälter oder überhaupt wie eine Person zu wirken, die Platz beanspruchen und sich um einen Teil des Kuchens prügeln könnte. Er hielt sich am Rande, streifte umher, blieb gesund und sauber und versetzte die Leute in gute Laune. Damit gelang es ihm, sich herauszuhalten; Probleme prallten ganz einfach an ihm ab.

Mir kann nichts Schreckliches geschehen. Das war sein freundliches Mantra. Es half ihm in Situationen, die ihn sonst wirklich mit Schrecken erfüllt hätten. Er benutzte es, wenn der Hunger in seinen Eingeweiden wühlte und man als Strafe für den Diebstahl von Brot in dem Land, wo er sich gerade aufhielt, ein Glied abgehauen bekam; wenn das Geld, das er in Panik per Collect Call von Mutter, einer Frau oder sonst irgendeinem Bekannten zu Hause hatte leihen können, nicht pünktlich auf der richtigen US-Bankfiliale eintraf und er die Hotelrechnung nicht bezahlen konnte. Wenn irgendwo in der Welt irgendein verschwitzter bewaffneter Grenzbeamter seinen Pass und sein Visum mit diesem ausdruckslosen Blick anstarrte, der bedeutete: »Diese Papiere hier sagen mir nichts, sie können nicht gültig sein. Leider, Monsieur Mister Señor Sahib-San, wir können Sie nicht rein- oder rauslassen, Sie werden hier festsitzen, und das wird nicht gemütlich, verstehen Sie? Sie hören das Surren der Fliegen, und Sie spüren, wie heiß es ist, obwohl der Ventilator rotiert. Er könnte sich jederzeit aus seiner Verankerung lösen, von der Zentrifugalkraft durchs Zimmer geschleudert werden und ihnen den Kopf abschlagen. Vieles kann geschehen in einem Land wie diesem, ich finde auch, dass es ein unangenehmer Ort ist, und ich verstehe nicht, was Sie hier wollen, Sie hätten zu Hause bleiben sollen. Sie kommen doch aus einem Land, in dem es Dollars gibt, oder nicht, also warum sind Sie nicht dort geblieben? Ich bin ganz und gar nicht unzugänglich, im Gegenteil, ich würde sofort einen neuen Versuch machen, ihre Papiere zu verstehen, für lediglich ein paar schäbige Dollars. Das wissen Sie, Monsieur Señor. Das brauche ich Ihnen nicht zu sagen. Nur ein paar schäbige Dollars, und die Sache ist geritzt. Ich verstehe, dass Sie es eilig haben, zu einem Bus oder einem Flugzeug müssen. Denn wenn Sie Ihren Anschluss verpassen, ist die nächste Möglichkeit erst wieder in drei Tagen, und dann gilt ihr Ticket nicht mehr, das Sie gerade aus reiner Nervosität mit ihren schweißnassen Händen zerstören. Zerkrümeln Sie es nicht! Behalten Sie ruhig Blut! Ihr Leute aus dem Westen seid immer so gestresst, aber morgen ist auch noch Zeit, *hakuna matata*. Warum nicht einfach hier bleiben? Wir haben viel zu bieten, hier leben viele kleine Tiere, die Ihnen nachts im Bett gern Gesellschaft leisten. Wenn der Zufall es will, kommen Sie schließlich mit einem Souvenir nach Hause, das sie ein Leben lang behalten, falls Sie überhaupt je nach Hause kommen, nehmen Sie sich vor den Mücken in Acht.«

Der Satz *mir kann nichts Schreckliches geschehen* hatte ihm durch so viele Schwierigkeiten geholfen, dass er meinte, den Beweis für die Existenz Gottes zu haben. Wenn man nur Gutes im Sinn hatte und an das Gute glaubte, dann würden einem gute Kräfte Schutz und Brot geben, und *nichts Schreckliches kann geschehen …*

Er hatte Helen nichts vorgelogen. In einer brasilianischen Küstenstadt hatte er drei Wochen lang unter Huren gelebt, sein Zimmer lag im obersten Stockwerk einer Absteige, wo sein Schlaf jede Nacht vom Stöhnen der Freier und dem Knarren und Quietschen der Betten unterbrochen wurde. Am späteren Nachmittag, wenn er selbst loszog, um etwas zu essen aufzutreiben, fanden sich entlang der Straße die schönen Frauen zur Arbeit an den Bars ein. Es waren alles Mulattinnen oder Schwarze, die Namen trugen, die an die heilige Muttergottes, die Engel oder Christi Himmelfahrt erinnerten. Sie hatten Wespentaillen, schwellende Brüste und unglaublich lange Beine unter den knallbunten Kleidern. Sie lächelten und riefen ihm jedesmal etwas zu, wenn er vorbeiging.

Er antwortete – in dem holprigen, aber verwegenen Portugiesisch, das er sich nach und nach angeeignet hatte –, dass er kein Geld besitze, und sie pfiffen und buhten, verzogen enttäuscht das Gesicht und schrien zur Antwort, es spiele keine Rolle: »Komm und setz dich ein Weilchen her, rede mit uns, woher in aller Welt kommst du, was machst du hier?«

Sie lachten herzlicher und öfter als andere Menschen, küssten ihn auf Wange und Ohr, nannten ihn »mein Kind« und »schöner schwedischer Junge« und pressten ihre duftenden Brüste an ihn, bis er ganz benommen und völlig verrückt wurde. Er sah sie niemals weinen, ihnen tat nie etwas weh, sie waren nicht krank, und sie waren zärtlich zueinander.

Nach einer Weile wurde er immer weggescheucht, weil er sonst die Geschäfte störte, aber das machte ihm nichts aus. Sie hatten schließlich ihre Arbeit zu erledigen. Er wollte sie wirklich nicht daran hindern, ihren Lebensunterhalt zu verdienen.

Wie hießen sie nur alle? Wie sahen sie aus? Im Nachhinein vermischten sich die Gesichter und Namen, sie wurden zu einem einzigen Körper, einer solitären Frau mit Haaren wie eine Göttin und einer Haut wie Milchschokolade. Sie lächelte ihn an, stark und jung, während ihr leuchtend rotes, ihr knallgelbes oder kornblumenblaues Kleid zur Seite glitt, gerade weit genug, um beinahe – wirklich nur beinahe – eine dieser Brustwarzen zu entblößen, die er sich so lebhaft vorstellen konnte: ein schwarzer Stein, um den man die Lippen schließen konnte, und dann …

Nie hatte er ausführlichere erotische Fantasien von ihnen gehabt, weder in der Zeit, als er sie kannte, noch später. Irgendetwas stoppte ihn in einem frühen Stadium. Vielleicht machte sich der Selbsterhaltungstrieb bereits bei der Theorie bemerkbar. Man wollte nicht in Gewässern baden, wo andere ihre Leichen wuschen. Sex zu kaufen war in seiner Vorstellungswelt ein Ritual des Todes, und seine Lust hatte nichts mit dem Tod zu tun, und die Seen der Toten … Nein … Ganz einfach NEIN.

Schließlich verließ er die Sonnenscheinhuren und begab sich hinauf in die Berge, wo die Frauen aus Haut und Knochen bestanden, hart gebrannt von der Sonne. Sie luden zu nichts ein. Fingerten an ihren Rosenkränzen, schlugen ihre Ziegen und bewachten die Töchter, und er zog von Stadt zu Stadt und von Dorf zu Dorf mit Ellen im Schlepptau. Die amerikanische Anwaltstochter mit Lust auf Abenteuer war ihm auf einem Busbahnhof in Goiás begegnet, und von da ab brauchte er nicht mehr zu hungern. Es ging immer weiter, auf dieser Reise und auch auf der nächsten.

Seine wichtigsten Erinnerungen an die Fahrten konnten in einem einzigen Wort zusammengefasst werden: Hitze. Die Hitze – feucht oder trocken, krank oder heilend, weiß wie der Sand in Goa oder dunkel wie der Dschungel – ließ alle Orte zu einem einzigen verschmelzen.

Auf der ganzen Welt gab es eigentlich nur ein Weib, das die Farben aller Frauen hatte und nur einen einzigen Ort. Dieser Ort war ihm in Erinnerung geblieben als Felsvorsprung an der Küste, wo sie, die einzige Frau, ausgestreckt lag, die Haut schweißglänzend und unter sich das raue heiße Gestein, das am Rücken schabte. Es gab ein einziges Meer, und es bedeckte fast die ganze Erde. Seine Wellen klatschten tief unten an den Stein, und aus dem Wasser ragte nur diese einsame Klippe, die die ganze Welt darstellte.

Die Frau presste sich an den Felsen, der hart gegen ihre Schulterblätter drückte.

Es gab nur einen einzigen Schatten auf der Erde, der Rest war Sonne, die brannte und ertränkte. Der Schatten war der seine, ganz und gar, als er sich über sie beugte, den Mund offen, die Zungenspitze schmal und weich zwischen den Zähnen. Sie hob den Unterleib zu seinem Gesicht, das nahe und doch noch viel zu weit weg war, und das auch nicht näher kam. Es blieb, wo es war, über ihrer Scham, sie foppend. Die Frau wimmerte. Er lächelte, und die scharfe Zahnreihe blitzte.

Es konnte ihm nichts Schreckliches geschehen.

Mir wäre es lieber, wenn du mich in Ruhe ließest. Du störst.«

Eine Reise näherte sich dem Ende. Er hatte gerade auf der Herrentoilette des Schiffs Katzenwäsche gemacht und fühlte sich trotzdem noch immer schmutzig nach einer Reihe von Tagen in verschiedenen Zügen, die ihn durch mehrere östliche Staaten und Finnland gebracht hatten. Vielleicht stank er sogar? Vielleicht roch er aus dem Mund, und zwischen seinen Zähnen klebte ekliges Zeug. Es bedurfte nicht viel, um vom Reisenden zum Penner zu degenerieren, vom charmanten Vagabunden zum Loser und Dropout. Er wusste, wo die Grenze verlief. Er lebte ständig in ihrer Nähe. Manchmal hatte er den Gestank von der anderen Seite verspürt, von den Müllhalden, wo der menschliche Unrat entsorgt wurde.

Das Land der Verlierer war kein Ort, nach dem man sich sehnte. Man musste aufpassen, dass der eigene Körper nicht wie der eines Verlierers zu stinken begann. Am Abend wollte er eine Dusche in der Kabine nehmen. Für dieses Schiff hier hatte man einen Kabinenplatz kaufen müssen. Er teilte sich mit drei unbekannten Männern eine C-Kabine ganz unten, noch unter dem Autodeck. Als er gleich nach dem Ablegen dort gewesen war, um den Rucksack auf sein Bett zu werfen, war die Dusche besetzt.

»Ich wollte dich nicht belästigen«, sagte er zu der Frau auf dem Barhocker neben sich. »Ich konnte doch nicht ahnen, dass du nicht reden willst. Ist es trotzdem okay, wenn ich hier sitzen bleibe und mein Bier austrinke? Ich verspreche, kein Wort mehr zu sagen, aber hier drinnen gibt es kaum freie Plätze, und ...«

»Und der Platz, auf dem du sitzt, ist eigentlich auch nicht frei.«

Die Augen der Frau blickten überraschend freundlich. Sie hatte sich geschminkt, doch nicht zu viel – blassgrauer Lidschatten, eine Haut, die schimmerte, ohne dass eine Menge Puder zu Hilfe genommen worden war, gleichmäßige Zähne und feines blondes, skandinavisches Haar. Im Vergleich zu ihr wirkten die anderen Frauen in der Bar unerträglich vulgär. Sie stanken nach Parfüm, ihre Brüste und Schenkel zeichneten sich unter den viel zu kurzen, hautengen Kleidern ab. Ihre Gesichter waren mit einer so dicken Schicht Make-up bedeckt, dass sie wie maskiert wirkten. Sie hatten sich so viel Mühe gegeben, attraktiv zu werden, dass sie wie Nutten aussahen.

Die Frau neben ihm strahlte etwas anderes aus. Sie hatte alles unter Kontrolle. Sie würde heute Abend nicht zu viel trinken, nicht mit irgendeinem Kerl im Bett landen, der sie gratis und ohne Gefühl vögelte. Sie würde am Morgen nicht mit Übelkeit aufwachen, das Haar verfilzt und das Make-up zu einer klebrigen Masse verschmiert. Sie war nicht interessiert daran, jemanden aufzureißen.

Dennoch saß sie hier allein in der Bar und schaute sich um – offenbar auf der Jagd – und wollte ihn so schnell wie möglich loswerden, damit ein anderer kommen und sich neben sie setzen konnte.

Unter der weißen Hemdbluse war ein champagnerfarbener Seiden-BH zu erahnen, einer von jener Sorte, den man einer Frau beim Sex nicht ausziehen will. Es war ein BH, der all das Gute wie auf einem Tablett servierte. Sie hatte schöne Brüste, das war deutlich zu sehen, als sie sich vorbeugte, um die Zigarette auszudrücken, und wenn sie wollte – wenn sie den gut geschnittenen, schokoladenbraunen Rock nur ein klein wenig hochzog – würde ein Streifen nackter Haut zwischen dem Rocksaum und den Stay-Ups sichtbar werden.

»Was hast du in Helsinki gemacht?«, fragte er. »Hast du dort zu tun gehabt, oder ...?«

Ihre Augen wechselten die Farbe. Ohne ein Wort zu sagen, nahm sie ihre Handtasche und ihr Jackett, glitt vom Barhocker und ging. Er folgte ihr mit dem Blick. Das blonde Haar glänzte, sie wiegte sich in den Hüften und zog sofort die Blicke von einem Tisch in der Nähe auf sich, wo eine Anzahl gut gekleideter Männer verschiedenen Alters saßen, die schon seit ein paar Stunden den Drinks zugesprochen hatten.

Ihr anfängliches Glucksen war in Lachen und Gebrüll übergegangen. Hemdkragen waren geöffnet und Schlipse gelockert worden. Einer der älteren Männer hatte sogar sein Jackett ausgezogen. Das rutschte gerade vom Barsofa und landete in einem unordentlichen Haufen auf dem Teppichboden. Jeden Augenblick konnte jemand darauf treten.

Die Gesichter der Männer glänzten und ihre Wangen waren gerötet. Örjan dachte – neidlos –, dass es eine Kleinigkeit für sie wäre, einen Habenichts wie ihn zu einem einzigen kleinen Drink einzuladen. Ihre Firma konnte es bezahlen. Dennoch war dort nichts für ihn zu holen. So gerecht war die Welt nicht. Wollte er eingeladen werden, musste er sich wohl an eine der struppigen Eulen im Minirock halten.

Er schlürfte sein Bier so langsam wie möglich und sah der blonden Frau nach, die soeben einen anderen freien Platz gefunden hatte, an einem Tisch nahe des Panoramafensters zum Meer. Sie hätte sich von allem abwenden und auf den Mond, die Sterne und das schäumende Wasser konzentrieren können. Er hätte es getan, wenn er sie gewesen wäre, allein auf Reisen und ohne Interesse an einem Flirt.

Stattdessen schaute sie unablässig zu den auf Spesen saufenden Männern.

Sobald sie Blickkontakt mit dem Ältesten aufgenommen hatte, setzte sie ein so breites und eindeutiges Lächeln auf, dass Örjan sich am Bier verschluckte. Hustend begriff er, dass er wieder einmal richtig gelegen hatte.

Er irrte sich nie.

Frauen ihrer Sorte konnte er überall und immer identifizieren, und jedesmal war er von seinem eigenen Scharfsinn grenzenlos fasziniert. Es war, als würde er eine fremde Sprache dechiffrieren, die er niemals würde sprechen müssen und die er dennoch vollendet beherrschte. Er wusste genau, wie das Spiel ablief, und obwohl er es nie selbst zu spielen gedachte, liebte er es, dabei Publikum zu sein.

Mit einem Kribbeln im Bauch beobachtete er die elegante Blondine, die unzugänglich und kühl wirkte wie eine Stewardess und die dennoch absolut käuflich war. Der Mann, mit dem sie Blickkontakt aufgenommen hatte, redete jetzt leise mit einem seiner jüngeren Kollegen. Die Blicke und das Lächeln der Männer waren lüstern, ihre Lippen wurden feucht. Wenig später erhoben sich beide und setzten sich zu der Frau.

Natürlich versuchten sie nicht das Geringste. Hier gab es kein Begrapschen, kein Herumgeknutsche auf dem Sofa, kein »Darf-ich-dich-zu-einer-solchen-Menge-Drinks-einladen, dass-du-stockbesoffen-wirst-und-dich-auf-alles-einlässt«. Sie unterhielten sich eine Weile ganz gesittet, dann stand die Frau zusammen mit dem Älteren auf. Als sie an Örjan vorbeigingen, versuchte er vergeblich, ihrem Blick zu begegnen.

Der Mann griff sich zerstreut an den Schritt. Er justierte seine Erektion, damit sie genug Platz fand, so ungeniert, wie man den Schlips ausrichtet. Er hatte den Arm um seine Hure gelegt, und eine Hand ruhte leicht auf ihrer Hüfte. Die beiden hätten ebensogut verheiratet sein können.

Örjan rutschte auf dem Stuhl hin und her, während er überlegte, wie viel sie wohl pro Mann nahm. Zweitausend Kronen? Kaum weniger. Nicht mit einem solchen Stil, mit diesen Strümpfen und den perfekten Brüsten in einem so edlen BH. Er betrachtete den Mann, der auf dem Sofa zurückgeblieben war, den jüngeren Kollegen, der warten musste, bis er an der Reihe war, der auch vögeln durfte, doch nicht als Erster. Das war Sache des Chefs.

Die Frau in der Luxuskabine des Chefs knöpft langsam ihre Bluse auf, während ihr Lächeln ihm signalisiert, dass er ein Weilchen auf das Hauptgericht warten muss. Für so viel Geld, wie bei ihm zu holen ist, gibt es keinen schnellen Schuss, kein rasches Blasen ohne jede Finesse und dann: »Mach's gut, ich hab keine Zeit mehr, der nächste Klient wartet.« Sein Sex wird à la carte serviert. Keuchend sitzt er in seinem bequemen Sessel und schaut ihr zu, die Beine weit gespreizt, der Penis pochend und hart wie ein Baseballschläger, während sie langsam und raffiniert aus dem Rock steigt. Dann steht sie in BH und Strümpfen da, streicht sich über die Brüste und fragt, ob er auch mal fühlen wolle.

Möchte er sie anfassen? Wo will er sie anfassen? Er darf es tun, überall, wo er nur will, er darf alles machen, darf saugen und lecken, pressen und stoßen. Er besitzt sie exakt eine halbe Stunde, doch achtet sie darauf, dass er nach maximal zweiundzwanzig Minuten kommt, damit er hinterher Zeit hat, sich zu erholen, damit er das Kondom abziehen, es wegwerfen, den Penis abwischen, ihn zurück in die Unterhose stopfen, die Hände waschen und seine Fassade herrichten kann, bevor es Zeit ist für sie, sich zu verabschieden und seinen jüngeren Kollegen in einer fast ebenso luxuriösen Kabine aufzusuchen, ein Stockwerk tiefer gelegen.

Bezahlt ist bereits. Das Geld wollte sie selbstverständlich im Voraus. Ein Mann wie er fühlt sich nicht wohl, wenn er einer Frau, in der er soeben gekommen ist, eine Menge Scheine reichen muss. Er würde sich billig fühlen, das hatte sie sofort verstanden, also bat sie schon in der Bar freundlich um Bezahlung. Manchen Männern gefällt es, das Geld hinterher auf ihren Körper zu werfen, sie wollen, dass Sperma daran klebt, wenn sie es einsteckt, doch dieser hier nicht. Bei ihrer Arbeit kommt es darauf an zu verstehen, wen man vor sich hat.

Er riecht nach altem Kerl. So viele von ihnen stinken. *Wie kommt es, dass sie sich nicht waschen, hat ihnen niemand beigebracht, sich sauber zu halten? Was haben ihnen ihre Mütter von Frauen erzählt?*

»Entschuldige«, sagt Örjan in der Bar im selben Moment zu einer sehr jungen Frau. »Ich habe eine unverschämte Frage … Ich weiß, du wirst jetzt böse auf mich sein, aber die Sache ist die, dass mir mein ganzes Geld abhanden gekommen ist, irgendein Schwein in Helsinki hat meine Brieftasche geklaut, und ich würde so gern etwas trinken. Könntest du mir etwas leihen …? Wenn du mir deine Telefonnummer gibst, verspreche ich, dich morgen anzurufen. Wir können uns dann treffen, damit ich es dir zurückzahle.«

Die Wimpern des Mädchens sind von Mascara so verklebt, dass sie wie dicke Spinnenbeine wirken. Sie hat Pickel unter der Schminke und ängstliche, liebe Augen. Er lächelt sie so strahlend an, wie er nur kann, und ihr Blick wird weich.

»Ich lade dich gern ein«, sagt sie. »Was willst du haben? Ich heiße übrigens Marie, und wie heißt du?«

Ein, zwei Stunden später – in Maries Kabine, wo eine der Freundinnen, mit denen Marie auf Kreuzfahrt ist, jeden Augenblick auftauchen kann – denkt er noch immer an die fremde Hure. Während er Marie so heftig nimmt, dass sie wimmert und schreit, fantasiert er davon, dieser coolen Blondine bei der Arbeit zuzusehen. Ihre Verachtung für die Männer, die bezahlen, um an ihre Brust und Fotze zu kommen, macht ihn nur noch heißer.

Nie, nie, nie würde er selbst für Sex bezahlen. Er kann sich nichts Erniedrigenderes vorstellen. Er mag und bewundert Huren, ihre Selbständigkeit, ihre Intelligenz – die ihnen hilft, die Männer total zu durchschauen – und ihre Freiheit. Vor den Freiern hingegen empfindet er nur Ekel, der bis zur perversen Erregung reicht. Von ihnen steigt der Gestank aus dem Land der Verlierer auf.

Beim Frühstück wollte er Marie möglichst aus dem Weg gehen. Er hatte Glück. Sie verließ den Speisesaal, als er ihn gerade betreten wollte. Sie umarmten sich nur flüchtig, denn sie war in Eile, musste zur Schule. Sie war Schwesternschülerin.

»Du rufst doch an?«

»Aber natürlich! Du sollst doch dein Geld zurückbekommen!«

Das Schiff legte gerade an. Die Leute drängelten sich bereits auf dem Deck, um rasch von Bord zu kommen, und Marie hastete davon. Er vergaß sie, sobald sie außer Sichtweite war.

Sie hatte ihm eine so große Summe geliehen, dass er sich ein Frühstück leisten konnte. Nun hatte er die Absicht, ordentlich zu essen, denn seit dem letzten Mal war es mehrere Tage her. Er war frisch geduscht, frisch rasiert und frisch gevögelt. Das trübe Wetter draußen kümmerte ihn nicht. Pfeifend bediente er sich am Büfett: Hering, Ei, Piroggen, Pastete, Lachs, Wurst, Fleischklößchen und Käse stapelten sich auf seinem Teller zu einer appetitlichen Pyramide. Er konnte so viel Saft und Kaffee trinken, wie er wollte. Das Leben lächelte ihm zu.

»Hallo! Gut geschlafen?«

Vermutlich trug sie weder Stay-Ups noch einen sexy BH

unter der Latzhose. Der Pullover bauschte sich in der Taille, um ihre Augen konnte man feine Linien erkennen, und ihr Haar war leicht zerzaust.

»Ach, hallo!«, rief er. »Sieh an, heute darf man mit dir reden? Wie schön! Ja, danke, ich habe gut geschlafen, und du?«

Sie zuckte mit den Schultern: »In diesen C-Kabinen schläft man nicht besonders gut. Ich teile die Kabine nicht gern mit einer Menge fremder Leute, aber das ist schließlich die billigste Art zu reisen ... Ich fahre heute Abend zurück nach Helsinki.«

»Oho! Also wohnst du dort und bist auf Vergnügungsreise?«

Sie verzog den Mund.

»Ich bin ein paar Tage zur Arbeit unterwegs. Und du?«

Über dem Frühstücksteller erzählte er ihr von Russland, Estland und Lettland, von den Einöden im nordöstlichen Finnland, wo niemand Schwedisch verstand und er beinahe in eine Prügelei mit einem Typen geraten wäre, der offenbar fand, die aus Schweden seien verdammte eingebildete Großkotze und sollten auf der Stelle in ihr verdammtes Großkotzland zurückfahren. Sie hörte amüsiert zu, ohne sich beeindrucken zu lassen.

»Und du?«, konterte er. »Bist du oft zur Arbeit unterwegs?«

»Naja, ich arbeite am liebsten zu Hause. Aber manchmal muss man neue Märkte erschließen, wie du weißt. Ich bin unterwegs, um Kontakte zu knüpfen.«

Er sah die Warnsignale in ihrem Blick und fragte nicht weiter. Es gelang ihm nicht, sie zu veranlassen, von ihrem Leben zu erzählen, aber es schien ihr zu gefallen, ihm zuzuhören. Also fuhr er fort, von sich selbst zu berichten, von den Reisen, die er gemacht hatte, von seinen Gedanken und Träumen, bis sie plötzlich abrupt aufstand und sagte, jetzt müsse sie gehen.

»Könnten wir uns nicht wiedersehen? Ich will mich nicht aufdrängen, aber ich habe das Gefühl, wir könnten gute ...«

»Freunde werden?«, ergänzte sie. »Sicher, ich wäre gern mit dir befreundet. Wenn du willst, können wir uns heute Nachmittag sehen, ich muss ja ohnehin ein paar Stunden totschlagen, bevor das Schiff zurückfährt. Wie wäre es um vier in der Lobbybar des ›Ariadne‹ – du weißt, dieses Hotel hier im Hafen. Du kannst auch meine Karte haben, hier, bitte sehr.«

Die ganze Zeit über hatte sie dieses schiefe Lächeln im Gesicht, als verstehe sie genau, wer er ist und was er von ihr will. Örjan, der Freund der Huren. Der Mann, der es genießt, weder zu vögeln, noch zu bezahlen, der mit seinem Charme nichts anderes erreichen will, als ein Weilchen Gesellschaft zu haben und der sich völlig darüber im Klaren ist, dass kein anderer diese Minuten – mit oder ohne Sex – bekommen würde, ohne dass das Taxameter eingeschaltet wäre. Örjan, kein Mann wie jeder andere.

Er fühlte sich durchschaut und nackt. Unbeholfen fingerte er an ihrer Visitenkarte herum. Die war dezent, der Text in Schokoladenbraun auf cremefarbenem Grund.

Madeleine Larsson war ihr Name.

Im Hafengebiet ein Durcheinander von Lagerhäusern, Bahngleisen, Güterwagen, Containern und hohen grauen Silos …

Dann plötzlich offene Flächen – Parkplätze, Brachland, Stellplätze, Zollzonen – …

Die Backsteinfassaden, die riesigen fahrenden Kräne, das Requisitenlager des Fernsehens, wo abmontierte Illusionen auf dem Ladekai standen – Teile glitzernder Zirkusrampen voller Gold- und Silbersterne, Fragmente von Zimmern, die es nur in der Fantasie gab, Treppen, Stühle, verwitternde, unbegreifliche Konstruktionen …

Die Gleise im Asphalt, die Ölzisternen von Loudden auf der gegenüberliegenden Seite des Hafenbeckens, die verplombten Container der Lastzüge, die reihenweise am Wasser aufgestellt waren: Ecotrans, T. I. P., Speed Cargo …

Die ›Baltic Kristina‹ mit der blau-schwarz-weißen Fahne am Heck, deren aufgesperrter Schlund Auto um Auto verschlang, die schmale Treppe mit dem schwarzen Eisengeländer, die sich zum Terminal hinaufwand …

Der Kartenverkaufsschalter, *ticket-sale, pileti müük* … Ganz nah und doch so fremd …

Das trübe Wetter ließ alles zu einem Bild werden, dem grafischen Blatt eines japanischen Meisters. Das Hafengebiet war eine Lego-Welt, wo viele der Teile lose herumlagen, auseinandergenommen oder noch nicht wieder zusammengesetzt.

Er ging zum Wasser. Der Boden lag voller Abfall und Gerümpel: Tauenden, Plankenreste, Muttern, zerquetschte Bierbüchsen. Ein Arbeitshandschuh schien absichtlich in den Schmutz geworfen. Unter Segeltuchplanen erhob sich eine halbfertige Konstruktion. Das Wasser klatschte träge ans Ufer. Im Westen wölbte sich der lange schmale Bogen der Lindingö-Brücke, nach Osten öffneten sich die Schären, vor ihm auf der gegenüberliegenden Seite des Lilla Värtan verwischte der Nebel die Konturen von Felsen, von Bäumen und Hochhäusern auf Lindingö.

Er stieß einen Stein los, der versank, ohne Ringe auf der Oberfläche zu hinterlassen.

Dem Wasser sind wir egal, dachte er. Hier war er früher zusammen mit Elena spazieren gegangen. Auch sie hatte er auf einem Schiff getroffen. Wie es ihr im Moment erging, wollte er nicht wissen. Es tat weh, an sie zu denken. Als sie sich das letzte Mal gesehen hatten, war ihr Gesicht blaurot angeschwollen und die Oberlippe aufgeplatzt. Sie hatte ihn aus schmalen Augenschlitzen angesehen und gefaucht: »Wir können uns nicht mehr treffen, hörst du? Sonst bringt er mich um! Du darfst mich nicht mehr anrufen, denn dann schlägt er mich tot. Er ist verrückt! Der Mann wird auch für dich zur Gefahr. Wenn du dich nicht fern hältst ...«

»Du hättest dich von Anfang an von mir fern halten sollen ...«

»Was wolltest du eigentlich von mir ...«

»Warum lässt du mich nicht in Ruhe, ich würde jetzt nicht so aussehen ...«

»Du sagst, du bist mein Freund, aber eine wie ich kann keine Freunde haben. An der Sache hier bist du schuld, verschwinde also, ich will allein sein, lass mich in Ruhe ...«

Sie haben sich ihr Leben selbst ausgesucht, dachte er. Sie

wissen, welche Risiken sie eingehen. Nur die cleveren Frauen überleben. Mir gefallen clevere Frauen sehr, Frauen, die sich nicht manipulieren lassen, Frauen, die über ihr Leben und ihren Körper selbst bestimmen. Frauen wie Madeleine, ich bin sicher, dass sie eine Frau ist, die keiner von oben herab behandeln würde.

Eine flache, geschwungene Brücke, Metallzäune und Stacheldraht, Rost, Bauplätze mit Lehmwasser in den Gruben, Bagger, die über Hügel aus Steinen und Sand klettern, die sie selbst aufgeworfen haben ...

Tonnenweise Salz in säuberlich gestapelten Säcken direkt gegenüber des Luxushotels ...

Durch die Drehtür betrat er das ›Ariadne‹.

Die cleveren Frauen, dachte er, gingen im Labyrinth nie in die Irre. Sie verstanden sich auf die Kunst, das Monster aufzusuchen und dennoch wieder hinauszufinden.

»Dieser Ort hier ist wie ein Hotel im Weltraum«, sagte Madeleine.

Sie saß bereits in der Lobbybar, als er kam, obwohl er eine Viertelstunde zu früh dran war. In der Flugtasche zu ihren Füßen lagen vermutlich ihre Arbeitskleider und die Schminktasche. Sie trug noch immer die Latzhose, und ihre Haare waren noch zerzauster als am Morgen.

Es gab Frauen, die konnten selbst zu einem Nobel-Diner in Latzhose gehen. Madeleine war eine solche Frau. Es hatte etwas mit Auftreten und Körperhaltung zu tun. Ihre Eleganz kam nicht von den Kleidern, sie war ihr angeboren.

Er musste an ein Fotomodell denken, mit dem er einmal im selben Haus gewohnt hatte. Wenn sie aufeinander trafen – am Müllschlucker oder beim Einkaufen um die Ecke –, war sie stets ungeschminkt und trug einen Jogging-Anzug. Die Haare waren oft fettig, sie hatte sie zu hässlichen Rattenschwänzen zusammengezwirbelt, damit sie ihr nicht in die Augen fielen. Dennoch war diese Frau so vollendet schön, dass es eher verblüffte als faszinierte. Madeleine und dieses Mädchen hatten etwas gemeinsam.

Vielleicht hätte Madeleine einen schmuddeligeren Eindruck hinterlassen, wenn die Latzhose von Hennes & Mauritz stammen würde. Das aber war definitiv nicht der Fall. Sie war eine Frau, die so zerzaust aussehen konnte, wie sie wollte, ohne jemals schlampig zu wirken – und sie besaß offenbar Geld.

»Warum willst du mich so gern treffen? Weil es interessant ist, mit einer Hure Kontakt zu haben? Du hast doch begriffen, dass ich das bin, oder?«

Die Bar war fast leer. In einer Ecke saß ein einsamer Mann und kaute an einem Sandwich. *Memories* ertönte aus einem unsichtbaren Lautsprecher irgendwo in dem unendlichen Raum.

Ja, das Hotel konnte ebenso gut eine Raumstation sein, die auf ihrer Bahn weit über der Erdoberfläche schwebte. Eine völlig angesagte artifizielle Welt mit Lichthöfen, Glasdächern und durchsichtigen Fahrstühlen, die wie Pendel von weit oben, aus anderen Dimensionen, angesaust kamen ... Eine verzerrte, geradezu verbrannte Nike von Samotrake, die sich aus einer messingblanken Fläche brach, die Skulptur hieß *Love* ... Ein *Space Hotel*, wie gemacht für nostalgische Erinnerungen an das nicht mehr zu Erreichende, Erinnerungen an Wasser, Bäume und Liebe ...

Dort draußen lag die Lego-Welt, halbfertig und voller Müll. Hier drinnen im Spielzeugturm glänzten Marmorfußböden und Messinggeländer, als befände man sich in einem Schloss, und in diesem Schloss war Madeleine Prinzessin. Örjan begriff, gleich, als er ihr gegenüber Platz nahm, dass sie nicht vorhatte, ihn zu irgendeinem Getränk einzuladen.

»Was willst du haben?«, fragte er.

»Eine Cola, bitte.«

Ihre Rechnung würde er bezahlen müssen. Widerstrebend stand er auf. Ihm schien, der junge Mann hinterm Tresen lächle ihm vielsagend zu, als wisse er genau, dass Örjan ein ganz normaler Mann sei.

»Ich habe dich was gefragt«, erinnerte Madeleine freundlich, als er mit ihrem Getränk zurückkam. »Warum willst du mit Huren zusammen sein?«

»Warum nicht?! Menschen kann man nicht in Huren und Nicht-Huren unterteilen. Alle sind Menschen. Manche von ihnen mag ich, andere nicht. Ich gehe nach dem ersten Eindruck, den ich von den Leuten habe. Du hast mir vom ersten Moment an gefallen, okay? Für mich bist du keine Hure. Ich stecke die Leute nicht in Schubladen. Du bist ein Mensch, und damit basta.«

Ihre Lippen formten ein lautloses, sardonisches »Wow«. Als sie ihn ansah, war ihr Blick herzlich und zugleich scharf.

»Du siehst gut aus«, stellte sie fest. »Jemand wie du braucht von jemandem wie mir keine Dienste zu kaufen, stimmt's?«

Er zuckte mit den Schultern und versuchte, nicht allzu geschmeichelt zu wirken.

Diesmal stand sie nicht auf und verschwand. Im Gegenteil, sie vergaß die Zeit und hätte fast ihr Schiff verpasst. Als sie zum Fährterminal los wollte, bestand Örjan darauf, sie zu begleiten. Er trug ihre Tasche, während sie den langen kalten Gang entlanghasteten, der vom Hotel zum Schiff führte. In der Abfertigungsschlange hob sie den Blick zur Decke und stieß Örjan an: »Sieh mal«, sagte sie. »Alles hier unten spiegelt sich dort oben wieder.«

Die Decke der Terminalhalle bestand aus glänzenden Metallplatten. Er sah sein Gesicht darin und ihr Gesicht neben dem seinen.

Die Platten spalteten Madeleines Gesicht in der Mitte. Das Geräusch drang aus dem klaffenden schwarzen Loch mitten im Gesicht der Frau. Ein Gesicht, das überraschend weit offen war …

Man muss auf alle möglichen Dinge gefasst sein.

Aber nein, ich fürchte mich nie.

Die Verrückten kommen nicht zu mir.

Ich habe einen Blick dafür, wer straight ist und wer nicht.

Es ist jetzt Morgen, exakt acht Uhr einundvierzig, und das hier ist mein Tagebuch. Von jetzt an will ich versuchen, jeden Tag etwas auf Band zu sprechen.

Es ist merkwürdig, hier allein am Küchentisch zu sitzen und vor sich hin zu plappern, aber ich werde mich daran gewöhnen. Man kann sich an komischere Dinge gewöhnen.

Heute fühle ich mich rundum gut. Ich habe ein dickes Honorar eingestrichen und muss zumindest ein paar Wochen lang nicht arbeiten. Mir geht's bestens. Ich habe nur einen leichten Schnupfen, sonst ist alles okay. Ich werde gleich aufstehen, Ordnung machen und dann mit Papa zu Mittag essen. Draußen regnet es.

Die Milch ist alle. Ich muss aus dem Haus, um welche zu kaufen, sonst kann ich keinen Kaffee machen.

Würde ich mit einem Mann oder einer Freundin zusammenwohnen, könnte ich andere in das Dreckwetter rausschicken, damit sie uns Frühstück besorgen.

Ich sehne mich danach, dass jemand anruft und mich zu einem richtig festlichen Abendessen einlädt. Dann hätte ich vielleicht die Gelegenheit, mit einem Banker oder Arzt, der sich einfach für alles interessiert, über mein Leben zu reden. Ich weiß nicht, ob ich lügen oder ob ich sagen würde, wie es wirklich steht, vermutlich beides.

Manchmal fehlt es mir, irgendwohin eingeladen zu sein. Als ich jünger war, kam das oft vor, und ich fand es toll. Ich mag gutes Essen, und es fällt mir nicht schwer, mit allen Arten von Leuten zu reden.

Der Laden macht in fünf Minuten auf. Milch zum Kaffee. Ich melde mich wieder.

...

Papa schien sich heute beim Mittagessen wohl zu fühlen. Er hat nichts gefragt. Das tut er überhaupt nie, und mir gefällt es, denn dann brauche ich mir keine Lügen darüber auszudenken, was ich mache und wie es mir geht. Ich finde eigentlich, unser Verhältnis ist nicht schlecht. Ein gutes Verhältnis zu haben, muss ja nicht heißen, alle Einzelheiten durchzukauen und vor dem anderen sein ganzes Leben auszubreiten. Es kann genügen, dass man sich beim Zusammensein nicht direkt unwohl fühlt.

Er hat mich zum Mittagessen auf der Veranda des ›Grand‹ eingeladen, heutzutage kann er sich das leisten. Als ich klein war, hat er uns in viel zu teure Restaurants ausgeführt, um der Familie weiszumachen, dass er erfolgreicher ist, als er wirklich war, aber diese Zeiten sind jetzt vorbei.

Ich war erst fünf, sechs Jahre alt, als ich begriff, dass er eigentlich nicht das Geld für all die flotten Urlaube und Restaurantbesuche hatte, mit denen er uns verwöhnte. Mama und ich saßen am Rand des Pools oder am Tisch des Lokals wie Zuschauer im Theater. Wir sollten Papas Reich-und-tüchtig-Spiel zu sehen bekommen, und dann sollten wir applaudieren. Ich hasste Mutter dafür, dass sie immer das Teuerste auf der Speisekarte bestellte, ich hatte das Gefühl, damit wollte sie ihn quälen. Sie musste doch gewusst haben, dass eigentlich kein Geld für all diesen Luxus vorhanden war.

Am Ende war Vater gezwungen, tatsächlich Erfolg zu haben, damit das Spiel Wirklichkeit werden konnte. Sonst hätte sie ihn verlassen. Ja, ich bin Papas Töchterchen.

Er lässt mich in Frieden.

Das tut Mama auch, aber auf andere Weise.

»Und bei dir, Madeleine, läuft es gut in deiner Werbeagen-

tur?«, fragte er heute und ließ mir nicht einmal Zeit zu antworten. Er sieht ja selbst, dass alles in Ordnung ist, ich habe eine schöne Wohnung und kleide mich gut. Damit ist doch klar, dass kein Kreuzverhör nötig ist. Nein, ich habe nicht das Gefühl, ihm etwas zu verbergen.

Mutter sehe ich nicht so oft wie ihn. Weder sie noch ich sind besonders wild darauf. Sie weiß bestimmt, womit ich wirklich meinen Lebensunterhalt verdiene, genau wie sie gewusst hat, dass er heimlich Geld leihen musste, um uns im Sommer nach Westindien und in den Winterferien in die französischen Alpen einzuladen. Sie weiß, was ich bin.

Eines schönen Tages sage ich es vielleicht geradeheraus. Am Frühstückstisch, wenn ich bei ihnen zu Besuch bin, könnte ich plötzlich auf die Uhr schauen und sagen: »Nein, wisst ihr, jetzt muss ich gehen. Ich habe eine Geschäftsverabredung, werde ein bisschen Geld zusammenvögeln. Wir sehen uns zum Essen!«

Ich weiß nicht, warum ich es nicht mache. Ich habe keine Angst, sie zu schockieren oder zu verärgern, aber vielleicht hat es einfach keinen Sinn, sie zu provozieren. Mir erscheint es am leichtesten, es nicht zu tun, und ich kompliziere die Dinge auch nicht gern.

Es ist völlig unnötig, ständig über Dinge zu reden, die falsch sind und anders sein sollten. Wenn man mit seinem Leben nicht zufrieden ist, muss man es eben ändern – ohne dieses ewige Gequatsche. Nichts wird schließlich anders, nur indem man es ständig wiederkäut.

Vater hat mich gezwungen, etwas Teures zu nehmen, Rinderfilet mit Concassé aus Tomaten, oder was das noch war, ich erinnere mich nicht so genau. Wirklich albern, dieses Steak essen zu müssen, ich mache mir schließlich nicht viel aus Fleisch. Das ist was für Kerle. Es macht mehr Spaß, asiatisch zu kochen, die Zutaten zu hacken, im Wok zu garen und so. Ich hätte ihn ins East schleppen sollen. Er wäre sicher zufrieden gewesen, dort ist es schließlich auch teuer.

Er erzählte, wie gut es mit seiner Arbeit laufe und von dieser Golfreise, die Mutter und er im Sommer machen würden, ich habe schon wieder vergessen, wohin. Habe nicht so genau zugehört. Ich war mit den Gedanken woanders. Wenn ich in gewissen Restaurants sitze, bin ich auf der Hut, es kann jemand auftauchen, den man kennt.

Nicht, dass ich ein Problem damit hätte, natürlich würde es keinem Kunden je einfallen, mich außerhalb der Arbeit zu grüßen. Diskretion ist für den Kunden genau so wichtig wie für mich. Aber dennoch.

Sie wusste, dass er es sich nicht leisten konnte, dennoch bestellte sie immer das Teuerste. Mein Gott, wie ich sie hasse. Ein schönes Gefühl, das zu sagen, ich habe diese Worte noch nie ausgesprochen.

Gesang und Verblendung, Geissel und Schwert … – … Es ist nicht leicht zu wissen, woher die Sprache kommt, und woher sind die Bilder, die ihr anhaften; gehören sie vor die Worte oder dahinter? Im Augenblick sind sie fragmentarisch und dunkel, es gibt einen bedrohlichen Unterton …

Ein bedrohlicher Unterton lag in allem, was Helen erlebte, und sie wusste nicht, was sie tun sollte. Es war, als würde etwas Schreckliches hinter der nächsten Ecke lauern, und sie konnte sich nicht davor schützen oder andere warnen, sie war hilflos.

Örjan würde in ihrem Gefühl natürlich eine übersinnliche Vorahnung sehen, doch sie konnte nicht so denken. Das würde alles nur schlimmer machen, und sie schlief schon jetzt schlecht.

Sie lag bis spät in die Nacht wach und spürte, wie es sich näherte: schwarz und gewaltig, unerbittlich und namenlos.

Solange sie nicht wusste, was ihr Sorgen machte, gab es eine Ruhe, in der sie sich verstecken konnte. Aber sich verborgen halten zu müssen, bedeutete immer Gefangenschaft; ihre Ruhe glich einem Gefängnis.

Ihr früherer Mann nannte sie stets eine Katastrophentheoretikerin. Er würde jetzt sagen, das alles sei Einbildung, und seine Sachlichkeit hätte sie beruhigt.

Manchmal vermisste sie ihn ungeheuer, die Freiheit ist ein einsamer Ort. Dort, wo es keine Mauern gibt, existiert auch kein Schutz. Er rief sie in regelmäßigen Abständen an und fragte, wie es ihr gehe, und zum Geburtstag schickte er eine Karte. Er war bestrebt, den Menschen in seiner Umgebung ein Gefühl von Sicherheit zu geben. Bei ihr gelang ihm das nie, und vielleicht war genau das der Grund, warum er damals getrunken hatte. Möglicherweise wegen ihr, doch wenn er auch heute noch soff …? Vielleicht noch immer wegen ihr, weil sie einen Kummer darstellte, einen Stachel im Fleisch. Sie wusste es nicht.

Eigentlich wollte sie nicht aus dem Koffer leben.

Sie wollte ruhig und still leben, mit Mann und Kind. Sie lebte ein Leben, das nicht das Ihre war, ihr Leben war nicht so geworden, wie sie es sich gewünscht hatte. Was für ein Altweibergedanke! Vielleicht war das schlicht und einfach Torschlusspanik. Die musste sie ablegen. Sie war kein altes Weib. Außerdem war jetzt Frühling.

Du schöner Mai! Die Bäume auf Djurgården beginnen, auszuschlagen. Art um Art entfaltet ihre Blätter. Das frische, seltsam hellgrüne Laub des Mehlbeerbaums ist schon voll entwickelt, das der Birken auch. Die Eichen schimmern, die Esche aber wartet noch immer ab. Sie steht da mit ihren kleinen harten Knospen und will, aber darf noch nicht; sie ist ein königlicher Baum – kommt zuletzt und geht zuerst. Es tut nicht weh, wenn die Knospen springen. Der Frühling zweifelt nicht, im Gegenteil, er ist ungeduldig und ergreift die erste Chance, die sich bietet. Das kleinste bisschen Hitze, und alles explodiert.

Sie hat das Rad mit auf die Fähre genommen, die zwischen Slussen und Djurgården verkehrt und sitzt jetzt auf dem Steg am Isbladskärr, auf dem Treppenabsatz zum Wasser hinunter, den Kanal im Rücken. Sie hat gerade ein Honorar für zwei Texte erhalten und kann zum Glück endlich die Telefonrechnung bezahlen, und was dann?

Vielleicht war es unklug, die Wohnung zu verkaufen, um Bücher schreiben zu können, die niemand lesen will. Sie hätte ihren irdischen Halt nicht einfach so aufgeben dürfen, doch sie wollte alle Leinen kappen, und jetzt schwebt sie tatsächlich frei wie ein Himmelskörper im Raum.

Die Gänse schnattern. Auch von den toten Bäumen draußen im Wasser ertönt ein fürchterlich lautes Spektakel, sie hat vierzehn Reihernester gezählt, ganz sicher aber noch einige übersehen. Das Wasser im Pfuhl liegt spiegelblank, manchmal sieht man das Zucken einer Karausche unter der Oberfläche. Die Reiher drehen ihre Kreise über dem Schilf, ihre schweren Flügel an den schlanken Körpern vermitteln den Eindruck von Unbeholfenheit und Fehlkonstruktion, *ich fühle, dass etwas Schreckliches …*

Wenn sie wieder anfangen würde, Werbetexte zu schreiben, wäre sie finanziell abgesichert, doch sie will nicht zu all der Verschmutzung beitragen. Wenn sie von einem richtigen Verlag angenommen würde, hätte sie in Zukunft vielleicht Leser, bekäme Aufmerksamkeit und Stipendien, statt die Druckereirechnungen aus eigener Tasche bezahlen zu müssen. Aber vielleicht reichte es ja auch, von einer kleinen Zahl Enthusiasten gelesen und geliebt zu werden? Von Örjan, haha, und ein paar anderen. Oder …

Möglicherweise wäre es das Beste, die Poesie ad acta zu legen, o nein, oder doch …?

Dort fliegt ein Reiher zu seinem Nest und hätte es beinahe verfehlt. Die anderen Vögel schreien und lärmen, als Zweige auf sie herabfallen, der reinste Nachbarschaftsstreit. »Frei wie ein Vogel« ist ein Klischee, das durch nichts bewiesen ist, Vögel sind nicht frei. Selbst diejenigen, die zwischen den Erdteilen hin- und herziehen, haben feste Bindungen an bestimmte Orte, der Weg dahin scheint ihrem Körper einprogrammiert.

Niemand ist frei.

Beim Telefongespräch mit Örjan hatte sie ein gutes Gefühl. Alles war wie immer, genau, wie sie gehofft hatte. Ihrer Freundschaft schien das Geschehene keinen Abbruch zu tun, und darüber ist sie froh. Sie schätzt ihn als Freund. Mehr als eine Stunde haben sie miteinander geredet, der Hörer wurde warm, und Pausen im Gespräch waren überhaupt nicht unangenehm. Am Ende fiel es ihr schwer, aufzulegen.

Sie hatte gemeint, ihn wegen dieses Hurenstreits im ›Café Oscar‹ um Verzeihung bitten zu müssen. Sie durfte ihn nicht ständig in Frage stellen. Es ist einfach nicht okay, die Leute nicht ernst zu nehmen. Sie weiß selbst, was es für ein Gefühl ist, verspottet zu werden, sie muss seine Erfahrungen und seine Freunde respektieren. Darauf wäre sie ganz sicher selbst gekommen, auch wenn er es nicht am Telefon gesagt hätte. Das Ganze war jetzt sechs Tage her.

Seitdem hatte sie ein paarmal angerufen und eine Nachricht aufgesprochen, aber er hat nichts von sich hören lassen. Merkwürdig, eine Zeit lang haben sie sich schließlich jeden Tag gesehen. Nun ja. Örjan ist nun mal, wie er ist. Er ist nicht freier als einer der Reiher dort im Baum, selbst wenn er das glaubt, doch ist er ganz er selbst.

Etwas tut weh – im Bauch, vor Unruhe, im Herzen, sie weiß nicht wovon.

Während sie in der prallen Sonne sitzt und sich wegen Kleinigkeiten ängstigt, wird Europa in Stücke gerissen. Nie wieder sollte es Krieg geben, doch nun zerfällt alles aus genau denselben Gründen wie damals. Dieselben Kräfte entzweien Heutiges und Vergangenes. Sie hat Lebensmittelpakete für die Flüchtlinge in Albanien gepackt, doch was nützt das. Wer weiß, ob ihr Sohn, wenn der Tag kommt, auf europäischem Boden für die NATO kämpfen wird, oder was China ausbrüten wird, nachdem man ihnen die Botschaft in Belgrad zerbombt hat. Ausgerechnet die chinesische Vertretung in Trümmer zu legen, war taktisch dermaßen unklug und provokativ, dass es wie ein Wink des Bösen erscheint. Missiles …

Ihr Sohn …

Als er klein war, saß er oft auf ihrem Schoß, eng an sie gedrückt. Immer wieder las sie ihm aus seinem Lieblingsbuch vor. Wenn sie aufhörte, weinte er. Er bekam nie genug, egal wie viele Male er dasselbe Märchen hörte.

Von seiner Mama bekam er nie genug.

Sein Hinterkopf war weich und zart. Sie wölbte die Hand um ihn, und seine Zerbrechlichkeit ließ sie erbeben.

Sie würden sich niemals trennen.

Ihnen konnte nichts Böses geschehen.

Dann wuchs der Junge heran und wurde ihr entrissen, und die Welt wurde hart.

Jetzt will er kaum mit ihr reden, wenn sie anruft.

Er reagiert nur mit »häh« und »hmm«.

Er sei irgendwohin unterwegs, habe es eilig. Sie fragt sich, wohin er geht, aber sie erfährt es nicht und kann ihm nicht folgen.

Der Junge kennt sich selbst nicht mehr. Er bewegt sich in der Stadt und andere mit ihm.

Die Stadt rückt gegen Abend zusammen.

Sie hat finstere Ecken, wo man sie am wenigsten vermutet. Dort hocken all die Fremdenfeindlichen, diejenigen, die schießen, um zu töten. Zu ihnen geht man, wenn man vergessen wurde. Wenn die Mutter nur mit der eigenen kaputten Seele, mit ihrer Einsamkeit und ihrem zerrissenen Leben beschäftigt ist. Wenn sie nicht begreift, dass ihr Sohn meint »liebe mich«, wenn er sagt »ich hasse dich«. Wenn der Vater so sehr mit seinem Job, dem Alkohol, der neuen Frau und all den neuen Kindern zu tun hat, dass er nie dazu kommt, Geschichten vorzulesen. Dann hört die Zeit der Märchen viel zu schnell auf und eine dunklere Geschichte nimmt ihren Anfang. Die ist real. Sie gibt dem Jungen eine Rolle, die das Märchen vergessen hat, er darf Krieger sein.

Nein, der Junge kennt sich selbst nicht mehr. Er sagt: »Ich hasse« und meint »ich hasse«. Er bewaffnet sich mit einem kaputten Wagenheber und einem Fahrradschlauch voller Schrauben. Er geht durch die Stadt und andere mit ihm.

In der Stadt, in der Abenddämmerung, versammeln sich die Krieger in den finsteren Ecken.

Sie fährt nach Blockhusudden hinaus und wieder zurück, dann über die Brücke bei Djurgårdsbrunn, vorbei am grün gestrichenen Gebäude des Ruderklubs am Kanal, wo man an den Wochenenden billig Kaffee trinken kann und schließlich den Lidoväg hinauf. Vorbei an der chinesischen Botschaft mit ihren bunten Lampen am Eingangsportal und ihren geheimnisvollen Pagoden hinterm Zaun. In der Dämmerung kommen die Chinesen aus dem Haus. Sie machen Spaziergänge unter den Eichen und unterhalten sich in einer Sprache, die klingt, als singe eine Amsel. Helen fühlt sich jetzt etwas besser. Nichts ist gefährlich. Nicht hier und heute. Das Gefährliche ist anderswo, und es nützt nichts, weiter darüber nachzugrübeln.

Sie lässt sich auf dem Grashang am Kaknästorn nieder. Vor ihr dreht sich das Windkraftwerk des Technischen Museums und auf der anderen Seite von Gärdet blitzt die Stadt. Kein Grund zur Sorge. Ganz sicher? Ganz sicher.

Örjan hat von »einem Essen für die Mädchen« geredet. So nannte er es. Er wollte all die Huren bei Helen versammeln, damit sie eine Chance bekäme, »zu verstehen«. Sie weiß nicht, ob das eine gute Idee ist. Er scheint so viele von ihnen zu kennen, und in ihrer Einzimmerwohnung ist es eng. Außerdem, wenn sie eine von ihnen wäre, würde sie nicht mit den anderen Kühen zusammengepfercht werden wollen, um sich anstarren zu lassen.

Irgendwie ist es, als sei sie ihnen bereits begegnet. Er hat so viel von den Mädchen erzählt. Dennoch konnten seine Worte kein lebendiges Bild vermitteln. Wenn er erzählt, wirkt es, als blättere er in einem Karteikasten. Karte für Karte wird herausgenommen, und er liest die Angaben über die Person vor, die er katalogisiert hat.

»Die alte Marianne« sieht aus wie eine gewöhnliche Hausfrau mit schmutzig blondem Haar, gekleidet in Rock und Bluse aus dem Einkaufscenter. Sie ist inzwischen müde und ausgepumpt, sucht nach einer anderen Arbeit. Auch eine Prostituierte kann die Branche wechseln, wenn sie den Job satt hat. Marianne hat früher im Hotel gearbeitet, und sie will versuchen, die Sache wieder aufzunehmen, jetzt, wo ihre Brüste hängen und die Freier nicht mehr im gleichen Maße interessiert sind – aber was soll sie nach sechs Jahren auf dem Strich in ihr *Curriculum vitae* schreiben?

Helen fragte natürlich nicht danach. Sie wollte nicht noch mehr Streit.

Örjan findet, Helen sollte die alte Marianne und auch »Underground-Sofi« kennenlernen, die mit Örjan und seinen Kumpeln im ›Pelikan‹ sitzt, wenn sie nicht gerade jemandem für Geld einen bläst. Sofi hat gepiercte Nasenflügel, und ihre Haare sind schwarz gefärbt wie bei allen anderen hippen Typen, an ihr ist nichts Besonderes. Sie ist genau wie jede andere, behauptete Örjan und fügte hinzu, Sofi habe zu ihm gesagt, der Job bringe ihr Lebenserfahrung und eine Menschenkenntnis, die andere nicht hätten.

Was bringt ihm der Kontakt mit Jessica aus Alby, die leider mit Drogen angefangen hat und auf bestem Wege ist, sich zugrunde zu richten? Was kann man schon machen? Jessica ist ein freier Mensch in einem freien Land, sie hat ihr Leben selbst gewählt. Was hat er davon, mit Madeleine aus der Oberschicht zu verkehren, die aussieht und sich verhält wie eine blonde perfekte Stewardess? Sie arbeitet in aller Ruhe in ihrer Wohnung in der Kocksgata, wählt die Kunden sorgfältig aus und garantiert Stil und Diskretion. Warum will er so gern mit Elena aus Tallin befreundet sein, die wegen ihm leider heftig von ihrem Zuhälter verbläut worden ist? Er hat ihr noch mehr Prügel angedroht, sollte sie noch einmal mit Örjan reden. Der hatte in letzter Zeit ein paar dubiose Nachrichten auf dem Anrufbeantworter, dennoch behauptet er, ihm könne nichts Schreckliches geschehen.

Er ist ein solches Kind. Helen empfindet den schmerzlichen Wunsch, etwas für ihn zu tun, es ist einfach so, dass sie ihn umkrempeln will, in die richtige Richtung, damit er seinen Blick schärft und die Welt sieht, wie sie ist, doch andererseits: *If ignorance is bliss, it's folly to be wize.*

Sie macht sich Sorgen um ihn und will, dass er sich meldet, doch nun ist schon fast eine Woche vergangen ohne das kleinste Lebenszeichen.

Weiterhin rief sie Örjan pünktlich jeden Morgen und jeden Nachmittag an, ohne sich darum zu scheren, wie erniedrigend es war, ihn zu bitten und zu betteln. Eines Tages war ein neuer Spruch auf seinem Anrufbeantworter. Eine Frau, deren Schwedisch eher eine weiche sensuelle Schwingung als einen Akzent hatte, teilte mit: »Leider sind Farsaneh und Örjan nicht zu Hause, aber hinterlasst Namen und Telefonnummer nach dem Signal.«

Sie holte Luft, um etwas zu sagen, doch sie bekam nur ein leises Zischen heraus. Nachdem sie ein paar Sekunden nachgedacht hatte, legte sie den Hörer auf. Sie begriff, dass es jetzt etwas dauern würde, bis Örjan Zeit für sie oder jemand anderen fand. Seine orientalische Traumfrau war zurück in der Stadt, und damit hatte er jede Menge um die Ohren, okay, dann also nicht. Fuck off.

Eine halbe Stunde lang saß sie auf dem Bett und überlegte, ob sie ihre Schuhe anziehen sollte oder nicht. Sie starrte die vertrauten blauen Turnschuhe an und fand einen Augenblick, dass sie fremd aussahen, wie Gegenstände vom Planeten eines anderen Sonnensystems. Vielleicht hatte er mit Farsaneh Sex gehabt, während sie den Anrufbeantworter abhörten. Sie stellte sich vor, wie er seine Frau bis zum siebenten Himmel brachte, während sie die Mitteilungen abspielen ließen, sah, wie Örjan sein Gesicht in Farsanehs gewaltiges schwarzes Haar bohrte, das nach Nacht und Kräutern roch, während er selbst in sie hineinglitt und wieder heraus, dann erneut hinein und dabei dachte an ... tja, an Frauen, bis mehr und mehr von der Welt ausgelöscht wurde, nur noch Hitze blieb und ihre eigene bittende Stimme auf dem Anrufbeantworter mitten im Satz durch einen Piepton abgeschnitten wurde. Denn dreißig Sekunden waren vorbei, so dass sie gezwungen war, die Maschine noch einmal anzurufen, und Farsanehs Möse zog sich mit furchtbarer Kraft um sein Glied zusammen, und er kam, *Scheißeverdammtnochmal.*

Naja, jedenfalls war er am Leben. Ihm war nichts Schlimmes geschehen. Sie konnte aufatmen.

Als sie endlich die Schuhe anhatte, kämpfte sie eine Zeit lang mit der Frage, ob es die Mühe wert war, sie zuzubinden. Nachdem die Sache erledigt war, zweifelte sie plötzlich, ob es Sinn hatte, gerade heute aus dem Haus zu gehen.

In dieser Hochsommerhitze wimmelte die Stadt von Menschen. Nur Idioten saßen zu Hause. Sie sah es bereits vor sich: Leute hockten redend und lachend in den Gartenlokalen und tranken bereits am hellen Nachmittag ein Glas nach dem anderen. Verliebte Paare knutschten in Cafés und auf den Kais; Papas und Mamas gingen Hand in Hand, sie mit prallen Milchbrüsten, er mit dem neugeborenen Sprössling im Tragegürtel vor dem Bauch.

Dieses letzte Bild entschied die Sache: Sie zog die Schuhe wieder aus. Dann goss sie sich ein Glas Wein ein, kippte es hinunter und ging ins Bett.

Als sie aufwachte, war es dunkel.

Soeben im Traum war sie sieben Jahre alt und zu spät zur Schule unterwegs gewesen. Die Schulklingel schrillte und schrillte, während sie rannte, um vielleicht trotz allem noch pünktlich zu sein. Die immer gellenderen Signale bohrten sich durch sie hindurch, während der Abstand zwischen dem Schulgebäude und ihr mit jedem Schritt größer wurde. Die Erde vor ihren Füßen dehnte sich immer mehr und konnte jeden Augenblick zerreißen, ein kleiner Spalt war schon zu sehen, der immer weiter auseinander klaffte. Wenn der Erdball im nächsten Augenblick zersprang, würde sie in den Weltraum hinausgeschleudert werden und nie wieder ein Zuhause haben. Als einsamer Himmelskörper würde sie dort oben schweben, und es gäbe niemanden mehr auf der Erde, der sie sehen und sagen könnte: »Mama, ein Stern!« Der Planet war dabei, zu explodieren, aber die Schulklingel schrillte und schrillte und schrillte …

»Hmm …?«, murmelte sie in den Hörer.

Halb im Traum hörte sie Örjans Stimme, genauso deutlich, als befände er sich bei ihr im Zimmer, und dennoch war es irgendwie nicht er. Es klang, als würde er, genau wie der Erdball im Traum, buchstäblich bis zum Zerspringen gedehnt. »Mama«, schluchzte er in den Hörer. Sie schluckte die Bemerkung herunter, die ihr auf der Zunge lag: Örjan, mein Lieber, auch wenn ich mich um dich kümmere, als wäre ich deine Mutter, so *bin* ich es jedenfalls nicht … Jetzt war nicht die Zeit für Sarkasmus.

Sie setzte sich im Bett auf. Ihr Herz klopfte, und ihr wurde so übel, dass sich ihr der Magen umzudrehen schien. Sie rief sich streng zur Ruhe. Es reichte, wenn einer von ihnen hysterisch war.

»Du«, sagte sie sanft. »Kannst du mir sagen, was passiert ist?«

Aus dem Hörer kamen keine Worte, nur Weinen. Er heulte wie ein Kind, und mitten aus dem Weinen erhob sich ein Schrei wie ein Ungeheuer aus dem Meer. Sie versuchte es erneut: »Hör mir jetzt zu«, sagte sie. »Ich will, dass du mir sagst, wo du bist. Nenn die Adresse, dann komme ich.«

»Ja, du musst jetzt gleich kommen, aber du darfst nicht reingehen, du kannst hier nicht reingehen, hörst du, was ich sage, Helen, du darfst hier nicht reingehen, das nicht sehen, es nicht sehen, ich will es nicht sehen, will nicht …

»Die Adresse, verdammt!«

Er nannte sie, ohne zu überlegen, betete sie herunter, wie auswendig gelernt. Es war eine Adresse auf Södermalm, eine ganz normale Straße. Sie kannte sie sehr gut, ein Freund von ihr wohnte in der Nähe. Einmal hatte ihr ein Taxifahrer erzählt, es sei die zweitschmalste Straße der Stockholmer Innenstadt, vermutlich war es auch die dunkelste, na egal, Taxi, sie musste ein Taxi bestellen.

»Ich muss jetzt ein Taxi rufen«, sagte sie. »Ich lege also auf.«

Er gab keine Antwort. Sie legte auf. Mit einem leisen alltäglichen Klicken glitt der Hörer auf seinen Platz.

Die Sonne hat die kleine Hauptstadt den ganzen Tag mit ihrem Lärm und Gedröhn überschwemmt. In den Gartenlokalen auf dem Medborgarplats sitzen Männer und Frauen mit bloßen Armen und blinzeln zum Himmel. Sie trinken ihren Kaffee, essen ihre frittierte Mittagsscholle oder ihren griechischen Imbiss und bestätigen einander, dass im Augenblick alles einfach wunderbar ist, es ist warm, und die Traubenkirschen duften.

Bald würde das Hallenbad am Platz für diese Saison schließen. Sonnenbrillen wurden hervorgekramt, Wollsachen und Winterjacken im Schrank verstaut. Im Augenblick mühen sich ein paar Radfahrer die Steigung der Götgata hinauf, überqueren ihren Kamm und halten verschwitzt bei der roten Ampel, in Höhe des neuen U-Bahn-Eingangs vor ›Björns trädgård‹. Ein Fahrradbote, der mit seinem glänzenden käfergrünen Helm und den engen schwarzen Hosen an ein Insekt erinnert, verstößt gegen die Geschwindigkeitsbegrenzung, als er mit zu niedrigem Gang in voller Fahrt zum Södermalmstorg hinabrast. Fast hätte er eine junge Frau überfahren, die in diesem Moment die Straße betreten will. Sie kann sich gerade noch zurückwerfen und schreit ihm ein Schimpfwort hinterher, doch das erreicht ihn nicht mehr.

Er ist schon weit weg. Über den Lenker gebeugt, zischt er

durch den Verkehrskreisel zwischen Slussen und Gamla Stan. Unter den Kleidern ist sein Körper so verletzlich.

Es bedarf nicht viel, um ihn zu zerbrechen. Nur den Moment eines unglücklichen Zufalls, eine Sekunde mangelnder Aufmerksamkeit bei dem Autofahrer, der von Stadsgården nach Skeppsbron unterwegs ist. Er hat an so vieles zu denken, spricht aufgeregt in sein Handy über irgendeinen Termin, den man nicht versäumen dürfe, derweil er darüber nachdenkt, was die Familie zum Abendessen braucht, heute ist er mit dem Einkauf dran. Er hat eine Abmachung mit seiner Frau, okay, er darf das Auto an den Wochentagen nehmen, außer mittwochs, unter der Bedingung, dass er den Großeinkauf bei B&W erledigt. Der Fahrradbote saust am Rand seines Blickfelds vorüber, viel zu dicht am Auto, jenseits seiner Kontrolle, lässt ihn mit wild klopfendem Herzen zurück – das hätte schiefgehen können, verdammt noch mal – und verschwindet für immer aus der Geschichte.

Der Nachmittag streichelt all die verletzlichen Körper der Stadt, er hält die Arme geöffnet, keiner braucht zu frieren. Hier gehen langsam alt werdende Frauen in viel zu engen Schuhen und fluchen bereits über die Hitze, während die jungen Männer der Stadt ihre dicken Sweatshirts ausziehen, sie um die Hüfte knoten und sich mit einem Blick umsehen, den sie gestern noch nicht hatten.

Heute ist der Tag – der erste richtige des Vorsommers –, an dem alles geschehen wird.

Auf dem Platz liegt ein Exemplar der kostenlosen U-Bahn-Zeitung. Auf der ersten Seite ist ein Bericht über all die Kriege, die im Schatten jenes Krieges stattfinden, den die Medien im Augenblick als den einzigen auf der Welt herausstreichen. Das Foto einer Gruppe afrikanischer Soldaten ist von vielen Fußabdrücken gestempelt und vom Schmutz halb ausgelöscht. Das Blatt wirbelt in die Luft und gleitet ein Stück weiter still zu Boden. Die Bewaffneten, deren Gesichter man unter dem Straßendreck noch erkennen kann, sind noch halbe Kinder. Als die Zeitung gedruckt wurde, sind sie vielleicht schon von anderen Kindern in anderen Uniformen erschossen worden, wer weiß, wir jedenfalls nicht. All das geschieht nicht hier, hier ist es völlig ruhig. Hier geschieht nichts Schlimmes. Nicht jetzt. Bald wird ganz in der Nähe etwas Schreckliches passieren, doch wird es hier draußen weder zu sehen noch zu hören sein. Es geschieht im Schutz geschlossener Fenster und Türen.

Jeder Körper, der an diesem Tag in der Stadt in Bewegung ist, beherbergt ein Herz, das ununterbrochen schlägt, ein Geflecht von Blutgefäßen, Nerven und Sehnen, die den Menschen zusammenhalten. Schon das Spiel des Zufalls kann ganz leicht etwas an diesem empfindlichen System irreparabel zerstören, *es bedarf nur den Moment eines unglücklichen Zufalls, eine Sekunde mangelnder Aufmerksamkeit.* Danach heißt es, sich vom scheinbar Selbstverständlichen und Einfachen zu verabschieden. Das Leben verrinnt, die Erde färbt sich rot, und die Träume beginnen zu flackern, gleich werden sie ausgeblasen, als hätte es sie nie gegeben.

Noch effektiver ist das Böse, das absichtlich geschieht.

In Gamla Stan, ein paar Straßenzüge von Skeppsbron entfernt, liegt eine schlafende Frau im Bett. Wir kennen sie, unsere Heldin, ihr langes braunes Haar liegt zerzaust auf dem Kissen, ihre Augen sind verquollen. Sie weint ein wenig, während sie in den Traum gleitet. Im selben Augenblick kommt jemand, der Schlimmes tun wird, aus dem U-Bahn-Aufgang neben dem Hotel Malmen. Er überquert die Folkungagata ganz ohne Eile, geht in Richtung Süden weiter, um dann rasch nach links abzubiegen.

Schlaf ist vielleicht eine Form der Bosheit. Das Volk der Pygmäen im Dschungel Zentralafrikas glaubte – und glaubt es vielleicht noch immer – wenn ihnen Böses geschah, lag es daran, dass der Regenwald schlief. Der Wald war gut und den Menschen wohlgesinnt. Schadete er ihnen, musste er mit Hilfe spezieller Gesänge geweckt werden. Vielleicht existiert ein solcher Gesang hier irgendwo, in einem der Herzen der Stadt, und er könnte den Wald um den Mann, der Schlimmes tun wird, wecken – doch niemand stimmt ihn an.

Der Mann gibt den vertrauten Tür-Code ein und betritt das Gebäude, dessen Wände und Fenster ihn und sein Tun verbergen werden.

Auch nach Anbruch der Dämmerung liegt noch eine ruhige Wärme in der Luft. Und jetzt beginnt es.

Als sie in ihr Portemonnaie sah, fand sie einen Zwanzig-Kronen-Schein und ein bisschen Kleingeld. Das würde bei weitem nicht für das Taxi reichen. Es wartete schon draußen, sie sah es durchs Fenster. *Es reicht, wenn einer von uns hysterisch ist.* Sie wühlte die Taschen aller Jacken und Mäntel durch, aber nur Quittungen, Kaugummipapier, vergessene Lippenstifte und graue Fusseln tauchten auf.

Bei einem Geldautomaten vorbeizufahren, war keine gute Idee, ihr Konto war leer, *ja du musst jetzt gleich kommen, aber du darfst nicht reingehen, du kannst hier nicht reingehen, hörst du, was ich sage, Helen, du darfst hier nicht reingehen, das nicht sehen, es nicht sehen, ich will es nicht sehen, will nicht …*

Sie atmete dreimal tief durch. Man könnte den Nachbarn fragen. Er würde natürlich sauer sein, das war er immer, wenn sie ihn störte. Sie hatte einmal bei ihm geklingelt, um zu fragen, ob er ihr bis zum nächsten Morgen eine Glühbirne leihen könne, da ihr Licht auf der Toilette kaputt war, und er hatte gefaucht: »Nein, ich bin nicht der Hausmeister. Ich habe zu tun, Wiedersehen.«

Der Nachbar war ein Dichter, der den Ruf hatte, einfühlsam über die Leiden der Welt zu schreiben. Auf der Treppe grüßte er nur widerwillig, manchmal sah sie in der Zeitung seinen Namen, wenn irgendein literarischer Preis verliehen wurde. Sie holte noch dreimal tief Luft, dann drückte sie seine Klingel und hörte ihn bald zur Tür schlurfen. Ein wütendes Auge blinzelte durch den Türspalt.

Er war ein Mann, der langsam alt wurde, auf diese testosteronstraffe, sonnengebräunte Weise, die auf Training im Fitness-Center und Winterurlaube am Mittelmeer hinwies. Unter seinem weißen Hemd spannten sich die Muskeln. Er trug es so weit aufgeknöpft, dass niemand das dicke graue Fell auf seiner Brust übersehen konnte. Sein Bauch war flach, und er trug eine Goldkette um den Hals. Den Kopf hatte er rasiert, damit es so aussah, als sei die Glatze erwünscht. Wäre Helen nur zehn Jahre älter, hätte er vielleicht die Frau in ihr angesprochen. So aber fühlte sie sich plötzlich außerordentlich jung.

»Ich weiß, was Sie für ein Muffel sind«, hörte sie sich sagen, »aber ich muss Sie trotzdem fragen, ob Sie mir hundert Kronen für ein Taxi leihen können. Das ist eine Notsituation.«

Ohne ein Wort zu sagen, begann er in seiner Hosentasche zu wühlen, bekam einen zerknautschten Fünfhunderter zu fassen und drückte ihn ihr in die Hand. Einen Augenblick lang sahen sie einander verblüfft an, dann drehte sie sich ohne ein Wort des Dankes um und rannte die Treppe zu dem wartenden Wagen hinunter, der gerade losfahren wollte.

»Kommen Sie auch schon?«, brummte der Fahrer. »Ich habe schon gehofft, dass es eine Fehlbestellung ist, damit ich Sie nicht sehen muss, ich habe Kunden so verdammt satt, die ein Auto bestellen und dann eine halbe Stunde lang im Badezimmer stehen, bevor sie …«

»Jetzt hältst du die Klappe! Hier geht es um Leben und Tod! Fahr los!«

Zweimal fuhr er bei Rot über die Kreuzung, ehe sie schließlich, nach unendlichen sieben Minuten, vor der richtigen Haustür standen. Als sie ihm den Schein gab, öffnete er den Mund, um zu protestieren, machte ihn aber gleich wieder zu. Schweigend wühlte er überall nach Kleingeld und reichte ihr schließlich eine Hand voll Münzen und kleiner Scheine. Während sie zur Tür ging, blieb er wartend stehen.

»Du brauchst nicht zu warten, bis ich drin bin«, rief sie über die Schulter zurück. »Das dauert. Ich habe keinen Tür-Code.«

Er warf ihr einen langen Blick durch das offene Fenster zu und nickte. Ein paar Sekunden später verschwand sein Wagen außer Sichtweite, und sie war allein.

Die Häuser beiderseits der tatsächlich schmalen Straße schienen über ihrem Kopf zusammenzuwachsen, als wollten sie sie einfangen. Das hier war ein Teil der Stadt, der kein Gesicht besaß. Nur einen Straßenzug weiter herrschte jetzt vor Mitternacht reges Treiben, Menschen gingen zu den Restaurants oder kamen von dort, doch hier lagen die Bürgersteige verwaist.

Sie wartete eine knappe Minute, ob einer von den Hausbewohnern durch die Tür käme und sie einließe, doch niemand erschien und bald begriff sie, dass ihr Warten Zeitverschwendung war. *Ich muss mich beruhigen, mich beruhigen, sofort beruhigen. Es reicht, wenn einer von uns …*

Sie sah auf die Uhr. Seit seinem Anruf waren zwanzig Minuten vergangen. Ihr Blick wanderte die Straße entlang, dann über die verschlossenen Hausfassaden, bevor er sich auf die quadratische, silberweiße Platte des Code-Schlosses richtete. Aufs Geratewohl gab sie eine Serie Zahlen ein und dann noch eine. Sie probierte es mit allen bekannten Jahreszahlen der Geschichte, die ihr nur einfielen, testete 4711, 1234 und 1632, doch nicht einmal war ein Klicken im Türschloss zu vernehmen.

Der Wald schlief, und keine Gesänge konnten ihn wecken. Das Dasein war aus dem Lot. Die normalen Regeln ließen sich nicht mehr anwenden.

Sie zog ihr T-Shirt aus und wickelte es um die Hand, bevor sie eine Glasscheibe der Eingangstür einschlug, jene gleich neben dem Drücker, der die Tür von innen öffnete. Erst als das Glas im Vestibül klirrend zu Boden fiel und zerbrach, und die Dame, die im selben Augenblick aus der gegenüberliegenden Haustür trat, bei ihrem Anblick aufschrie – eine unbekannte junge Frau, oben ohne, die im Begriff stand, auf der anderen Straßenseite einzubrechen –, erst da erlebte sie die Situation in all ihrer Absurdität als Wirklichkeit.

Ich fühle, dass etwas Schreckliches geschehen wird …

Örjan, du verdammter geliebter, idiotischer Teufel, dachte sie, was hast du angestellt?

Wenn man sich doch nicht zu fragen bräuchte, wenn man die Zeit doch zu einem Punkt zurückdrehen könnte, an dem die Bäume ihre Blätter noch nicht so weit entfaltet hatten, zu einem Park, in dem sie, umgeben von Narzissen, unter Kastanien gesessen und auf ihn gewartet hatte, ohne es zu wissen. Er war gekommen, und die Welt war noch unschuldig gewesen, ohne aufgeschlitztes, blutendes Fleisch …

Im Treppenhaus war es völlig still. Sie horchte, doch weder von einem der Stockwerke noch von der Kellertreppe war das leiseste Geräusch zu vernehmen.

Sie schüttelte ihr T-Shirt aus, zog es wieder über und begann die steinerne Treppe hinaufzusteigen, die durch das dunkle Treppenhaus in weichen Bögen nach oben führte. Irritiert unterdrückte sie den Impuls, nach irgendeiner Person Ausschau zu halten, die vielleicht abwartend im ersten Obergeschoss stand, verborgen von der steinernen Säule, um die sich die Treppe in einer gewaltigen, schweren Spirale wand. Sie durfte jetzt keine Angst haben.

Auf dem ersten Treppenabsatz konnte sie niemanden sehen. Beide Wohnungstüren waren geschlossen. Sie zögerte eine Sekunde und unterließ es dann, dort zu klingeln.

Irgendetwas – der zusammengeklappte Buggy vor der einen Tür oder das mit Blumen verzierte Keramikschild an der anderen, das mitteilte: »Kjell, Marie und Sanna wohnen hier« – sagte ihr, dass hier nichts passiert sein konnte. Hier war alles wie immer; in der völlig normalen, von Perversionen weit entfernten Wirklichkeit, wo bisher niemand in seinem Leben etwas richtig Widerwärtiges gehört oder gesehen hatte.

Sie brachten wohl gerade ihre Kinder ins Bett, lasen Märchen vor und dachten leicht bekümmert, doch nur kurz, an einen lästigen Anruf, den sie morgen erledigen mussten, an einen Arztbesuch, der vielleicht nicht ganz angenehm werden würde, oder an jenen Verwandten im Pflegeheim, der vermutlich bald starb, schlimmstenfalls läge die Beerdigung dann mitten in der Urlaubszeit, *all die verletzlichen Körper der Stadt …*

Was auch immer in diesem Haus geschehen war, es war leise geschehen. Kein Nachbar konnte etwas gehört haben. Vielleicht hatte Örjan ihr in seiner Verwirrung die falsche Hausnummer gegeben, in diesem Fall könnte sie nichts tun. Sie wäre gezwungen, unverrichteter Dinge zurückzufahren und ihn mit der Sache allein zu lassen.

Gerade als sie anfing, auf einen solchen Ausweg zu hoffen, hörte sie es. Das Geräusch. Einen leise heulenden Laut, der vom Stockwerk über ihr kam. Sie konnte ihn nicht genau definieren, doch glich er dem Klagen eines Tieres. Wenn er von einem Menschen kam, war alles um so viel schlimmer, als sie hatte glauben wollen, ein Mensch sollte nicht so klingen, *etwas Schreckliches …*

Etwas unfassbar Widerwärtiges …

Sie nahm die Treppe mit wenigen Sätzen und stand gleich darauf atemlos vor einer angelehnten Tür. Auf dem Messingschild über dem Briefschlitz las sie einen einsamen Namen, den Vor- und Zunamen einer Frau, *Madeleine …*

Das winselnde Heulen hatte kurz aufgehört, doch nun erklang es wieder. Sie begriff, dass sie es auch am Telefon gehört hatte, doch ohne zu reagieren. Es war zu schwach gewesen, es hätte ja ein merkwürdiges Nebengeräusch in der Leitung sein können. Die Welt war voll mit unschuldigem Knirschen und Kreischen, *Geißel und Schwert …*

Ich brauche nicht hineinzugehen, dachte sie. Ich kann kehrtmachen und verschwinden und später sagen, ich hätte nicht hingefunden, das hier hat nichts mit mir zu tun.

»Helen!«

Er stand in der Tür, an den Armen Blut. Auch im Gesicht. Er war es, und dennoch war es ein anderer.

Der Mann vor ihr, den sie nur zu gut wieder erkannte, der Mann, in dessen Blick sie sich festgeklammert hatte, als er sie biss und ihre Arme mit gewaltiger Kraft gepackt hielt, während sie kam und wieder kam, diesen Mann gab es nicht mehr. Jemand anderer hatte seinen Körper eingenommen und starrte nun aus seinen Augen wie ein Tier in Gefangenschaft, ein vor Schreck gelähmtes Tier, nur ein Tier.

»Du darfst nicht reingehen«, flüsterte er.

»Willst du erzählen, was hier los ist, bitte erkläre es, bitte, bitte …«

Panik packte sie, und mit dieser stieg ein wimmerndes Weinen aus ihrem Inneren, doch sie drängte es mit aller Kraft zurück. Nicht hysterisch werden. Bloß nicht. *Nicht hysterisch werden …*

»Sie ist noch nicht tot«, sagte er, ganz nahe an ihrem Gesicht.

Er roch nach Erbrochenem. Er musste sich soeben übergeben haben. Bevor ihre Beine einknicken konnten, bekam sie den Türpfosten neben ihm zu fassen. Ein paar Minuten lang schwankte sie … Dann war sie bereit.

»Geh zur Seite«, sagte sie. »Tu, was ich sage.«

Aufgeschlitztes blutendes Fleisch …

Der linke Arm der Frau war noch immer am Bettpfosten festgebunden. Im Verhältnis zum Körper war er unnatürlich gebogen, so als sei er an der Schulter ausgerenkt, *sie hat so sehr gekämpft, um sich zu befreien, dass der Arm aus dem Gelenk gesprungen ist.* Das ganze Körpergewicht hing an dem gefesselten Arm, wie ein Sack an einem Seil. Der Rest des sterbenden Körpers hatte sich mit aller Kraft in Richtung Tür gebogen, und der rechte Arm lag jetzt ausgestreckt und still. Der Seidenschal, mit dem man ihn festgebunden hatte, ringelte sich noch immer um das Handgelenk, wie eine gesprenkelte Schlange. *Seide ist stark, so grün und stark, und Rot ist eine kräftige Farbe, grüne Seide auf roter Haut.* Die Hand ruhte auf der weißen Bettdecke, die einer Landschaft mit roten Seen in den Tälern glich, es zuckte in den Fingern der Frau.

Vor Helens Füßen lag das Erbrochene. Es roch scharf, und der Gestank mischte sich mit den anderen Gerüchen im Zimmer, Gerüche aus dem Inneren des Körpers, alle Arten von Gerüchen, es roch nach Schlachtung, Übelkeit packte sie, und dieses Geräusch …

Es drang aus dem klaffenden schwarzen Loch mitten im Gesicht der Frau, *ein Gesicht, das überraschend weit offen ist,* und in ihrer Schulter ein weiteres Loch, im Bauch noch eines und noch eines.

Ansonsten herrschte im Zimmer perfekte Ordnung.

Auf dem Schminktisch am Fenster lagen Kajalstifte und Lippenstifte pedantisch aufgereiht. In einem Glas standen Puderquasten, und die Parfümflaschen trugen suggestive Namen: Obsession, Poison, Eternity.

Die Frau hatte sich an diesem Tag die Lippen geschminkt, und vermutlich war sie in Eile gewesen, als sie es tat; ein Reinigungstuch mit einem rotbraunen Lippenabdruck lag noch immer auf der Tischplatte, *hätte sie es nicht erst heute getan und wäre sie nicht in Eile gewesen, hätte sie das Tuch nach dem Benutzen weggeworfen ...*

Der Ton steigerte sich, *man kann nichts tun, sie ist im Begriff zu erlöschen,* wurde zu einem dumpfen Brüllen, das abrupt in den sterbenden Körper zurückgesogen wurde, in den leblosen Körper. Geräuschvoll und grausam gab die Tote im letzten Augenblick ihren Kot von sich. Es gab keine Würde, nichts, hinter dem man sich verstecken konnte. Tot, auf den Knien, die Beine gespreizt, dazwischen Blut und Kot. Auch etwas anderes hing dort, was ins Innere des Körpers gehörte und dort hätte bleiben sollen.

Aus dem Flur war Örjans Weinen zu hören, methodisch wie das Weinen eines Kindes, das begriff, dass es sich verirrt hatte, dass Mama nicht kommen würde, und der Wald schlief.

Das Zimmer um sie herum sah und verstand nicht. Es war tot wie die Tote selbst und konnte ihr nicht helfen. Die grünen Seidengardinen hingen schwer in ihren Halterungen, *es wird schwierig werden, in Zukunft Seide zu sehen, Grün zu sehen und Rot, Dinge hängen zu sehen.* Das Telefon brütete schweigend auf dem Schminktisch, den blutig braunen Abdruck einer Hand auf dem Hörer, *Örjans Hand.* Im Bücherregal ein halber Meter CDs zusammen mit einem Karton, gefüllt mit Kassetten, und einem einzigen Buch, dem Bestseller »Deine grenzenlose innere Stärke«.

Ansonsten gab es hier nur wenig. Keine Schmuckgegenstände, keine Bilder. Die Schranktür stand offen, *sie musste in Eile gewesen sein, als sie sich anzog, sonst hätte sie die Tür geschlossen,* man sah die Sachen einer sportlichen Frau mit Stil und genügend Geld, *sie wählte die Kunden sorgfältig aus und garantierte Diskretion.* Ein Kassettenrecorder lag auf dem Nachttisch neben dem Wasserglas, den Schlaftabletten und dem Päckchen Kondome. Es war ein kleiner Recorder, wie ihn Journalisten bei Verhören, nein, bei Interviews benutzten, *es wird ein Verhör geben …*

Als die Sirenen des Streifenwagens ertönten, begann Örjan zu wimmern. Manchmal muss man schnell sein, man ist gezwungen, seinen Impulsen zu folgen, ohne sich Fragen zu stellen. Der Recorder vom Nachttisch und der Karton mit den Kassetten verschwanden in Helens Fahrradrucksack. Es waren keine normalen Bänder, sondern Mikrokassetten, Unmengen davon. Örjan schrie jetzt, dass sie kommen müsse, einfach müsse, sie müsse kommen. Sie ging auf den Flur und sank neben ihm auf die Knie, hielt seinen Kopf mit beiden Händen.

»Hast du die Polizei gerufen?«, fragte sie.

Er bebte am ganzen Körper, Tränen rannen über seine Wangen. Dieses Blut, das er im Gesicht hatte, Blut im Gesicht war nicht gut …

»Örjan, liebster Freund, antworte, hast du die Polizei gerufen?«

»Sie hätte mich fast erwürgt, ich wollte ihr nichts tun, ich hatte nicht vor …«

Er hatte blaue Flecken am Hals von ihrer Hand, der rechten Hand, die sie losgerissen hatte. *Sie wollte nicht, dass jemand sie berührte, wenn sie jemand anfasste, dann doch nur, um ihr wieder wehzutun, niemand durfte sie anfassen …*

»Ich verstehe, was du sagst«, zischte Helen. »Hast du die Bullen gerufen, antworte, bevor ich dir eine knalle!«

»Ich habe niemanden angerufen, und ich will nicht hier sein, wenn sie kommen. Sie hatte einen Knebel im Mund, aber den habe ich losmachen können, ich will nicht hier sein!«

Der Knebel war in seiner Hosentasche. Er war blutig gebissen. *So viele Seidenschals, weiße, grüne und rote, eine Frau mit Stil und Geld, Seide ist stark …*

Das immer lautere Geräusch der Sirenen verstummte abrupt. Einen Moment später standen sie in der Tür, zwei sonnengebräunte Polizisten in tadellos gebügelten Hemden, ein Mann und eine Frau, beide blond, sie sahen aus wie Fremdenführer.

»Wir haben eine Anzeige wegen Einbruchs in diesem Haus erhalten …«

»Leider«, sagte Helen, »ist es schlimmer als das.«

Sehr viel später, nach drei Tagen, blickte sie mit Entsetzen auf ihre eigene Seelenruhe zurück. *Eine Frau hat Messerstich um Messerstich erhalten, sie stirbt vor deinen Augen, und was tust du? Du stehst einfach nur da. Stehst da und starrst.* Die Gedanken hörten nicht auf, in ihrem Kopf zu dröhnen, sie zermarterten ihr das Gehirn. *Du hast nicht geweint, hast nicht geschrien. Standst einfach nur kalt und ruhig da. Was bist du für ein Mensch?*

Sie betrachtete sich im Badezimmerspiegel. Die Haare waren ungewaschen und hingen ihr schlaff und strähnig ums Gesicht. Sie befühlte ihre Wangenknochen unter der Haut, ließ die Finger am oberen Rand entlangwandern und den Jochbögen folgen. Sie war eine ganz normale Frau mit einem Gesicht wie jede andere. *Das Schlimmste war, dass er ihr Gesicht geschändet, es zerschnitten hatte. Du hast dagestanden, hast all das gesehen, und jetzt musst du bezahlen. Du wirst es immer vor dir sehen. Wirst es sehen, wenn du einschläfst, wenn du aufwachst und mitten in deinen Träumen. Es hört nie auf.*

Als Örjan die Polizisten erblickt hatte, war er reflexartig, wie ein Tier, hochgeschreckt und hatte versucht, die Flucht zu ergreifen. Er konnte nur einige wenige Schritte machen, bevor die Polizistin ihn zu Fall brachte und ihn mit ihrem eigenen Körper am Boden festnagelte. Sie hatte sich auf ihn gesetzt und zog die Dienstwaffe. Er hörte das Klicken, als sie die Waffe entsicherte, dann gelang es ihr, ihm die Handschellen anzulegen. Als er zu schreien versuchte, fauchte sie: »Du Scheißkerl hältst jetzt die Klappe.« Und er verstummte, blieb liegen, den Pistolenlauf im Blickfeld, während ihr Kollege das Zimmer der Toten betrat, und eine Sekunde später ein kurzes, sachliches »Oh, pfui Teufel« hören ließ. Und dann? Nur weiterer Nebel und daraus aufsteigende Erinnerungen, die keinen Zusammenhang ergaben.

Das Knistern der Funkgeräte, als Verstärkung angefordert wurde. Die Fingernägel der Polizistin, von denen Helen den Blick nicht lösen konnte – er verschmolz mit ihnen, als hätte es einen Kurzschluss gegeben – sorgfältig gepflegte perlmuttfarbene Nägel und lange schöne Finger, die Hand einer Frau. All die Fragen, die sie mit der kranken Gelassenheit beantwortete, die sie seit Örjans Anruf überkommen hatte. Diesem Anruf, der vielleicht vor einer halben Stunde erfolgt war, vor einer ganzen Ewigkeit in einer anderen Welt, die ihre Unschuld noch nicht verloren hatte. Dorthin würde sie nie mehr zurückkehren.

Sie und Örjan sollten mit auf die Polizeiwache, man wollte sie weiter befragen. Das hier war kein Film, alles geschah in ihrer ganz normalen Wirklichkeit, in der sie Tag für Tag aß und schlief, sich an- und auszog, zur Toilette ging, Freunde traf, weinte, liebte und träumte, ihre Gedichte schrieb, die niemanden interessierten. In der sie sich davor drückte, über ihrer verdammten wissenschaftlichen Arbeit zu sitzen, die natürlich nie fertig werden würde, sie hatte sich lange genug selbst belogen. Sie war sechsunddreißig und wusste nicht, wohin ihr Leben sie führte, ihm fehlten Inhalt und Richtung.

Der Marmor des Fußbodens, als sie den Mordplatz verließ, die Fossilien im Stein, Konturen von Tintenfischschalen, Überreste von Wesen, die gelebt hatten und gestorben waren; der Fernseher, der durch eine offene Tür im ersten

Stock ohrenbetäubende Schreie und Schüsse aussandte; die Menschen, die aus ihren Wohnungen getreten waren und Helen mit genauso viel Entsetzen wie Sensationslust anstarrten. Etwas Schreckliches war in ihrem Haus geschehen, die Polizei war da, trotz allem aber war es nicht ihnen selbst passiert. Es hatte ihr Leben zwar gestreift, doch ohne ihnen körperlichen Schaden zuzufügen. Es war furchtbar, dass solche schrecklichen Dinge im eigenen Haus geschahen, und von jetzt an würden sie nicht mehr gut schlafen. Sie würden den Schritten auf der Treppe lauschen und bis in die Morgenstunden wach liegen, ohne zu wissen, ob die Gefahr vorüber war oder ob sie nun selbst etwas zu befürchten hatten. Trotz allem aber hatten sie etwas zu erzählen, oh, sie würden es ihren Arbeitskollegen, den Verwandten und Freunden berichten, doch die Kinder im Haus würden natürlich keine Details erfahren.

Dennoch würden sich Gerüchte über die Details mit rasender Geschwindigkeit auch unter den Kleinsten ausbreiten. Genau wie die Erwachsenen würden sie hier ein bisschen weglassen, dort ein wenig dazugeben, bis das Geschehene in ein blutiges Märchen verwandelt war, in eine Geschichte.

Sie wünschte, dass all dies tatsächlich eine Geschichte wäre, die Schilderung eines Verrückten, voll von Lärm und Geschrei, etwas, das sich allein im kranken Kopf irgendeiner Person zugetragen hätte. Nie zuvor hatte sie die Welt aus einem Polizeiauto betrachtet. Sie starrte die Menschen auf der Straße an, all diese Unschuldigen dort draußen, die nichts wussten von dem Widerwärtigen und die niemals verstehen würden. Sie sehnte sich nach Örjan, wollte auch weiter seinen Kopf halten. Er brauchte das so sehr, sie sehnte sich nach seinem Haar und den harten Schädelknochen, nach seiner Haut und dem bebenden Körper, der sie brauchte, aber man hatte ihn in ein anderes Auto gedrängt, das außer Sichtweite war.

Sie wusste nicht, wie lange es dauern würde, bis sie wieder mit ihm reden konnte. Sie ahnte nicht, dass so viel Zeit verstreichen würde, dass so viele Sommertage kommen und gehen würden.

Nie zuvor hatte sie eine Polizeidienststelle aus einem anderen Grund betreten, als um sich einen Pass ausstellen zu lassen, den Verlust der Geldbörse zu melden, oder weil die Versicherung eine Bescheinigung brauchte.

Wenn sie mich nach den Kassetten fragen, dann sind das meine. Es ist mein Arbeitsmaterial, ich schreibe eine wissenschaftliche Arbeit, für die ich die Leute eingehend interviewe. Die Kassetten und der Recorder gehören mir, natürlich, ich lüge nicht, wenn ich das sage, es stimmt schließlich, sie gehören mir, ganz einfach mir. Bloß nicht hysterisch werden, es genügt, dass einer von uns beiden Handschellen trägt, aber er ist nicht hier, sie haben ihn einfach mitgenommen, er ist weg …

Ruhig und sachlich beantwortete sie die Fragen, die ihr von einem Mann gestellt wurden, der nur wenig älter war als sie. Er hatte sich den Kopf rasiert, um die Aufmerksamkeit von seinem langsam schütter werdenden Haar abzulenken und trug einen sorgfältig gepflegten Bart, ganz der Mode entsprechend. Er hätte ein Studienkamerad, ein Liebhaber sein können, jemand, der auf ihrer Seite stand, ein Mensch ohne jede Macht über sie.

Wann war sie am Tatort erschienen? Ein, zwei Minuten vor den beiden Polizisten. Konnte sie das beweisen? Ja, sie war mit einem Taxi gekommen. Welche Firma? Taxi Stockholm, mit der fuhr sie immer, weil … Ja, ja, erinnerte sie sich an die Nummer des Taxis? Nein, aber … Von wo aus war sie zum Tatort gekommen? Direkt von zu Hause, sie hatte sich vom Nachbarn Geld für das Auto geliehen; falls nötig, würde er das bezeugen können. Warum war sie zum Tatort gekommen? Weil Örjan angerufen und sie darum gebeten hatte. Konnte sie das Gespräch wiedergeben? Und so weiter, und so fort, bis die Müdigkeit sie übermannte, nachdem sie in allen Einzelheiten hatte rekapitulieren müssen, was sie in dem Zimmer mit der Toten gesehen hatte. Sie murmelte, dem Weinen nahe, dass sie nicht mehr könne.

»Ich verstehe, dass diese Sache anstrengend für Sie ist«, sagte der Mann, der sie verhörte, und seine Augen schimmerten einfühlsam. »Ich muss noch ein paar Fragen stellen, aber wir können eine kurze Pause einlegen. Wollen Sie zur Toilette? Oder ein Glas Wasser haben? Nicht? Sollen wir dann weitermachen? Gut, dann tun wir das.«

Als sie wieder ins Freie kam, begann es im Osten zu dämmern. Die Straßen lagen verlassen da, nur ein paar einzelne junge Männer waren noch immer auf der Jagd nach der großen Party. Irgendwo musste sie doch stattfinden. Irgendwo in der Stadt wartete SIE noch immer auf IHN. Sie, die unglaubliche Frau, und dann diese wahnsinnige Euphorie, die er eines Tages zusammen mit IHR erleben würde, wenn er nur nicht nach Hause ging, die Nacht nicht zu Ende gehen ließ.

Lallend zogen sie durch die Straßen, Helen ertrug es nicht, sie zu sehen. Der Duft der Traubenkirsche übermannte sie. Eine kleine Zungenspitze Meer suchte sich den Weg in die Stadt und ließ sie im Morgenlicht erzittern. Die Beine trugen sie kaum. Ob sie jemanden habe, der sie vom Revier abholen oder sich um sie kümmern könne, wenn sie nach Hause komme? Nein, sie habe niemanden, aber sie käme klar, das ginge schon in Ordnung. Gut.

»Und Örjan?«, hatte sie gefragt, bevor man sie gehen ließ. »Mein Kumpel …?«

»Er bleibt hier. Fahren Sie jetzt nach Hause, und versuchen Sie zu schlafen.«

Selbst wenn sie imstande gewesen wäre, auf ihrer Frage zu bestehen, hätte sie nicht mehr erfahren. Das konnte sie in deren Augen lesen. *Er bleibt hier*. Sie war jetzt nicht in der Lage, noch länger darüber nachzudenken, ihr Gehirn hatte sich verausgabt, es war dabei abzuschalten. Alles um sie herum begann zu flimmern. Mittendrin bemerkte sie ein Taxi mit leuchtendem Schild. Sie hatte noch das meiste des geliehenen Geldes übrig, jetzt musste sie nach Hause.

Sie starrte ihre geschwollenen Augen im Spiegel an. *Ich muss mich waschen, muss Zähne putzen, muss essen. Ich habe drei Tage lang nichts gegessen.* Drei Tage voller Nebel und Schlaf. Mitten in diesem grauen Flaum, der sie umhüllte, damit sie nicht auseinanderbrach, war sie gestern von ihrem eigenen Schrei erwacht, der nie wieder aufzuhören drohte.

Sie schrie und schrie, *das Geräusch drang aus dem klaffenden schwarzen Loch mitten im Gesicht der Frau, dem blutigen Gesicht. Blut im Gesicht ist nicht gut, und in ihrer Schulter ein weiteres Loch und im Bauch noch eines.* Sie kannte die Nummer des Krisentelefons auswendig seit damals, als sie kollabiert war, und schleppte sich zitternd zum Apparat. Jetzt kam es, das Stammeln und Schluchzen, jetzt weinte sie in den Hörer, wie Örjan bei seinem Anruf geweint hatte, bevor es all diesen Nebel, den Schlaf und das Flimmern gegeben hatte.

Sie kamen zu ihr nach Hause, redeten ihr sanft zu und gaben ihr Beruhigungsmittel und einen Gesprächstermin beim Krisentherapeuten. Als ob sie jemals wieder imstande sein würde, darüber zu reden. Sie wollte nie wieder über die Sache sprechen, ihr Mund weigerte sich. Er wollte keine Laute bilden. *Der Ton steigerte sich und wurde zu einem dumpfen Brüllen, das abrupt in den sterbenden Körper zurückgesogen wurde, in den leblosen Körper. Geräuschvoll und grausam gab die Tote ihren Kot von sich ...*

Sich übergeben, die Erinnerungen ausspucken können – nicht ein für allemal, aber für den Augenblick – und sich hinterher auf zitternden Beinen vom Kachelboden des Badezimmers erheben, an den Knien die Abdrücke der Fugen und das Herz in Gang, lebendig. Es war so wunderbar und höchst seltsam, im physischen Sinne zu leben. Sie stützte sich mit den Händen auf den Rand des Waschbeckens, bis sie von selbst stehen konnte.

Ja, sie sollte sich waschen und etwas essen. Sie hatte dunkle Ringe unter den Augen. Der Hunger wühlte in ihren Eingeweiden, während ihre Finger die Reise über das Gesicht fortsetzten.

Sie tasteten die Weichheit der Schläfen ab und die harte Schale der Stirn. Dort drinnen befand sich alles: Gedanken und Gefühle, jenes Regelsystem, das Sprache, Bewegungen und alle unbewussten Prozesse ihres Körpers lenkte. Sie atmete. Ihr Herz schlug. Als sie Luft durch die Stimmbänder strömen ließ, drangen Laute aus ihr, die von den Lippen zu Mitteilungen geformt werden konnten, *das geschändete Gesicht, die zerschnittenen Lippen, der Wind aus der Kehle, der heulte und pfiff ...*

Nicht noch mehr.

Nicht in diesem Augenblick.

Jetzt musste sie duschen und sich saubere Kleidung anziehen. Sie hatte drei Tage in denselben Sachen dagelegen, in Jeans und Shirt, *Nebel und Schlaf ...*

Der Wäschekorb quoll fast über. Alles war benutzt und schmutzig, sie musste sich sofort um einen Termin im Waschsalon kümmern. Und es gab noch so viel anderes zu tun: einkaufen, der Kasse mitteilen, dass sie bis auf weiteres krankgeschrieben war, und eine Menge Anrufe erledigen. Im Flur hatte sich Post angesammelt, und der Anrufbeantworter blinkte fordernd, vor Nachrichten strotzend.

Es gab sie.

Ihre Existenz bedeutete etwas.

Sie konnte nicht einfach weiterschlafen.

Ganz hinten im Schrank hing ein Kleid, das sie nicht mochte. Es musste genügen, bis die anderen Sachen gewaschen waren. Sie dachte nicht daran, etwas Schmutziges anzuziehen.

Papier und Kuli zur Hand, begann sie den Anrufbeantworter abzuhören. Mutter ... Der Vater ihres Sohnes ... Ein Vertreter des Musikvereins FRIM, der ein Konzert mit irgendeinem Improvisationstrio für den Freitagabend anpries ... Noch einmal Mutter ...

Kein Örjan.

Örjan hatte sich nicht gemeldet.

Sie war so sicher gewesen, seine Stimme auf dem Band zu hören, er würde alles erklären und sie wissen lassen, wo er sich jetzt aufhielt. Aber nein.

Er sitzt hinter Schloss und Riegel«, sagte Farsaneh zu ihr am Telefon. »Wusstest du das nicht?«

»Was?!«

Ungefähr zur gleichen Zeit, als die Polizei sie nach dem Verhör laufen ließ, hatten sie Örjan in Gewahrsam genommen. Am nächsten Tag wurde Haftbefehl gegen ihn erlassen. Farsanehs Stimme klang nasal und heiser, Helen hätte sie am liebsten gebeten, sich zum Teufel zu scheren. »Du kannst mich mal mit deiner Hochnäsigkeit, du verdammte orientalische Fotze.«

Sie besann sich: »Örjan hat nichts getan«, sagte sie. »Sie werden ihn bald freilassen, selbst die müssen doch begreifen, dass er so was nicht tun kann.«

»Was weißt du denn? Weißt du wirklich, was er tun kann und was nicht?«

Ruhig legte Helen mitten im Gespräch den Hörer auf.

Die Polizei gab ihr keine genauere Auskunft: »Es läuft ein Ermittlungsverfahren, und bis auf weiteres bleibt Ihr Freund in Gewahrsam. Haben Sie noch Fragen?«

Sie fing an zu lachen: »Ob ich noch Fragen habe?! Was glauben Sie wohl?«

Im Traum richtet sich das Verbotene auf.

Hart und heiß an ihrem Schenkel. Sie dreht sich ihm entgegen, öffnet die Beine, ihre Möse pocht, ist weit offen, feucht wie eine Wunde, schmerzt und schreit.

Wenn sie wach ist, zwingt sie sich, keine Sehnsucht zu haben.

Man hat ihn eingesperrt und behauptet, er könne ein Mörder sein, und deshalb darf sie sich nicht zu diesem Sog in ihrem Körper bekennen. Man darf sich nicht nach jemandem verzehren, der vielleicht getötet hat, das geht nicht. Also sperrt sie ihre Lust ein, verbietet ihr, zu winseln. Schlägt ihr auf die Schnauze, sobald die rosafarbene Zunge sich zeigt.

»Er ist nicht da«, sagt sie zu der Lust. »Vergiss ihn.«

Wenn man sie dazu zwingt, kann sich die Brunst wie ein folgsamer Hund benehmen, sie begreift, wann sie brav im Körbchen liegen und sich tot stellen muss. Ist Helen wach, gibt es seinen Körper nicht. Auch seine Augen und seine Zähne nicht, nicht seine Zunge tief in ihrem Mund, nicht die Finger, die locken und reizen, nicht diese raue Haut mit Tiergeruch an ihrer Brust und ihrem Bauch. Seinen Penis, aufragend aus dem Gestrüpp schwarzen Haares, gibt es nicht. Nichts gibt es, aber im Traum schnappt der Mann nach ihren Brustwarzen und leckt sie blank. Sie werden hart unter seiner Zunge, und sie drängt einen der roten Steine in seinen Mund. Vorsichtig beißt er zu. Als sie dann versucht, ihr Geschlecht über das seine zu stülpen, zieht er sich zurück und lacht: »Noch nicht.« In seinen Augen ein Strahlen. Wie schön er ist.

Im Traum steht sie breitbeinig über ihm wie ein Himmel. Der Himmel geht für ihn in die Knie, und er streift mit seinem Penis den Himmelsmund, doch mehr nicht, noch nicht. Er lässt nicht zu, dass sie sich selbst streichelt, hält ihre Hände fest. Sie rotiert, weit offen und hungrig, er tippt nur an, tippt und tippt, ohne einzudringen. Immer wieder zieht er sich zurück, es ist unerträglich.

Ihr Körper singt. Ein tiefer Ton aus dem Innersten des Fleisches. Es dauert so unendlich lange. Jetzt gleitet sein Glied so weit hinein wie nie zuvor, dann aber ist er wieder fort. Jetzt schließen sich seine Augen zu einem Spalt, und er beißt sich die Lippen weiß. Bald wird er es nicht mehr aushalten, dann muss er ihre Handgelenke freigeben. Auch sie ist gezwungen, zu widerstehen, presst die Lider zusammen.

Noch nicht noch nicht noch nicht noch nicht …

Die Lider zusammengepresst …

Prallheit …

Lava …

Im Traum windet sie sich wimmernd. Sie wacht auf, weil sich die Bettdecke um ihre Schenkel gewickelt hat. Sie umklammert sie mit den Beinen, will damit den Traum festhalten. Noch will sie nicht wahrhaben, dass sie nicht mehr träumt, erst muss sie kommen, danach bleibt ein duftender, feuchter Fleck auf dem Stoff zurück.

Sie ist wieder wach.

Erinnert sich, wo er sich gerade befindet.

Sie ist wach, und sein Körper ist nicht da.

Sie saß im Kronobergspark und weinte. Ahorn und Ulme streuten Blüten in ihr Haar. Die Luft roch nach Honig. Ein junges Paar ließ seinen Rottweiler hinter dem Zaun des Hundeplatzes Amok laufen. Er hetzte herum und erschreckte kleinere Hunde, bis seine Besitzer von einer erbosten Seniorin zurechtgewiesen wurden, die ihren Terrier gegen alle Dressurregeln schützend hochgenommen hatte. Der Terrier kläffte, der Rottweiler wurde an die Leine genommen und setzte geknickt einen Haufen.

Ihre Tränen tropften auf den Laptop, den sie mitgenommen hatte, um vielleicht irgendetwas zu schreiben oder eine Mail zu schicken. Sie schaltete ihn ab, und klappte den Deckel zu, um die Festplatte nicht kaputtzuheulen. Hinein mit ihm in den Fahrradrucksack, wo noch immer die Kassetten aus Madeleines Wohnung klapperten. Sie hatte vergessen, sie herauszunehmen, oder vielleicht schleppte sie die Bänder überallhin mit, um jederzeit der Eingebung folgen zu können – falls sie jemals kommen sollte –, sich die Kassetten anzuhören. Sie wusste selbst nicht, wie es damit stand. Man konnte auch einen Spaziergang zum Norrmälarstrand machen und einfach alles im Riddarfjärd versenken. Sie musste nicht hier sitzen. Es stand ihr frei zu gehen, wohin sie wollte und zu tun, was ihr in den Sinn kam.

Die Traubenkirsche blühte aggressiv. Der Wind zupfte

ganze Wolken von Blütenblättern los, die in der Sonne glitzerten und auf den Parkwegen landeten. Auf einigen Balkons der Parkgata sonnten sich Leute. Sie saßen ungeniert halbnackt da, lasen die Zeitung oder teilten sich eine Flasche Wein.

Sie saß mit dem Rücken zum Polizeipräsidium neben einer merkwürdigen Konstruktion, die Luft aus der Unterwelt nach oben steigen ließ. Hier existierten jede Menge Dinge unter der Erde. Die Vibrationen von dort unten und von gegenüber waren wie Störungen im Sonnenlicht. Der Himmel war blau und irgendwie verzerrt. Es war schrecklich.

Sie hatte sich eingebildet, in der Untersuchungshaft gäbe es Besuchszeiten, ungefähr wie im Krankenhaus. Heute Morgen hatte sie versucht, bei der Polizei anzurufen, um zu erfahren, wann sie Örjan sehen konnte. Nachdem man sie hin und her verbunden hatte, landete sie bei einer Dame, die freundlich sagte: »Meine Liebe, man lässt Sie dort nicht einfach rein. Ich kann nicht viel für Sie tun, hier sind Sie ein bisschen falsch, könnte man sagen, aber weshalb ist Ihr Freund denn in Haft?«

»Wegen Mordes.«

Die Frau am anderen Ende der Leitung schnappte kaum hörbar nach Luft.

»Oje, das kann schwierig werden. Wie lange ist er ...?

»Seit vier Tagen.«

Es wurde ein Weilchen still.

»Ich werde Sie weiterverbinden«, sagte die unbekannte Dame im Polizeigebäude, die nicht die richtige war, doch Helen erwiderte höflich, es sei nicht nötig, und legte auf.

Das Schweigen der Frau nach dem Wort ›Mord‹ hatte deutlich gezeigt, dass es keine Besuchszeit geben würde.

Also weshalb musste sie trotzdem den Bus nach Kungsholmen nehmen und dort weinend im Park sitzen? Warum irrte sie vor den Häuserklötzen der Ordnungsmacht umher, auf der vergeblichen Suche nach einem Eingang oder zumindest einer Art Hinweis darauf, an welcher Stelle sie in das Gebäude gelangt wäre, wenn …?

Irgendwo dort drinnen, hinter den braunen Stahlplatten, befand sich Örjan. Sie blickte zu den Fenstern hoch und konnte die Häftlingszellen nicht von den Büros unterscheiden. Vielleicht gehörten all die Fenster, die sie sah, zu Dienstzimmern, und was machte das eigentlich für einen Unterschied? Auch Gefangenschaft war eine Anstellung – wenigstens in Örjans Augen.

Er hatte in seinem ganzen Leben noch keine einzige feste Arbeitsstelle gehabt. Er ertrug es nicht, zu einem bestimmten Zeitpunkt an einem bestimmten Ort sein zu müssen, nur weil es ein anderer so bestimmt hatte.

Immer weiter um den Häuserkoloss, dem der Eingang fehlte und der kein Ende zu nehmen schien. Vorbei an einem Bauplatz mit knatternden Planen, dort lag dann das nächste Haus. Es war mit dem ersten verbunden, eins schien aus dem anderen gewachsen, wie Geschwüre. Dieses Gebäude war älter, grau, mit grauen Mosaiken, der Eingang verziert mit spitzem Schmiedeeisen: KRIMINALPOLIZEI. STAATSANWALTSCHAFT.

Rechts vom Tor stand die Skulptur einer ausladenden Riesenfrau. Ihre eine Hand ruhte auf dem Leib, doch mit der anderen bot sie den Besuchern ihre Brust dar. Wer war sie? Das Opfer? Eine gesetzestreue Staatsbürgerin? Eine glückliche Hure?

Sie würde sich wahrscheinlich lächerlich machen, wenn sie bei der Staatsanwaltschaft anriefe und erklärte, dass Örjan unschuldig sei, weil er es nicht fertig bringe, so etwas zu tun. Zwar sei er in vieler Hinsicht ausgeflippt, aber ein Mörder …? Ja, sie könnte solche Anrufe tätigen, aber sie begriff, dass es keinen Sinn hatte.

Das eingeleitete Verfahren musste zu Ende gebracht werden. Niemand konnte daran etwas ändern, nicht einmal die Repräsentanten des Rechtswesens, die so mächtig zu sein schienen. Jeder in diesem Häuserkomplex hatte eine festgelegte Rolle zu spielen und kein Staatsanwalt würde dieser gerecht, wenn er sich von irgendeiner verzweifelten Freundin überreden und erweichen ließe. So viel begriff sie.

Nur Fakten spielten jetzt eine Rolle. *Es ist nicht gut, Blut im Gesicht und Würgemale von den Händen des Opfers am Hals zu haben. Es ist nicht gut, die Polizei nicht gerufen und versucht zu haben, die Flucht zu ergreifen …*

Das graue Haus hatte vergitterte Fenster, damit keiner dort drinnen auf den Gedanken käme, sich hinauszustürzen. Die Menschen waren bereit, alles für ihre Freiheit zu tun, auch wenn diese nur einen Augenblick währte. Ein Tropfen Freiheit ist wie Wasser im Mund eines Dürstenden, ein Mensch in der Wüste ist bereit, für Wasser zu sterben. Wenn man ohnehin sterben muss, dann wenigstens mit einem Tropfen Nass auf der Zunge …

Von allen Leuten, die ihr je begegnet waren, passten zu Örjan Handschellen am schlechtesten. Vermutlich hatte er sich im Streifenwagen dementsprechend aufgeführt. War aus der Rolle gefallen. Hatte seine Lage noch verschlimmert. Sie war gezwungen, mit seinem Anwalt zu reden. Wenigstens ein Lebenszeichen musste zu ihm durchdringen.

Nur banale Songzeilen kamen ihr in den Sinn. *Why worry, there will be sunshine after tears. It's gonna be a cold lonely summer, but I'll fill the emptiness.*

Polizisten waren keine Idioten. Sie erledigten ihre Arbeit sorgfältig. Sie hatten den Tatort sofort mit Plastikbändern und Schildern abgesperrt, nichts durfte berührt werden, alles von Bedeutung wurde in Verwahrung genommen und in kleine Tüten gepackt. Später würden Analysen natürlich beweisen, dass ein anderer unbekannter Täter, der verschwinden konnte, solange das Opfer noch lebte, das Verbrechen begangen hatte. Vielleicht hatte er Örjans Schritte auf der Treppe gehört und war verjagt worden, oder Örjan hatte ihn sogar getroffen, als er im Treppenhaus auf dem Weg nach oben war. Auf jeden Fall würde man in der Wohnung Spuren des wirklichen Mörders finden, Dinge, die Örjan entlasteten. So musste es einfach sein.

Everything's going to be alright.

Nein. Nichts konnte gut werden. Ein Mensch war von einem anderen getötet worden.

Das Problem ist, soweit ich weiß, dass nichts auf einen anderen Täter hinweist. Allerdings lässt sich die Staatsanwaltschaft nicht in die Karten blicken, so dass ich über die Ermittlungen gewissermaßen auch nichts aus erster Hand weiß. Aber sollte Ihr Freund die Tat nicht begangen haben, dann ist es dem Täter gelungen, sämtliche Spuren hinter sich gründlich zu verwischen. Dadurch wird die Lage meines Klienten, also Örjans, natürlich weit kritischer, als es sonst der Fall wäre.«

Örjans juristische Vertreterin war eine junge, zarte, hübsche Blondine, die ihre Wörter und Sätze so atemlos hervorstieß, als befürchte sie, jeden Augenblick unterbrochen zu werden. Ihr Leinenkleid unter dem Jackett war so gut wie faltenlos. Sie hielt die Mappe mit Örjans Papieren an die Brust gepresst. Draußen war der Sommer in vollem Gange.

Das Problem ist, dass ich nicht schlafen und kaum etwas essen kann, dass ich immer wieder mit dieser Zimtzicke Farsaneh telefonieren muss, dass die Zeit verrinnt, ohne dass etwas geschieht. Ich verstehe nicht, wie man einen Menschen einfach einsperren kann, wie man ihn packen, wegschließen und dann die Wochen ins Land gehen lassen kann …

»Das Problem ist, dass Örjan kein sachliches Verhältnis zu seiner eigenen Lage hat. Natürlich ist das auch nicht leicht für ihn, er steckt in einer Sackgasse, ob er nun schuldig ist oder nicht, aber es würde die Sache vereinfachen, wenn er nicht so ...«

»... gefühlsbetont wäre?«

»In einer solchen Situation wird natürlich jeder gefühlsbetont reagieren, aber ich würde sagen, er reagiert unverhältnismäßig stark, ja.«

Das Problem ist, dass Örjan sich aus dieser Lage nicht herausreden, sich nicht mit Charisma oder Suggestion aus der Sache winden kann. Er sitzt einfach fest, und das Einzige, was ihn retten kann, sind Fakten, die sich seiner Kontrolle entziehen. Er ist dem ausgeliefert, was er selbst eine begrenzte Betrachtungsweise des Daseins genannt hat; eine Perspektive, die keinerlei Rücksicht auf die Intelligenz des Herzens oder die Intuition nimmt; eine Methode, die nur wiegt, misst und analysiert, ohne dass die Bewertungen durch die emotionale Seite der wiegenden, messenden und analysierenden Menschen beeinflusst werden dürfen. Er ist jetzt auf mehr als eine Weise gefangen, und ich kann ihm nicht helfen.

»Das Problem zwischen mir und Örjan auf der persönlichen Ebene ist – wenn ich es so klar sagen darf –, dass er eher versucht, seinen Charme spielen zu lassen, als dass er unsere Kontakte auf einem sachlichen Niveau belässt. Ich hoffe natürlich, dass ich dieses Kommunikationsproblem lösen kann.«

»Sprechen Sie es ruhig aus, er versucht vermutlich, auch mit der Staatsanwältin zu flirten. Um daraus Vorteile zu ziehen?«

»Ha ha, nein, um Himmels willen. Ich meine, als er mit ihr zusammengetroffen ist, war er nicht ganz in der Verfassung für einen Flirt. Wer weiß, ob er es nicht versucht, wenn er sich beruhigt hat, falls er das jemals tut, aber er würde natürlich nicht viel davon haben. Haftprüfungen sind übrigens nicht besonders sexy. Das Problem mit Örjan ist nur ...«

Das Problem mit Ihnen, wertes Fräulein Anwalt, ist erstens, dass Sie entschieden zu viel von Problemen reden. Zweitens glauben Sie nicht richtig an seine Unschuld. Sie müssen doch wohl begreifen, dass er es nicht gewesen sein kann?

»Das Problem mit Männern, die einen Sexualmord begehen, ist nämlich, dass sie nicht immer wie Monster aussehen. Es ist mein Job zu verstehen, was wirklich geschehen ist. Davon ausgehend, habe ich für meinen Klienten eine optimale Situation zu schaffen. Ich kann mich nicht einfach dafür entscheiden, dass er die Tat nicht begangen hat. Das Problem ist ...«

Drei Wochen waren seit jenem Tag vergangen, an dem die Wirklichkeit krank und irrsinnig geworden war, an dem sie aufgehört hatte, normal zu funktionieren. Es gab keine Hoffnung auf eine baldige Freilassung Örjans mehr. Die Gerechtigkeit hatte ihre Klauen in ihn geschlagen, hackte auf ihn ein, und sie würde ihren Griff nicht lockern. Das konnte Monate dauern.

Das Laub der Bäume hatte sich von zarten Schleiern in eine fleischige grüne Masse verwandelt. Helen spürte, wie sie schwitzte, wie sich ihre Haare stur falsch legten, und wie schlecht die Jeans saßen. Sie war nur gut einen Meter sechzig groß und schleppte nicht allzu viele überflüssige Kilos mit sich herum, doch Rehgestalten wie diese Anwältin hier gaben ihr das Gefühl, wie King Kong auszusehen.

Wie kam es außerdem, dass eine Strafverteidigerin jünger wirken konnte als sie selbst? Anwälte waren erwachsene Menschen, und sie persönlich fühlte sich nicht besonders erwachsen. Es konnte doch nicht sein, dass Frauen, die noch in den Kindergarten gingen, als sie schon ihre erste Menstruation hatte, jetzt eine Position innehatten, die eine hohe Ausbildung erforderte und in der sie über Gedeih und Verderb von Menschen befanden. Dass sie Mappen mit wichtigen

Dokumenten mit sich herumschleppen durften. Dasselbe Gefühl stellte sich stets bei Helen ein, wenn sie auf einen praktizierenden Arzt stieß, der kaum die Dreißig erreicht zu haben schien – ihr war, als hätte das Leben sie überholt.

»Ich möchte ihn so schrecklich gern treffen. Gibt es wirklich keinerlei Möglichkeit?«

»Auch wenn die Staatsanwältin Ihren Besuch schon einmal abgelehnt hat, heißt das nicht unbedingt, dass sie es wieder tun wird. Die heißeste Phase der Ermittlung ist ja nun trotz allem vorüber. Wenn wir jetzt einen neuen Versuch machen, stehen die Chancen sicher besser. Wenn Örjan Sie ebenfalls noch treffen will, kann er einen kurzen Antrag stellen, und dann wollen wir das Beste hoffen. In welchem Verhältnis stehen Sie zueinander?«

»Ehrlich gesagt, ich weiß es nicht. Spielt das eine Rolle?«

»Tja, es ist leichter, eine Besuchserlaubnis zu erhalten, wenn Sie seine feste Freundin sind und nicht nur zum Freundeskreis gehören. In welchem Verhältnis stehen Sie zueinander?«

Das Problem ist, dass ich keine Lust habe, auf diese Frage zu antworten. Ich finde, das geht das Gericht oder die Polizei oder auch Sie nichts an, aber wenn es den Papierkrieg erleichtert, kann ich mir, bitte sehr, vorstellen, seine feste Freundin zu sein.

»Wir stehen einander nahe, das kann man ruhig so sagen. Ganz ehrlich, glauben Sie, es besteht auch nur die kleinste Möglichkeit, dass er schuldig ist? Sie sehen da vielleicht klarer als ich, Sie haben mehr Distanz. Was denken Sie?!«

»Ich versuche, überhaupt nicht allzu viel zu glauben. Vor Gericht werden wir natürlich erklären, dass er unschuldig ist, er beteuert es schließlich immer wieder. Wenn ich mich für eine der beiden Alternativen entscheiden müsste, dann hätte ich schon Schwierigkeiten, ihn mir als Mörder vorzustellen, aber das Problem ist ...«

»Pfeifen Sie doch mal auf alle Probleme! Gibt es überhaupt irgendetwas, was ich tun kann?«

»Wir sollten Kontakt halten, um ein paar Dinge zu klären. Ansonsten ist es vielleicht das Beste, wenn Sie versuchen, an etwas anderes zu denken und den Sommer zu genießen, so gut es eben geht. Sie haben etwas ganz Fürchterliches erlebt, und ich glaube nicht, dass es Ihnen gut tut, weiter zu viel darüber nachzugrübeln. Es wird zum Prozess kommen, und dann werden die Wunden wieder aufgerissen, denn dann müssen Sie als Zeugin auftreten, aber bis dahin wäre es fast das Beste für Sie, die Sache völlig wegzuschieben.«

»Ich möchte wenigstens mit der Staatsanwältin reden!«

»Das verstehe ich, aber sie kann so lange nicht mit Ihnen reden, wie das Ermittlungsverfahren läuft, außer vielleicht um neue Tatsachen auszugraben. Und in der Hinsicht, glaube ich, haben Sie bereits gesagt, was Sie zu sagen haben. Sorry.«

Wenn die Gesellschaft plötzlich Anspruch auf einen Menschen erhebt, wenn der Lauf der Gerechtigkeit wichtiger wird als die Freiheit des Individuums, dann geht dort, wo es zuvor offene Wege gab, ein eiserner Vorhang herunter, und es wird dunkel im Herzen, weil man nicht wusste, dass es so kommen konnte. Ich verstehe nicht …

»Wie geht es ihm? Psychisch, meine ich?«

»Ehrlich gesagt, nicht besonders gut. Helen, es tut mir unglaublich Leid, aber in ein paar Minuten habe ich eine Verhandlung, ich muss jetzt wirklich los. Wir können ein andermal weiterreden. Sie wissen, dass Sie mich jederzeit anrufen können, wenn etwas ist. Wir hören voneinander! Passen Sie auf sich auf!«

Die elfenhafte kleine Juristin strich Helen über die Wange, stopfte Örjans Mappe in ihre Aktentasche und ging. Auch als sie schon außer Sichtweite war, hörte man noch ein paar Augenblicke lang das Klappern ihrer Absätze.

Helen hatte die Absicht gehabt, die Kassetten der Anwältin zu überlassen, doch daraus war nichts geworden. Sie wollte jemandem, der an Örjan zweifelte, kein Beweismaterial in die Hand geben. Jetzt wünschte sie nur, mutig genug gewesen zu sein, die Bänder selbst anzuhören.

Sie fürchtete sich nicht vor dem, was Madeleine zu sagen hatte – wenn es überhaupt Madeleine war, die sprach –, doch war es ein schreckliches Gefühl, die Stimme einer Toten hören zu müssen. Hier saß sie jetzt also mit zwölf sorgfältig datierten Mikrokassetten, gestohlen vom Schauplatz eines Verbrechens, und traute sich nicht einmal, sie in den Recorder zu stecken.

Bei jedem Versuch begannen ihre Hände zu zittern.

Sie weinte jetzt jeden Tag und konnte keine Geräusche mehr ertragen. Sie wollte irgendwohin aufs Land, wünschte sich Ruhe und Frieden, statt in der Stadt im eigenen Saft zu braten. Nach Mittsommer würde es besser werden, dann verließen die Leute Stockholm, doch im Augenblick war das Treiben noch fürchterlich intensiv. Sie ertrug es nicht. Das hier war wirklich genau *die* Stadt, die irgendjemand vergessen hatte, zu bombardieren.

Wenn eine Missile das Untersuchungsgefängnis treffen würde, könnte Örjan von dort verschwinden. Dürfte sich hinsetzen, wo er hingehörte, in irgendein Straßencafé. Säße mit Sonnenbrille vor einer Flasche Wein, die er mit seinem Charme von einer wie ihr erbeutet hätte. Stattdessen hatten sie ihn – und damit auch sie – in einen Albtraum gesperrt.

Morgens, wenn der Wecker klingelte, wachte sie fröhlich auf. Dann erinnerte sie sich an das Geschehene und alles wurde grau. Der Sonnenschein fiel wie Asche durchs Fenster, und sie erhob sich mit Mühe. Zweimal pro Woche ging sie zum Therapeuten, und vielleicht würde das auf die Dauer helfen, doch im Augenblick hatte sie nicht das Gefühl.

Mit Farsaneh zu reden, war indessen nicht mehr schwierig. Im Gegenteil, es war zu einer Art Sicherheit geworden. Helen kannte kaum jemanden aus Örjans Umfeld, sie hatte niemanden sonst, mit dem sie über ihn sprechen konnte. Sie wünschte, sie wäre wie Farsaneh, die anscheinend alles abzuschütteln vermochte, wie ein Hund nach dem Bad. Nächste Woche wollten sie zusammen Kaffee trinken, und sie freute sich schon darauf.

»Wie gut kenne ich Örjan eigentlich«, dachte sie.

»Was weiß ich über ihn?«

Es war eng in dem Keller des kleinen Plattenladens in der Tulegata. Leute saßen auf Bierkästen und Stühlen, wühlten in Ständern mit alten Schallplatten oder redeten. Am hinteren Ende des Raums packten ein paar junge Männer gerade ihre Instrumente aus. Es war Viertel nach acht, das Konzert würde jeden Augenblick beginnen.

Sie bezahlte ihre vierzig Kronen an den Burschen an der Eingangskasse, bekam ein Leichtbier und setzte sich auf die Treppe. Von dort aus konnte man schnell in den Laden hoch verschwinden, falls die Musik unerträglich wurde. Heute Abend traten ein E-Gitarrist und ein Saxofonist zusammen mit einem Kopenhagener Gast auf, der Musik auf Spielzeug machte. Barbie-Puppen und My Little Pony teilten sich den Bühnenraum mit Effektpedalen, einem kleinen Verstärker und einer Unmenge Saxophone. Das sah nach gewaltigem Radau aus. Gut so.

Die Musik, die in diesem Keller gespielt wurde, glich keiner anderen Musik. Sie glich dem Leben. Nach einer gelungenen Darbietung hatte man das Gefühl, in dem improvisierten Konzert alle Geräusche der Welt vernommen zu haben. Es gab keine Grenze zwischen Leben und Werk; Musik hatte es immer gegeben und würde es immer geben.

Die Klänge strömten und wallten, verdichteten sich und wurden wieder luftiger, alles nach Gesetzen, die im selben

Augenblick entstanden und wieder verschwanden. Zuzuhören war, als würde man kochen oder backen – Gedanken an anderes als die momentane Tätigkeit wurden ausgelöscht. Sie wurde ganz ruhig und fühlte sich gereinigt.

Die Menschen hier drinnen kannten Örjan nicht. Sie wussten nicht, was Helen vor kurzem erlebt hatte. Sie brauchte mit ihnen nicht über den Mord zu reden. Die Leute hätten kaum etwas darüber in der Zeitung gelesen, um die ganze Geschichte war es recht still geblieben. Die Presse schrieb, aber in Maßen.

Warum? Wie kam es, dass der »Madeleine-Mord« nicht zur landesweiten Klatschgeschichte avancierte? Es konnte an vielem liegen: Am Krieg in Europa und anderen bedeutungsschweren Ereignissen, die den Platz auf den ersten Seiten erforderten. Vielleicht auch an einem Deal zwischen Polizei und Medien hinter den Kulissen, auf dass die Presse sich dieses Mal zurückhielte – gegen einen fetten Bissen bei späterer Gelegenheit.

Solche Abmachungen gab es zuweilen, damit die Medien die Fahndungsarbeit nicht erschwerten, wenn der Täter irgendwo draußen war und nicht alles über die Jagd nach ihm in den Zeitungen lesen sollte. Aber falsche Fährten und Diskretion der Presse waren in den Augen der Ordnungsmacht doch eigentlich in diesem Fall nicht vonnöten. Sie hatten ja sofort einen Verdächtigen festgenommen.

»Es hätte mehr Wirbel in der Zeitung gegeben, wenn eine ganz normale Frau auf diese Weise ermordet worden wäre«, hatte Örjans Anwältin gesagt. »Dann hätte man ihre Familie und ihre Bekannten nach Details ausfragen können und hätte die Geschichte ihres Lebens und das ihrer Freunde gedruckt: ›Warum wurde meine beste Freundin ermordet?‹ Das Übliche, Sie wissen schon. Aber Madeleine war keine normale Frau, und sie als Hure herauszustellen, tja, da kommt die Presse-Ethik zum Tragen. Man hat ja schon ihren Namen und ihr Bild veröffentlicht, trotzdem, und ihre Freunde reden anscheinend nicht. Wenn sie überhaupt welche hatte.«

Madeleine. Sie hatte einen Namen gehabt. Sie hatte sich bewegt, ein Gesicht besessen und eine Stimme.

Vielleicht war ihre Stimme noch vorhanden, und nur Helen wusste davon. Sie zog immer engere Kreise um die Kassetten, näherte sich ihnen langsam und voller Angst.

Wer in ihr die Bänder gestohlen hatte, begriff sie nicht. Es war jemand, der mit ihrem normalen Ich nichts zu tun hatte. Eine Fremde in ihr beobachtete alles ruhig und kalt, um zu sehen, wohin es führen würde. Diese Fremde hatte Dinge an sich genommen, die vielleicht Beweismaterial waren und den Verdacht von Örjan nehmen oder ihn belasten konnten.

Indem sie die Kassetten an sich brachte, bekam sie Macht über das Geschehen – und über ihn.

Wie diese Macht genau aussah, und wie stark sie war, wusste sie noch nicht. Deshalb wartete sie ab. Ihr Zögern beruhte nicht nur auf Angst.

»Hätte man die Tote als Hure herausgestellt, wenn es nicht Madeleine aus dem feinen Östermalm, sondern Jessica aus dem Vorort Alby gewesen wäre?«

»Gut möglich. Wie man mit jemanden in den Medien umgeht, hängt davon ab, wen der Vater desjenigen kennt. Entschuldigen Sie, wenn ich es etwas krass ausdrücke, aber so ist es nun mal.«

Die zarte kleine Juristin hatte Augen wie Glasknöpfe. Sie schaute Helen an, ohne zu blinzeln. *Sie ist überhaupt nicht jünger als ich, sie ist in meinem Alter. Wir sprechen dieselbe Sprache, als kämen wir vom selben Schulhof. Wir sind es, die jetzt erwachsen sind. Wir.*

Die Musik wusch sie von innen her rein. Sie füllte ihren Kopf mit atonalen Tönen, die alle Gedanken und Erinnerungen von der Hirnrinde kratzten. Ruhe. Sie brauchte wirklich Ruhe.

II

Im Bus schwitzten Leute aus Roslagen, die nach dem Einkauf in der Großstadt unterwegs nach Hause waren, Touristen, die in die Schären wollten, und ganze Trauben von Ferienlagerkindern. Helen hatte den Fehler begangen, ihren Rucksack nicht auf die Gepäckablage zu hieven, und jetzt war es zu spät, in diesem Gedränge konnte man sich kaum vom Fleck rühren.

Sie saß, die Knie ans Kinn gezogen, den Rucksack unter den Füßen. Eine Stunde verging rasch, wenn man überhaupt nicht nachdachte, sondern nur aus dem Fenster starrte und sah, wie die Landschaft vorüberhuschte. Entlang der Straße nach Norrtälje hinein verkündeten Schilder, dass es Cocoskugeln zu kaufen gebe, Cocoskugeln schienen hier im Umkreis der große Schrei zu sein. Auf dem Dach eines Warenlagers war das Wort »Cocoskugeln« mit roten Dachziegeln gestaltet worden, die sich auffallend von dem ansonsten schwarzen Untergrund abhoben.

Mit einer Stockholm-Karte kam man weit hinaus. Helen liebte sie. Örjan pflegte schwarz zu fahren, aus Protest gegen den Verkehrsbetrieb SL. Sie hatte nie verstanden, weshalb. Vielleicht fand er, SL stehe für die Gesellschaft an sich und dass alles, was »Gesellschaft« hieß, von Übel sei. Sie persönlich betrachtete es als selbstverständlich, ihr Scherflein zur Aufrechterhaltung des öffentlichen Verkehrs beizutragen.

Örjan war ein Snob – soweit sie das überhaupt noch beurteilen konnte. Die Wochen ohne jeden Kontakt mit ihm hatten seine Konturen immer mehr verblassen lassen. Es gelang ihr nicht mehr, sich in ihm oder in den Ereignissen um ihn herum zurechtzufinden.

Der Bus 631 schlängelte sich aus Norrtälje heraus, vorbei an kleinen Ortschaften und Landebrücken. Er nahm sie mit zur einsamen Fähranlegestelle in Kapellskär und wieder zurück, bevor sie endlich am Kiosk in Räfsnäs aussteigen konnte. Es blieb ihr noch eine gute halbe Stunde, bevor das Zubringerboot ablegte.

Obwohl der Sommer seit mehreren Wochen in vollem Gange war, hatte sie noch immer keine Farbe. Sie hielt die Waden in die Sonne und trank in großen Zügen von ihrer Limonade, während sie die Militärschiffe an der Anlegestelle und die unangenehm jungen Burschen betrachtete, die an Deck umherliefen oder mit echten Handfeuerwaffen vor den Schiffen Wache hielten. Wenn sie allen Ernstes in einen Krieg verwickelt würden, ob sie dann schießen würden, um zu töten?

Vielleicht würden sie auch foltern und vergewaltigen, nicht unbedingt aus freien Stücken, sondern weil die Alternative der eigene Untergang wäre.

Ihre Mütter konnten nichts tun. Mütter waren machtlose Wesen, wenn die Märchenbücher ausgelesen und die Jungen in einer hart gewordenen Welt zu Männern herangewachsen waren. Sie selbst war keine gute Mutter. Sie war eine auf neue Weise schlechte und einsame Mutter: Ihr Kind war seiner Wege gegangen.

Sie lebte in einer Zeit, wo Kinder sich entscheiden konnten zu gehen.

Nein, sie besaß keine vollständige Familie, in der Kontinuität herrschte, *und eine solche vollständige Familie musste ja für ein Kind bessere Entwicklungsmöglichkeiten bieten, als ihre eigene Art zu leben. Also ging ihr Kind seiner Wege, und ihr brach das Herz, und diese Nervenschwäche, diese Depressionen …*

Alles konnte gegen sie verwendet werden. Vertrauliche Mitteilungen und alte Erinnerungen konnte man gegen sie verwenden, und ihr Junge mochte seinen Vater lieber, und das Herz eines Kindes zerreißt man nicht …

Aber das Herz einer Mutter darf zerrissen werden …

»Mama! Wach auf …«

Aber die Mutter in ihr schlief und ließ sich nicht wecken. Täglich übte sie sich darin, die schlafende Mutter zu vergessen, die schlechte Mutter, die zerrissene Mutter, die einsame, sterbende …

Die Mutter in ihrem Herzen musste sterben. Das war die einzige Möglichkeit, damit fertig zu werden. Sie musste die Mama töten, die im Herzen saß und weinte. Die Mama starb, wenn sie ihr Kind vergaß, also vergaß sie es …

Jeder Beliebige konnte zum Mörder werden.

Männer, die einen Sexualmord begehen, sehen nicht immer wie Monster aus.

Dort kam das Zubringerboot. Der Innenraum war mit brauner Holzimitation ausgekleidet. Auf den Tischen standen Plastikblumensträuße. Die Dünung spritzte zu den Fenstern hoch. Sie lehnte die Stirn gegen die Scheibe, das war angenehm kühl. Ruhe. Ein paar Tage an andere Dinge denken. In die Sauna gehen, durch den Wald und am Strand spazieren, auf einer Klippe sitzen und die Sonne untergehen sehen. Sich entspannen. Die Kassetten und den Recorder vergessen, die sie dennoch nicht hatte zu Hause lassen können, sie lagen tief unten im Rucksack verstaut. Natürlich.

In der Jugendherberge bekam sie ein kleines Zimmer mit Blick aufs Meer. Ende des 19. Jahrhunderts war das Gebäude ein Cholera-Spital gewesen. Passagiere und Besatzungen ankommender Schiffe sollten daran gehindert werden,

Stockholm und das übrige Festland mit der Krankheit anzustecken. Also zwang man sie, hier zu bleiben, bis sie für gesund erklärt wurden. Das Gebäude an der Anlegestelle, das jetzt als Sommerrestaurant diente, war früher der Obduktionssaal gewesen.

Der Wald, der sich ins Innere der Insel erstreckte, war geheimnisvoll und verwildert. Bäume, die der Sturm umgebrochen hatte, versperrten ihr modernd den Weg, nur kriechend konnte sie unter ihnen hindurchkommen. Haselnussgestrüpp war in die Höhe geschossen, drumherum lagen Berge von Schalen, Eichhörnchen hatten die Nüsse geknackt. Sie mied den Schotterweg, der der künstlich angelegten Landschaft aufgezwungen worden war und die Jugendherberge mit der Fischräucherei verband, folgte stattdessen schmaleren Pfaden und machte Halt, als der letzte sich zum Meer hin öffnete.

Um ihre Füße lag ein Gewirr aus Federn. Sie nahm eine von ihnen auf, eine Schwungfeder, so groß, dass sie einem Schwan gehört haben musste. An ihren Schuhen waren Daunen haften geblieben. Als sie die abzupfte, spürte sie, wie weich sie waren. Im Gebüsch lagen noch mehr Federn und Daunen, so als sei der Schwan viele Meter im Kampf mitgeschleift worden. Aber sie sah kein Blut, keine Knochen, die Spuren berichteten eigentlich nichts von dem, was hier geschehen war. Mauserten sich Schwäne? Das Vogelbuch hatte sie zu Hause vergessen.

Die Daunenmenge auf dem Pfad und im Gebüsch würde für eine Kissenfüllung reichen. *Kein Vogel lässt sich widerstandslos einfangen, und der Kampf, den er um sein Leben führt, hinterlässt Spuren in der Landschaft.* Am Meeressaum vor ihr, direkt unterhalb der Klippen, schaukelte ein Schwarm Küken, bewacht von drei Eiderenten. Als sie näher kam, begannen die Vögel unruhige Laute auszustoßen, und die Kleinen sammelten sich blitzschnell in einem Knäuel, bewacht von den Alten. Es ließ sich nicht im Voraus sagen, wer gefährlich und wer einem wohlgesinnt war. Wenn man klein und verletzlich war, musste man auf Nummer sicher gehen und immer das Schlechteste vermuten.

Sich von jemandem fesseln zu lassen, erforderte Vertrauen. Madeleine hätte es kaum jedem Beliebigen erlaubt. *Es musste irgendwo einen Mann geben, dem sie vertraute und den sie falsch eingeschätzt hatte.*

Helen zog sich aus. Nahe am Wasser entdeckte sie eine Felsspalte, wo sie sich ausstrecken und es sich wohl sein lassen konnte. Der Stein wärmte ihren Rücken, die Sonne schien direkt in sie hinein. Als sie eine halbe Stunde dort gelegen hatte, nahmen die Vögel keine Notiz mehr von ihr. Sie hatte sich in die Landschaft eingegliedert und konnte tun und lassen, was sie wollte, solange sie heftige Bewegungen und laute Geräusche vermied. Die Eiderenten schwammen in ihrer Reichweite.

Sie könnte sich aufsetzen, die Hand ausstrecken und eines der Küken ergreifen. Aber natürlich würde sie so etwas nie tun. Vielleicht spürten die Vögel an ihrer Ruhe, dass es da keinerlei Böswilligkeit gab. *Irgendwo existiert ein Mann, der nicht viel Aufhebens von sich macht – keine heftigen Bewegungen, keine lauten Geräusche. Madeleine erschien er harmlos, das war umso überzeugender, als er sich selbst nicht zutraute, jemandem etwas Böses anzutun oder es auch nur zu wollen. Warum hat er den Vogel getötet?*

In der Fahrrinne sausten kleine, dunkle Militärboote hin und her. Der Eiderentenschwarm schaukelte sicher in ihren Bugwellen. Sie hatten sich an die Anwesenheit der Boote gewöhnt, als ob keines von ihnen je in eine Seevogelkolonie gerast wäre und die Tiere erschreckt und massakriert hätte. Oder brütenden Enten und frisch geschlüpften Jungen mit ihrem Tempo und Gedröhn einen tödlichen Schock versetzt hätte. *Nichts ist gefährlich, solange es nicht allzu nah kommt, nicht einmal das Dunkel in uns, bevor nicht irgendetwas plötzlich die Schale zerbricht, so dass es nach außen dringen kann. Das Dunkel in uns liegt eingekapselt in einem glatten Ei, das weder befruchtet noch ausgebrütet werden soll; das sich – wenn wir es überhaupt sehen – so sehr von unserer Person unterscheidet, dass wir uns nicht dazu bekennen, höchstens als etwas äußerst fern Liegendes und daher Ungefährliches.*

Das Meer war jetzt nur ein Geräusch in ihrem Kopf. Das Motorengedröhn aus der Fahrrinne verband sich mit dem Wellenschlag zu einem Gesang, der sie fast einschläferte. Zum ersten Mal seit beinahe einem Monat entspannte sich ihr Körper. Es geschah so plötzlich und vollständig, dass es fast wehtat.

»Ich habe Kopfschmerzen vor lauter Entspannung«, erklärte sie am selben Abend am Telefon. »Vorn hat mich die Sonne total verbrannt. Ansonsten ist alles bestens.«

»Bist du sicher?«

Ihre Busenfreundin ließ sich eine Krise nicht so schnell aus der Hand nehmen. Seit dem Mord an Madeleine war sie ein Wunder an Einfühlungsvermögen gewesen. Sie hatte für Helen eingekauft, für sie Essen gekocht, hatte ihre Wäsche gewaschen und stundenlang am Telefon gesessen, um das Geschehene mit Helen wieder und wieder durchzukauen. Nun wirkte sie fast unzufrieden.

»Ich kann doch wohl einschätzen, wie es mir selbst geht! Es ist in Ordnung, sage ich dir! Also im Augenblick. Vielleicht geht es mir morgen wieder schlecht, wer weiß, aber hier draußen fällt es einem schwer, eine Krise zu haben. Es ist zu schön. Du weißt, die Natur ... Das Meer ...«

Anhaltende Signale im Hörer warnten sie, dass die Telefonkarte gleich alle wäre. Sie stand in der Zelle neben dem ehemaligen Obduktionssaal, auf dessen Veranda eine Schar beschwipster Gäste unter dem hellen Himmel der Sommernacht johlten. Eine Mücke saß auf ihrem Handrücken und tat sich gütlich. Helen hinderte sie nicht daran. Es kostete sie so wenig, nur ein paar Tropfen Blut und ein vorübergehendes Jucken. Sie entschloss sich, ein Bier auf der Veranda zu trinken, bevor sie ins Bett ging. Vielleicht gab es in dem lärmenden Haufen irgendeinen Mann, der die Mühe wert war.

»Du, ich muss aufhören, ich habe nur noch eine Einheit. Wir sehen uns, wenn ich wieder in der Stadt bin, okay? Wie steht's überhaupt mit dir? Ich habe in letzter Zeit ununterbrochen von mir geredet, es wäre schön zu hören, wie es dir geht. Was ist mit diesem Typen von TV3? Findest du ihn immer noch so toll?«

Das Gespräch wurde mitten in der Antwort der Freundin abgebrochen. Helen legte den Hörer auf. Im selben Augenblick überkam sie die Müdigkeit und zog sie in die Tiefe. Nein, kein Bier heute Abend, kein Mann, der die Mühe wert war, nur schlafen.

Zufällig beherbergte die Jugendherberge gerade eine Konferenzgruppe von Citymail. Als das Restaurant zumachte, knallten Türen, und auf der Treppe war Gerenne und Geschrei nach weiterem Alkohol zu vernehmen. Das Haus war hellhörig. Zur Zeit der Cholera musste jedes Stöhnen eines Patienten zu den Kranken in den anderen Sälen gedrungen sein und die Qual noch erhöht haben. Eine Stunde Schlaf hatte Helen über Erwarten erfrischt, und so stand sie auf, an Schlaf war jetzt ohnehin nicht mehr zu denken.

Die Anlegestelle vor der Sauna war menschenleer. Die Postillions aus der Stadt hatten offenbar keine Ahnung, wie man Holz hackte und Feuer im Ofen machte. Statt der Sauna wählten sie also lieber die Jugendherberge zum Weiterfeiern. Helen ließ sich auf dem Badesteg nieder, tauchte die Füße ins Wasser und sah, wie das Licht des Sonnenaufgangs den Himmel im Osten bereits färbte. Das Meer und der Wald schliefen nicht, sie waren angefüllt mit allen möglichen Geräuschen, die immer deutlicher wurden, je länger sie ruhig und still dasaß.

Warum hatte er den Vogel getötet?

Ich glaube, was ich mir kaufe, ist Zeit. Hin und wieder mal Sex, und danach hat man lange frei. Mir gefällt es, nichts tun zu müssen .../Schniefen/... Ich scheine wirklich eine Erkältung zu bekommen, muss Kleenex, Vitamin C und Tee kaufen. Tee und Vitamin C helfen natürlich nicht, aber man hat ein besseres Gefühl, wenn man sich ein bisschen bemuttert. Ich verdiene, dass es mir gut geht.

Würde ich ein normales Leben führen, ginge jetzt jemand für mich Vitamine kaufen, würde mir Honigtee kochen und sagen, ich solle mich schonen. Jedenfalls stelle ich mir ein normales Leben so vor. Normale Menschen kümmern sich umeinander, oder? Irre ich mich? Es gibt vielleicht ganz normale Leute dort draußen, die auch von niemandem bemuttert werden. Wenn sie erkältet sind, müssen sie sich ihren Tee selber kaufen, und obendrein haben sie sich nach ihrem Chef zu richten. Das muss ich jedenfalls nicht.

Mir geht es besser als ihnen, aber ich kann mich nicht krankschreiben lassen. Nun ja, mir gefällt es, mich allein durchzuschlagen. Vielleicht könnte ich ja Örjan anrufen und ihn bitten, für mich zur Apotheke zu gehen? Das Problem ist nur, er würde es sofort tun, und dann hätte er einen weiteren Schritt in mein Leben hinein getan. Ich muss ihn auf Distanz halten.

Ich habe nichts gegen ihn, aber er will scheinbar wirklich mein Freund sein. Ich begreife nicht, warum. Was erwartet er sich von einer Freundschaft mit mir? Erzählt er seinen Kumpels und Freundinnen von mir? Ich habe ihm gesagt, das solle er, verdammt noch mal, lassen, aber vielleicht tut er es trotzdem. »Ich kenne eine Hure.« Wow.

Er erzählt mir ja auch von seinen anderen Hurenfreundinnen, also weshalb sollte er dann nicht von mir sprechen?

Allerdings gelingt es ihm nicht, besonders viel von diesen anderen Mädels zu sagen, denn sobald er damit anfängt, stoppe ich ihn. Ich will nichts davon hören, und die anderen wollen auch nicht bloßgestellt werden. Da bin ich mir ganz sicher, selbst wenn ich keine von ihnen kenne … Man will nicht bloßgestellt werden! Das ist gefährlich.

Bisher ist es mir gelungen, die Lage unter Kontrolle zu halten, und so soll es auch bleiben. Niemand soll sich hier einmischen. Ich bin mein eigener Herr.

Er hat einiges von dieser kleinen Siebzehnjährigen erzählt, die sich ein bisschen Kleingeld verdient, indem sie den Leuten einen bläst. Sie tut mir wirklich Leid. Jemand sollte sie aus der Sache rausholen, sonst macht sie sich noch völlig kaputt. Ich finde es nicht okay, dass Örjan ihr nicht sagt, sie solle damit aufhören. Er tut nicht das Geringste für sie. Wenn ich ihn bräuchte, würde er vermutlich genauso wenig für mich tun.

Zum Glück gehört er nicht zu denen, die sich einbilden, sie müssten die armen Huren retten. Ich komme schließlich klar. Ich habe ja die Wahl gehabt. Habe mir mein Leben selbst ausgesucht. Es ist schlimmer für Mädels, die von nirgendwoher kommen und überhaupt nichts besitzen.

Morgen habe ich zwei Dates mit Kunden. Eines mit Monsieur und das andere mit der Qualle. Die Qualle ist schlimmer, denn er vögelt nicht, er liebt. Er will mit mir leben. Wie kann ein Mann glauben, dass er mit einer Frau leben darf, die bisher keine Minute mit ihm verbracht hat, ohne das Ta-

xameter einzuschalten?! Er ist ungeheuer nett, also die Qualle meine ich. Monsieur dagegen vögelt rücksichtslos drauflos, beschimpft mich ein paar Mal als »Nutte«, und dann ist die Sache erledigt. Ich brauche ihn nicht zu verachten und auch keine Geduld aufzubringen, und das ist schön.

Er hat gefragt, ob es okay wäre, mich zu schlagen, aber ich habe nein gesagt, und er scheint es zu respektieren. Wenn er eine Frau verprügeln will, muss er zu einer anderen gehen. Bei mir läuft das nicht.

...

Falls man in seinem Leben Hilfe braucht, muss man sich das Buch »Deine grenzenlose Stärke« besorgen. Jeden Abend, bevor ich einschlafe, lese ich ein Stück darin. Es geht darum, dass man sein Leben selbst gestalten kann, und wie man das macht.

Man kann die Verantwortung keinem anderen aufbürden.

Ich lebe das Leben, das ich mir selbst ausgesucht habe. Wenn ich etwas ändern will, dann muss die Veränderung aus mir heraus kommen. Das halte ich für selbstverständlich. Aber der Qualle gefällt es nicht, dass ich dieses Buch lese. Er findet, ich sollte es wegwerfen, weil es mich daran hindert zu sehen, dass ich ein Opfer der Verhältnisse bin. Ich wünschte, er könnte dieses ewige Gelaber lassen, und er würde aufhören sich einzubilden, dass er mir etwas bedeutet.

Eines schönen Tages werde ich es rundheraus sagen. »Was glaubst du, was du für mich bist, du bedeutest mir überhaupt nichts. Du bist einfach ein Loser, der sich lächerlich macht, weil er in eine Nutte verliebt ist.« Aber noch behalte ich die Sache für mich und spiele bei seinem Theater mit. Das ist ja trotz allem mein Job. Wenn ich seine Regie nicht akzeptiere, wird er mich fallen lassen, und ich brauche das Geld. Er bezahlt gut, er will, dass wir uns oft treffen, und von ihm geht keinerlei Bedrohung aus. Wenn er die Klappe hielte, wäre er ein Traumkunde.

Monsieur hält die Klappe. Aber ich muss ihn abschaffen. Er ist zu brutal. Man kann keine Kunden haben, die sich nicht darum kümmern, wo die Grenzen verlaufen. Wenigstens das hat Mutter mir beigebracht, sie redete ständig davon, wie wichtig es sei, Grenzen zu setzen.

Manchmal ist es scheußlich, allein zu arbeiten. Die Leute glauben, dass Mädels, die einen Zuhälter haben, ausgenutzt werden, und natürlich ist das auch so. Deshalb tue ich ja alles, um keinen solchen Typen am Hals zu haben. Aber wie, wenn man nun jemanden hätte, der einen schützt? Jemanden, der gefährlich genug ist, um Freier, die einem etwas antun, dranzukriegen. Das gäbe ein Gefühl von Sicherheit. Wirklich merkwürdig … Muss man sich ausnutzen lassen, um Sicherheit zu erlangen? Funktioniert das Leben so?

Nicht, dass Monsieur mir etwas antut. Mir gefällt nur nicht, was er macht.

Bald muss ich diese hässlichen Gardinen auswechseln. Meine Eltern haben sie mir geschenkt, als ich von zu Hause ausgezogen bin, sie hingen vorher bei ihnen im Wohnzimmer. Gardinen, wie gesetzte Bürger sie haben, aus dunkelgrüner Seide. Sie müssen weg. Ansonsten ist die Wohnung schön. Ich mag sie ein bisschen zu sehr, um hier gern zu arbeiten. Ich sollte mir dafür vielleicht ein Zimmer in der Stadt suchen.

Ja, ich habe jede Menge Pläne. Ich glaube an die Zukunft, obwohl ich nicht genau weiß, wie sie aussehen wird. Ich vertraue meiner eigenen grenzenlosen Stärke.

Als Helen drei Kassetten hintereinander abgespielt hatte, gab sie auf. Ihr Kopf schmerzte, sie konnte sich nicht mehr konzentrieren, und sie wurde nicht schlau aus dem Gesagten.

Außerdem war es schaurig, Madeleines Stimme zu vernehmen. Sie hatte Madeleine nie zuvor reden hören. Alles, was sie gehört hatte, war dieser Laut aus ihrer Kehle, als sie starb ...

Die Worte kommen pfeifend aus Madeleines Mund, sie spricht sie, spricht sie und spricht sie wieder, mit einer Stimme, die sie nicht mehr besitzt, sie dringen wie ein heulender Wind durch den Türspalt ...

Helen war gezwungen, Madeleines Stimme so heftig abzuwehren, dass Nacken- und Kaumuskeln schmerzten.

Madeleines zerfetztes Gesicht. Ihre Stimme.

Helen konnte die beiden Dinge nicht zusammenbringen.

Sie wollte es nicht.

Vielleicht hatte sie geglaubt, dass Madeleine auf den Kassetten ohne Umschweife erzählen würde, von wem sie ermordet zu werden gedachte. Stattdessen hörte Helen nur eine Menge Gerede über uninteressante und triviale Dinge, das sie einfach ermüdete.

Sie hatte keine Lust zur weiteren akustischen Bekanntschaft mit dieser Frau, die oberflächlich und uninteressant wirkte, und deren nasale Stockholmer Aussprache zum Schlimmsten zählte, was sie sich vorstellen konnte. Und wann sollte sie Zeit finden, sich dieses Gebrabbel anzuhören, das sich stundenlang hinzog?! Was sollte das bringen?

Ebenso gut konnte sie die Kassetten der Polizei übergeben, doch davor scheute sie zurück. Man würde fragen, warum sie das nicht gleich getan hatte. Sie würde Probleme bekommen – Beweismaterial zurückzuhalten war widerrechtlich.

Es konnte niemandem schaden, wenn sie die Kassetten noch ein Weilchen behielt.

Sie musste wohl Madeleines Ergüsse noch weiter über sich ergehen lassen und dann ...

Die Kassette, die im Recorder gesteckt hatte, als Madeleine ermordet worden war, wollte sie bis zuletzt aufsparen. Nicht etwa, weil sie glaubte, die sei interessanter als eine der anderen, vermutlich erzählte Madeleine nur, was sie zum Frühstück gegessen hatte, aber, wenn es dort etwas anderes gab – etwas, das darauf hinwies, wer der Mörder war –, dann war sie jetzt dafür noch nicht bereit.

Sie wollte es nicht wissen.

Sie wollte sich nicht der Wahrheit aussetzen, egal, wie die auch aussehen mochte.

Time is definitely moving on, check your watches and your clocks, say turn it up, time is moving on, you better get ready before it's gone ...

Die Kassetten zu besitzen, ohne sie anzuhören, war, als würde man die Zeit anhalten, die sonst unerbittlich auf eine Auflösung und Antwort zu tickte.

Die Bänder in ihrem Besitz zu wissen, gab ihr Sicherheit, doch sie musste sie nicht anhören. Nein, sie musste es *nicht*.

»Du bist verrückt!«, würde ihre beste Freundin sagen. »Du musst die Kassetten sofort zur Polizei bringen!«

Deshalb erzählte sie ihr nichts davon. Sie wollte solche guten Ratschläge nicht bekommen.

Niemand wusste, dass sie die Bänder besaß, und keiner würde es erfahren. Wenn nun etwas darauf war, das gegen Örjan sprach, wenn die Kassetten sogar bewiesen, dass er ein Mörder war …

Dann wollte sie das nicht hören, und auch kein anderer sollte es tun.

Die Bänder zu behalten, war ihre Art, ihn zu schützen.

Die Therapeutin hatte gesagt, dass sie noch immer unter dem Schock leide, dass sie nicht klar zu denken vermöge, und daher solle sie es vermeiden, einschneidende Dinge zu tun. Sie brauche Ruhe und Frieden.

Die Kassetten aus der Hand zu geben, wäre eine allzu einschneidende Sache.

Beim ersten Eingang zum Untersuchungsgefängnis zog sich ihr Magen wie im Krampf zusammen, doch ließ das sofort wieder nach. Sie blieb an der Tür aus grobem grauem Maschendraht stehen, die Hand auf der Klinke, und dachte: Hier gehe ich einfach nicht rein.

Sie fühlte sich nicht gut. Sie war krank. Im Morgengrauen war sie mit Angstschweiß und vermutlich Fieber aufgewacht, und hatte nicht wieder einschlafen können. Sie musste nach Hause, sich ins Bett legen, eine Aspirin nehmen und Ruhe haben. Örjan konnte ein andermal von ihr Besuch bekommen, das hier ging einfach nicht, es war unerträglich.

Gerade noch hatte sie trotz des Windes im Strandcafé am Norrmälarstrand gesessen und mit einer Freundin, die ihr Baby dabei hatte, Mittag gegessen. Das Kind war ein fünf Monate altes Kerlchen, das hopsen und gehen, plappern und fliegen, dann hoch in die Luft geworfen und wieder aufgefangen werden wollte. Es wollte gekitzelt werden, sich nach den Booten auf der Bucht, den Blättern der Bäume und der Sonne ausstrecken, sie greifen und in den Mund stopfen.

Sein Hinterkopf, so weich und zerbrechlich, wie sie die Hand um ihn wölbte …

Seit er ausgezogen war, hatte sie sich stets aufs Neue dieselbe Geschichte erzählt – das Märchen, dass sie und der Sohn eigentlich nie auseinander gerissen worden wären. Er war im Moment zwar woanders, aber er würde wieder nach Hause kommen, auf ihrer Schwelle stehen und sagen: »Hier bin ich …«

Nein.

Am Ende sah sie sich gezwungen, ihr Märchenbuch wegzuwerfen.

Märchen halfen nicht. Sie wurden nicht wahr, egal, wie oft man sie auch erzählte, und Lügen konnten nicht trösten. Sie ging weiter mit der toten Mama in der Brust und versuchte, an etwas anderes zu denken. Zum jetzigen Zeitpunkt hätte er sie sowieso verlassen, Kinder wuchsen schließlich heran. Sie hatte das schon damals begriffen, als er der Wiege entwachsen war: Nie mehr würde er von ihr in den Schlaf gewiegt werden.

Auch auf der Bergsgata blies der Wind heftig, ihr Haar wurde total zerzaust, und die Ohren schmerzten. Dennoch hatte sie Lust, ihn mit zu Örjan hineinzunehmen, ihm den Wind zu schenken, statt der Bücher, die in ihrer Tasche lagen: Sapphos Gedichte, eine Arbeit über den Sufismus und ›Der kleine Prinz‹.

»Bitte sehr«, sagte ein freundlicher grauhaariger Mann, der hinter ihr aufgetaucht war.

Er hielt die Tür für sie auf. Damit gab es kein Zurück. Sie ging vor dem Herrn hinein. Er schien in Eile zu sein und konnte nicht an ihr vorbei, ohne zu drängeln. Sie lief vor ihm durch den überdachten Gang, der auf der rechten Seite mit Gittern und Stahlseilen begrenzt war. Der Wind erreichte sie noch immer. Auf dem Parkplatz neben dem Durchgang stand ein Einsatzwagen, der einen Unfall gehabt hatte, die gesamte Frontseite war eingedrückt.

An der Anmeldung sagte sie, wohin sie wolle, und wurde durch einen weiteren Gang geschickt, in dem kaputte Neonröhren flackerten und kein Wind mehr zu spüren war: *Dieser Gang ist videoüberwacht.* Dann nahm sie den Aufzug, *dieser Aufzug ist videoüberwacht,* dort war es eng. Sie musste ihn mit einem gewaltigen Mann in dunkelblauer Hose und hellblauem Hemd teilen, der ihr Angst einflößte, obwohl ihn sein Namensschild als Wärter auswies. Alles hier erschreckte sie, wenn auch das, was sie bisher gesehen hatte, nicht fürchterlicher war als der Eingang irgendeines heruntergekommenen ärztlichen Behandlungszentrums.

An diesem Ort war nichts Ungewöhnliches. Er bestand aus demselben Material wie der Rest der Wirklichkeit. Vielleicht erschreckte sie gerade diese Tatsache am meisten.

Der Aufzug hielt auf der dritten Ebene und nahm ein paar lachende junge Frauen auf, auch sie in dunkelblauer Hose und hellblauem Hemd, Wärterinnen. Sie redeten davon, am Wochenende ausgehen zu wollen, die Frage war nur, wohin. Zu ›Tiger‹ oder ›Sloppys‹. Wärter Nummer eins, der beleibte Mann, war gezwungen, Helen freundlichst zu hindern, im falschen Stockwerk auszusteigen und in die verkehrte Richtung zu irren. Vermutlich nahm sie sich in den Augen der anderen wie eine Vollidiotin aus. So nervös war sie nicht mehr gewesen seit damals in der Oberstufe, als sie mit einem extrem wichtigen Jungen verabredet gewesen war. Genau wie jetzt hatte sie Magenkrämpfe und andere Symptome bekommen und wäre am liebsten weggerannt.

Zu jenem Zeitpunkt gab es spannende Dinge – Mord, Sex und ›*Die große Liebe*‹ – nur im Film. Wurden Leute im Kino verhaftet, ließ man sie, wenn ihre Angehörigen nicht arm waren, stets gegen Kaution frei, denn in den USA war alles anders. Die Realität aber war nicht so. An Dramatik enthielt sie nur unbeholfenes Geknutsche und Gefummel, die idiotischen Hände des extrem wichtigen Jungen unter ihrem Shirt und die Enttäuschung, als er nicht, wie versprochen, am nächsten Tag anrief. Der Rest war Kampf – vor dem Spiegel gegen die Pickel, die durch das Ausquetschen nur noch größer wurden. In der Schule gegen Überdruss, gegen Desinteresse und diese Lehrer, die nicht zuließen, dass man herumschrie, lärmte oder widersprach und gegen Mutters Vorstellung, dass einfach alles gefährlich sei.

Sie hätte viel lieber dort gelebt, wo etwas passierte. Allerdings hatte sie damals nicht damit gerechnet, dass dieses »etwas passieren« – Mord, Sex und ›*Die große Liebe*‹ – in Wirklichkeit genauso fad nach der Tristesse des Materiellen roch wie all das Gefummel und Clearasil.

Wenn in der Realität etwas geschah, gab es niemanden, der die Szenen nett zusammenschnitt, einen Soundtrack unterlegte und den Abspann laufen ließ, wenn die Story zu Ende war. Die Story der Wirklichkeit hörte nie auf, sie begann jeden Tag von neuem, wie eine Seifenoper ohne Dramaturgie oder schauspielerische Leistungen, die diese Bezeichnung überhaupt verdienten. Hier stand sie jetzt endlich vor der Eingangskontrolle. Es war ein Gefühl, als sei man auf dem Weg zum Zahnarzt.

Örjan hatte ihren Brief erhalten und eine Antwort zurückgesandt – von der Staatsanwältin ordnungsgemäß gelesen und genehmigt – in der er schrieb, ja, er wolle sie treffen, und ja, er würde seine Anwältin bitten, einen entsprechenden Antrag loszufaxen. Ja, hatte man sie nach einiger Zeit wissen lassen, sie erhalte die Besuchserlaubnis.

Der Wachhabende bat um ihren Ausweis, murmelte etwas vor sich hin, die Nase in seinen Papieren, und nickte dann bestätigend, ja, sie stehe auf der Liste. Erneut packte sie Übelkeit.

In ihr hatte sich in den letzten Wochen eine enorme Anspannung gebildet. Jetzt ließ sie nach, warum, begriff Helen nicht, und als sie verschwand, wollte der Körper einfach alles loswerden – Mageninhalt, Erkenntnisse und Erinnerungen.

Wenn man doch alles ungeschehen machen könnte ...

Wenn man die Zeit zurückdrehen könnte ...

»Ihre Tasche müssen Sie hier draußen lassen. Geschenke? Bücher? Wir nehmen sie an uns, sie werden kontrolliert, er bekommt sie dann oben in der Abteilung.«

Während des Besuches nichts übergeben oder entgegennehmen.

Nicht über den Mord reden.

Den anderen nicht anfassen.

Als sei sie auf einem Flugplatz, musste sie durch einen Metalldetektor, der sofort zu fiepen begann. Die Schlüssel aus der Tasche gefischt und in die Plastikschale auf dem Tisch gelegt. Ein neuer Versuch. Der Detektor fiepte. Der Wachhabende, nein, der Wärter neben ihr stand wartend da und beobachtete sie mit unbewegtem Gesicht. Sie fühlte, wie die Achselhöhlen schweißnass wurden. Das Portemonnaie? Mit einem Plumps landete auch das in der Schale. Der Detektor fiepte hartnäckig weiter. Bilder tauchten in ihrem Kopf auf, Karikaturen mit in Kuchen versteckten Feilen und Bilder brutaler Leibesvisitationen, *spread'em,* die Hände auf das Autodach, wie in den USA, wie im Film …

»Die Schnallen der Sandalen«, schlug der Wärter vor. »Wenn Sie die Schuhe ausziehen würden?«

Er sah, dass sie Tränen in den Augen hatte. Sie tat ihm Leid. Das war schlimmer, als wie eine gewiefte potenzielle Einschleuserin irgendwelcher Dinge behandelt zu werden. Sie war kein cooles Weib, war nicht ausgekocht, so dass man sie hätte hart anfassen können, sie war offenbar eine Memme. Als sie sich bückte, um die Riemchen aufzumachen, bildete sie sich ein, er versuche, ihr unter den Rock zu blicken, der viel zu kurz war, und der Schweiß strömte.

Auf Strümpfen ging sie durch den Detektor, der keinen Ton von sich gab, der Wärter reichte ihr die Sandalen mit einem Grinsen. *Und woher willst du wissen, ob ich nicht ein Messer in den Sohlen dieser Latschen versteckt habe,* aber ihr war klar, er wusste ganz genau, dass dem nicht so war.

Als sie das Besuchszimmer betrat, saß Örjan schon dort.

Sie beugte sich über den wackeligen kleinen Tisch, der zwischen ihnen stand, und nahm seine Hand.

»Keinen Körperkontakt«, mahnte der Wärter, der auf dem Sofa Platz genommen hatte.

Er beobachtete sie, während er zugleich ein Gesicht aufzusetzen versuchte, als sei er überhaupt nicht anwesend. Sie zog die Hand zurück, als hätte sie sich verbrannt, denn wenn sie gegen die Regeln verstieß, würde man den Besuch abbrechen. Sie wünschte diesem Fremden einen anderen Job, etwas, in dem er es mit Menschen zu tun hatte, die er froh machen konnte. Sein Blick war lebendig. Sie wollte nicht, dass er erlosch. Man müsste die Wärter hier rauslassen, damit sie frei waren, all das hier sollte aufhören.

Örjan weinte nicht. Er verzog keine Miene. Das Sonnenlicht fiel durch das dreiteilige kleine Fenster und beleuchtete seinen Scheitel. Das Gesicht lag im Halbdunkeln, aber sie sah, dass sein Mund starr war und sein Blick dem ihren nicht begegnen wollte. Nie zuvor war er den Augen anderer Menschen ausgewichen, er war ein Mensch, der jedem direkt in die Augen sah ...

War ein solcher gewesen.

»Haben sie dir die Haare abrasiert?!«, flüsterte sie.

Örjan begann zu lachen. Dieses Lachen erkannte sie wieder. Endlich etwas, das wie früher war, an dem man wie an einem Geländer zurück in die Vergangenheit gehen konnte, die so einfach gewesen war, so funkelnd, *mir kann nichts Schreckliches geschehen ...*

»Bist du verrückt, Helen, wir sind hier doch nicht bei den Sowjets! Ich bin beim Friseur gewesen.«

»Beim Friseur? Hier?!«

»Ja, man kann wohl auch sagen, der Friseur ist zu mir gekommen. Hundertdreißig Mäuse hat es gekostet, den ganzen Schiet abzurasieren. Nicht besonders teuer, oder?«

»Aber … Deine Haare … Du hattest so schöne Haare …«

»Ich muss hier einfach etwas tun, verstehst du? Sonst werde ich verrückt. Wenn der Friseur kommt, gehe ich zum Friseur. Kommt der Kioskwagen, dann kaufe ich Süßigkeiten. Tag und Nacht sitze ich in einer verdammten Zelle, begreifst du das?«

Als er die Stimme hob, erstarrte der Aufseher. Nur eine leichte Veränderung der Atmosphäre war zu spüren, doch die genügte, um Helen den Stuhl ein Stück zurückschieben zu lassen.

»Meine Mutter ist mit Geld und Klamotten da gewesen, und Farsaneh hat vorige Woche einen CD-Player und CDs gebracht, aber nur du hast begriffen, dass ich Bücher brauche. Du hast doch welche mit?«

»Hmm, du bekommst sie später.«

»Ich muss hier raus. Ich werde verrückt, wenn ich hier nicht bald rauskomme, das ist mein Ernst. Abends schlage ich den Kopf gegen die Zellenwand, nicht zu fest, nicht so, dass man es hört, hier ist es wichtig, dass man verdammt diszipliniert ist, verstehst du, *verdammt* diszipliniert. Es gibt eine kleine Luke in der grünen Tür, und von dort gucken sie zu einem rein, sie gucken rein, und manchmal darf man aufs Dach. Helen, kannst du dafür sorgen, dass ich hier rauskomme?!«

»Wir müssen über etwas anderes reden«, flüsterte sie. »Sonst wird der Besuch abgebrochen.«

»Scheiß auf ihr verdammtes Besuch-Abbrechen! Ich bin es gewöhnt, die Leute zu umarmen und darf sie nicht mal anfassen. Ich bin es gewöhnt, um die Erde zu reisen und sitze hier auf acht Quadratmetern eingesperrt, und dann lande ich wohl im Knast für einen Mord, den ich nicht begangen habe, denn ich habe es nicht getan! Du bist doch dort gewesen, hast alles gesehen, du weißt, dass ich so etwas nicht gemacht haben kann, oder … Sag, dass du es weißt, du hast sie doch gesehen, Helen, ich habe all diese Bilder im Kopf, wie sie gefesselt dahockt und all dieses Blut, und niemand ist hier, mit dem ich reden kann, ich …«

»Ich habe vor, sehr nett zu sein«, unterbrach der Wärter. »Ich gebe Ihnen noch eine Chance – also genau *eine* Chance –, sich an die Regeln zu halten.«

Es wurde still. Vor dem Fenster glühte das alte Polizeigebäude im Sonnenlicht, so als sei es geschmolzen, und man sah grüne Bäume. Helen starrte ausdauernd auf den Rauchmelder an der Decke und verbot sich selbst, an irgendetwas anderes zu denken als an dieses weiße Plastikding, bis ihr Herz wieder ruhiger schlug. Das hier war zehnmal schlimmer als damals in der Schule; es war ein Albtraum, man durfte nicht herumschreien, nicht lärmen oder widersprechen, denn dann würde der Besuch abgebrochen, und es gab vielleicht keinen neuen. Es konnten Wochen vergehen bis zur Verhandlung, und sie wollte ihn wieder besuchen, er brauchte es doch, er brauchte sie.

Es würde Anklage erhoben werden, es würde einen Prozess geben und all das Theater. Ein Staatsanwalt, dem es gelungen war, ihn hier so lange festzuhalten, der hatte einiges auf der Pfanne, aber darüber durfte sie nicht mit Örjan reden, denn dann würde man den Besuch abbrechen, es war wie bei Kafka.

»Ich habe versucht, mein Herz bei so einem Scheißkerl von Pfarrer zu erleichtern«, murmelte Örjan, »aber das sind alles nur verdammte Idioten. Ich durfte einen Seelsorger treffen, und der sagte, selbst wenn ich vor einem weltlichen Gericht nicht bereit wäre zu bekennen, so könne ich es vor ihm und dem Herren tun. Was heißt vor dem Herren? Zum Teufel, ich bin Buddhist, aber denkst du, man hätte mir irgendeinen Buddha-Fritzen geschickt?! Was hast du mir für Bücher mitgebracht?«

Er war dick geworden und sah unappetitlich bleich aus.

Bei diesem Mann würde Farsaneh nicht bleiben. *No fucking way.* Sie lächelte ihm zu, erzählte vom kleinen Prinzen und versprach, weiterhin Briefe zu schreiben.

»Du kommst doch wieder, oder?«

»Ja, sobald es geht, ich verspreche es.«

»Küsschen jedenfalls! Hörst du das, Scheißwärter, ich gebe ihr in Gedanken einen Kuss, das ist mentaler Körperkontakt, brich also den Besuch ab!«

Aber sie durften bis zum Ende der festgesetzten Stunde miteinander reden und sich in Gedanken Küsschen geben, bevor Helen wieder hinausbegleitet wurde. Sie spürte, dass Örjan ihr mit dem Blick folgte, bis die Tür zuschlug.

Ob Örjan und ich ineinander verliebt sind? Warum fragst du das?«

Farsaneh lächelte ihr freundlich zu. Sie sah nicht wirklich so aus, wie Helen gedacht hatte. In Helens Vorstellung war sie eine Hippie-Prinzessin gewesen, mit wallendem schwarzem Haar und Kleidern aus dem indischen Laden. Eine Frau, die Popmusik aus Bangladesh hörte und zusammen mit drogensüchtigen Bohemiens rastlos um die Welt zog. Doch auf dem Strandlaken ihr gegenüber saß eine propere Dame.

»Kaffee?«, fragte Farsaneh und streckte, ohne eine Antwort abzuwarten, die Hand nach der Thermosflasche aus. Sie hatte Helen vorgeschlagen, sich im Bad auf Smedsudden zu treffen, schließlich sei es doch so warm. Als sie zwei Plastikbecher mit Kaffee gefüllt hatte, zog sie ihr Kleid aus und faltete es sorgfältig zusammen. Darunter trug sie einen anständigen, teuren blassgelben Badeanzug.

Helen fühlte sich wie ein dicker Tolpatsch neben dieser Erscheinung, die sich zu benehmen verstand, deren Zehennägel perfekt lackiert waren, die diskreten Goldschmuck trug und deren Haar – nach hinten gekämmt zu einer Frisur, die einer Hostess Ehre gemacht hätte – bereits einzelne graue Strähnen aufwies. Farsaneh war kein junges Ding mehr. Und sie schien Geld zu haben. Was in aller Welt wollte sie mit Örjan?!

»Ich weiß nicht, ob ich in ihn verliebt bin. Bist du es, Helen?«

Draußen auf dem Wasser fuhr soeben eines der Mälarschiffe vorbei, vollgepfropft mit Touristen auf dem Weg nach Drottningholm. Ein kleines Plastikboot lag vor den Absperrungen des Badeplatzes verankert. Die jungen Burschen darin schauten blinzelnd in die Sonne, hielten nach Mädels Ausschau und sprangen hin und wieder ins Wasser. Mit Mühe und Not und ihren Kumpels gelang es ihnen anschließend, sich über die Reling zurück an Bord zu hieven. Der Junihimmel leuchtete, und obwohl es noch ganz früh am Vormittag war, füllte sich der Rasen bereits mit Leuten. Stockholm hatte sein bezauberndstes Vorsommerlächeln aufgesetzt.

Helen nahm einen Schluck Kaffee. Er war zu stark.

»Ich habe Milch«, erklärte Farsaneh und öffnete den Deckel der hübschen kleinen Kühltasche, die neben ihrem Picknickkorb stand. »Wenn du möchtest?«

Helen nickte. Sie hatte das Gefühl, ein Belag aus Angst läge über dem Strand, über der Stadt und über all den Menschen. Die Sonne schien viel zu stark, der Himmel war zu blau, die Leute strahlten und lachten wie in einem Werbefilm für ein gesundheitsschädliches Erfrischungsgetränk. Dieser Tag würde nicht gut enden.

Warum musst du alles schlecht machen?, fragte sie sich. Weil du nicht glücklich bist? Weil du befürchtest, es könnte das Schlimmste geschehen? Du kannst dich beruhigen. Das Schlimmste ist bereits geschehen, also kannst du dich entspannen.

»Danke, es genügt«, sagte sie, als Farsaneh schon viel zu viel Milch in den Becher gegossen hatte.

Jetzt ließ sich der Kaffee trinken, er war jedoch nur noch lauwarm. Sie trank ihn mit wenigen Schlucken aus und sah Farsaneh dann zum ersten Mal in die Augen.

Ein grüner Blick mit goldenen Tupfern begegnete dem ihren, ohne auszuweichen. Eine Zeit lang schwiegen sie beide. Jede von ihnen hatte Fragen, doch keine verspürte Lust, auf die der anderen zu antworten.

Die Burschen mit dem Plastikboot waren jetzt dabei, den Anker einzuholen. Sie bekamen ihn an Bord, und nach einigen missglückten Versuchen gelang es ihnen auch, den Außenbordmotor anzuwerfen. Wenige Augenblicke später knatterten sie davon, hinterließen eine kleine Abgaswolke und den Geruch nach Benzin, die der Wind rasch verteilte. Schon bald war es, als seien sie niemals da gewesen.

Menschen begegneten sich und trennten sich wieder, Leben entstand und verschwand, alles war ebenso flüchtig wie die Wolken am Himmel. Helen wünschte sich weit weg von Farsaneh. Sie wollte allein im Gras liegen, in den Himmel schauen und sehen, wie die Wolken dichter wurden, sich veränderten und wieder verteilten.

»Lebst du schon lange in Schweden?«, fragte sie.

»Erst ein paar Jahre. Meine Familie ist nach der Revolution aus Persien geflohen, ich war damals sechzehn. Wir ließen uns in den USA nieder, aber ich habe mich dort nie wohl gefühlt. Wir haben alle radikale Ansichten, ich gehöre zur Linken, und die USA ist nicht eben mein Platz auf der Welt. Ich bin viel gereist und ... Tja, jetzt wohne ich hier.«

Farsaneh strich sich eine Strähne aus dem Gesicht, die sich aus dem Pferdeschwanz gelöst hatte und ihr in die Stirn gefallen war. Vergeblich versuchte Helen, sich diese Frau zusammen mit Örjan vorzustellen. Er hatte in Bezug auf sie Sex und Ekstase erwähnt, doch nichts davon konnte Helen vor sich sehen. Diese elegante, beherrschte Frau weckte keine Bilder von Lust und Rausch, aber sie war schön, ohne Frage. Es gab zwischen ihr und Örjan möglicherweise eine Anziehung, die Helen ganz einfach nicht verstehen wollte.

»Du sprichst ein ausgezeichnetes Schwedisch«, sagte sie höflich.

»Sprachen liegen mir«, erwiderte Farsaneh lächelnd. »Noch Kaffee?«

Das hier schien zu nichts zu führen, es wurden nur Sätze serviert und Spieleröffnungen angeboten, die der Gegner ignorierte. Helen unterdrückte ein Gähnen und streckte die Beine in die Sonne. Das Wetter war in den letzten Tagen schön gewesen, und sie wurde langsam braun. Der Sommer war ihre beste Zeit. Die Haut bekam Farbe, die Sonne ließ das dunkelblonde Haar goldblond werden, und die Männer drehten sich nach ihr um, das taten sie sonst selten. Wenn Örjan nicht hinter Schloss und Riegel säße, hätten sie diese Sommertage gemeinsam verbringen können – vielleicht.

Vielleicht aber auch nicht.

»Helen«, sagte Farsaneh. »Du kennst Örjan besser als ich, und ich möchte wissen, was du von all dem hältst, ganz ehrlich. Glaubst du, dass er es getan hat?«

Helen zwang sich zum Nachdenken, bevor sie eine Antwort gab. Die Sonne schien brennend heiß auf ihren Kopf, und sie konnte plötzlich nicht mehr richtig klar denken. Vor ihren Augen flimmerte es.

»Ich will nicht zu viel darüber nachgrübeln«, murmelte sie. »Verstehst du, wir sitzen hier draußen in der Sonne, und er sitzt da drinnen … Das zu begreifen, fällt mir schon schwer genug, ich komme irgendwie nicht weiter. Ich glaube nicht, dass *überhaupt jemand* so etwas tun kann. Und doch hat es irgendeiner getan, und das ist der reinste Wahnsinn, und in einer wahnsinnigen Welt kann einfach alles geschehen. Also …«

»Du meinst, du bist nicht sicher, dass er unschuldig ist?«

Helen spürte, wie ihr die Tränen in die Augen stiegen.

»Ich weiß überhaupt nichts«, murmelte sie. »Ich will nicht darüber reden, okay?«

»Okay, also worüber wollen wir reden?«

Im seichten Wasser schaukelte eine Entenmutter. Ihre flaumigen, graubraunen piepsenden Jungen paddelten und tauchten, kamen wieder nach oben und hielten sich ganz in ihrer Nähe. Hier in der Badebucht im Herzen der Stadt würde sie niemand fangen. Hier waren sie sicher, falls es so etwas wie Sicherheit überhaupt gab.

Vielleicht war es das Beste, sich niemals sicher zu fühlen. Wer in Unsicherheit lebte, den konnte die Gefahr wenigstens nicht überrumpeln. Sie würde immer ein erwarteter Gast sein, vielleicht sogar eine Erleichterung.

»Schließlich hat er mich angerufen«, murmelte Helen und strich sich die Tränen aus dem Gesicht. »Als er jemanden brauchte, auf den er sich wirklich verlassen konnte, hat er sich an mich gewandt. Nicht an dich. Du hast diesen Dreck nicht sehen müssen, weil ...«

» ... weil ich ihm nicht genauso viel bedeute«, ergänzte Farsaneh sanft. »War es das, was du sagen wolltest?«

»Ich weiß nicht. Ich weiß es einfach nicht.«

»Du ... Ich habe nichts gegen dich.«

»Ich weiß.«

»Wirklich?«

»Hmm.«

»Ich werde ihn morgen treffen. Soll ich ihm irgendetwas von dir bringen?«

»Doch, ja, ein Buch, das ich für ihn ausgeliehen habe. Ich habe es übrigens hier, einen Augenblick ...«

Helen begann, in ihrer Tasche zu wühlen. Das Buch lag ganz unten, darüber ein Durcheinander von Papiertaschentüchern, Lippenstiften, Schlüsseln und Notizbüchern. Farsaneh nahm es ruhig entgegen.

»Gedichte«, stellte sie fest. »Du magst Gedichte, stimmt's?«

»Ich *mochte* sie«, korrigierte Helen, »ich kann mich nicht mehr für Lyrik begeistern, aber Örjan gehört noch immer zum Kreis der Enthusiasten ... Du kannst ihm von mir ausrichten, dass ich an ihn denke.«

Farsaneh gab einen Laut von sich, der sowohl ›ja‹ als auch ›nein‹ bedeuten konnte, und die Gedichtsammlung glitt in ihren Strandbeutel. Danach gab es nicht mehr viel zu sagen.

Sie verabschiedeten sich. Helen sah Farsaneh nach, bis deren hübsche Gestalt im Gewimmel verschwunden war. Farsaneh gehörte zu den Frauen, die nie Butter aufs Brot schmierten und die, wenn sie zwischen den Mahlzeiten Hunger verspürten, anstelle von Chips stets Äpfel aßen, das war ihrem Körper anzusehen. Manche Frauen hatten sich völlig im Griff. Ihr selbst war das immer äußerst langweilig erschienen.

Ein Weilchen später schwamm Helen weit in die Fahrrinne hinaus. Wenn jetzt ein Linienschiff käme, stünde es schlecht um sie, doch das kümmerte sie nicht. Es war schön, sich in dem klaren bronzefarbenen Wasser zu wiegen, auf allen Seiten umgeben von Brücken und den Gebäuden der Stadt.

Vorüberrasende Boote zwangen sie, den auf sie zurollenden Wellen entgegenzuschwimmen. Der Strand von Långholmen auf der anderen Seite des Mälarsees war voller Menschen. An Sommerwochenenden wie diesem verwandelte sich Stockholm in einen Badeort, alles drehte sich um Sonne und Wasser, und danach um ein oder zwei Bier in einem gemütlichen Gartenlokal. Alles war ein einziges Idyll. Mord gehörte nicht hierher.

Auch sie selbst gehörte nicht hierher.

Doch im Augenblick war es trotzdem schön, hier zu sein, als Gast und Fremder, als Besucher aus dunkleren Gefilden.

Gestern Abend war ich zum Essen bei meinen Eltern. Es ist immer ein merkwürdiges Gefühl, sie zu besuchen. Man kommt an einen Ort, wo sich seit der eigenen Kindheit nichts verändert hat, und das Furchtbare ist, dass sich auch nichts mehr ändern wird. Dieselben Gesprächsthemen, dasselbe Besteck, dieselbe Art zu denken –, es ist einfach unmöglich, über gewisse Dinge zu reden. Alles Ernste ist zum Beispiel ungeheuer gefährlich. »Du sollst dich selbst oder andere nicht ernst nehmen«, so lautet das erste Gebot in meiner Familie.

Über sich selbst zu reden, ist egoistisch. Darüber zu reden, wie es einem anderen geht, heißt sich aufzudrängen und die Dinge unnötigerweise zu komplizieren. Allen geht es gut! Alle sind zufrieden! Hier haben wir keine Probleme! Mutter öffnet mir die Tür, umarmt mich und riecht nach demselben Parfüm, das sie schon benutzt hat, als ich klein war. Dieses Parfüm bedeutet für mich Sicherheit. Völlig falsche Dinge können Sicherheit bedeuten, wenn man sich als Kind daran gewöhnt hat. Vielleicht ist genau das der Grund, warum einige Frauen mit Männern zusammenbleiben, die sie schlagen – sie haben sich daran gewöhnt, dass Schläge Sicherheit bedeuten.

Ich weiß nicht. Niemand hat mich geschlagen, als ich klein war, und mir ist auch nichts von all dem anderen zuge-

stoßen, das einen Menschen während des Heranwachsens kaputtmachen kann. Meine Eltern saufen nicht, niemand hat mich sexuell mißbraucht. Allen geht es gut. Alle sind zufrieden.

Sie hatten sich ein Essen mit drei Gängen ausgedacht: Lachspastete, Tournedos und als Nachspeise Fruchtmousse. Vater klopfte ans Glas und hielt eine kleine Rede, das machte er immer, auch wenn wir drei allein waren. »Es ist so schön, dass unsere Tochter ausnahmsweise mal zu Besuch bei uns ist, also kann ich nicht anders, als ...«, bla bla bla.

Manchmal frage ich mich, wie es wäre, wenn ich Geschwister hätte. Nicht, dass sie mir sonderlich fehlen würden, ich bin zufrieden damit, das einzige Kind zu sein.

Man wird in Ruhe gelassen. Niemand mischt sich ein, und wenn meine Eltern einmal sterben, erbe ich alles. Dann werde ich nie mehr arbeiten, ich werde es mir nur verdammt gut gehen lassen.

Seit ich das Buch »Deine grenzenlose Stärke« lese, habe ich eine Liste mit Zielen aufgestellt, die ich erreichen möchte. Ich will am liebsten irgendwo leben, wo es das ganze Jahr über sonnig und warm ist, den Winter mag ich nicht. Ich möchte ein Auto haben – ein neues, keine alte Klapperkiste, die ständig kaputtgeht. Ich möchte gern Umgang mit Männern haben, die mich zu flotten Essen und Ähnlichem einladen, will mich aber an niemanden binden. Vermutlich werde ich immer allein leben.

Die Qualle führt mich gern aus, ja, das macht er schon, aber er tut es nicht so, wie man es sich erträumt. Er hat keinen Stil. Er ist so ein Ministerialratstyp, der braune Schuhe zu blauen Strümpfen trägt. Ich nehme an, er sieht recht gut aus, ich meine, er ist nicht hässlich oder so, wirkt auf eine sozialdemokratische Weise nett, und es gibt bestimmt Frauen, denen er gefallen würde ... Aber leider gibt er ihnen keine Chance, weil er darauf besteht, mich zu lieben.

Ja, er liebt mich, behauptet er. Das ist okay, er darf sagen, was er will, solange er bezahlt. Es gibt schließlich nur einen Mann, den ich treffe, ohne dass er dafür bezahlt, und mit dem habe ich keinen Sex. Örjan will keinen Sex mit mir haben, und das ist auch gut so, er könnte es sich ohnehin nicht leisten. Er war gestern Nachmittag hier, und ich habe ihm einiges über meine Familie erzählt. Wie die so ist.

Ich verbringe ziemlich viel Zeit mit ihm, wenn man bedenkt, dass er zum Nulltarif läuft. Vielleicht ist er wirklich ein Freund. Er will es jedenfalls sein. Ich habe schließlich nicht gerade viele Freunde, das ist die Folge meiner Arbeit. Zu den meisten könnte ich nicht offen sein, könnte nicht von meinem Job erzählen, also was wäre das dann für eine Freundschaft? Und wenn ich mich mit anderen Mädels aus der Branche treffen würde, gäbe es bald Gerede über meine Tätigkeit, und ich bekäme Probleme.

Ich will keine Probleme haben.

Morgen kommt Monsieur, und das macht mich nervös. Ich habe mich gleich danach mit Örjan verabredet, irgendwie fühle ich mich sicherer, wenn er herkommt und die Lage peilt.

Das habe ich schon ein paar Mal so gemacht, nicht nur bei Monsieur, sondern auch bei anderen Kunden, denen ich nicht ganz über den Weg traue: Erst kommt der Kunde, dann kommt Örjan. Er ist eine Art Versicherung für mich geworden, weil es sonst niemanden gibt, der mich im Auge behält. Aber ich habe nicht vor, ihm das zu erzählen. Es gibt schließlich Typen, die lassen es sich bezahlen, wenn sie als Vollschutzversicherung einer Hure fungieren … Allerdings glaube ich nicht, dass Örjan auf so eine Idee käme. Er begreift nicht, wie leicht es ist, ausgenutzt zu werden … Wie leicht man dazu gebracht werden kann, Dinge für andere zu tun, ohne selbst etwas dafür zu erhalten. Er ist so ein Bursche, der in Schwierigkeiten geraten könnte, aber auch das begreift er nicht.

Ich vertraue ihm. Ich könnte ihn hinters Licht führen, immerhin habe ich ihn schon dazu gebracht, meine Versicherung zu sein. Ich fühle mich sicher in seiner Gesellschaft. Wenn er ein Kunde wäre, würde ich ihm bestimmt fast alles erlauben. Vielleicht dürfte er genauso weit gehen wie Monsieur …, aber Monsieur tut Dinge, die ich eigentlich nicht akzeptiere. Nein. Keiner darf so weit gehen. Die Sache muss ein Ende haben. Aber seit ich das erste Mal davon gesprochen habe, bezahlt er schließlich besser.

…

Gestern zeigte mir Mutter ein Armband, das sie gerade von Vater bekommen hatte. Es war so ein finnisches Goldarmband, bestes Design, wunderschön. Ich bin bestimmt fürchterlich, aber ich habe nur daran gedacht, dass ich es einmal erben werde.

Vater macht ihr Geschenke. Das ist gut so. Die meisten Frauen bekommen nie wirklich etwas von ihren Männern. Als Weihnachtsgeschenke erhalten sie Staubsauger oder so, nie etwas Richtiges. Mutter aber bekommt ständig Schmuck, Kleider und Reisen. Mir gefällt es, dass er ihr zeigt, wie sehr er sie schätzt. Obwohl ich finde, dass sie es nicht wert ist.

Eigentlich verdient sie nicht das Geringste. Sie tut überhaupt nichts. Nimmt nur.

Frauen, die zu Weihnachten Staubsauger erhalten, sind genauso gekauft wie ich.

Lieber wäre ich Putzfrau als Ehefrau, und ich bin lieber Hure als Putzfrau.

Meine Eltern wollten, dass ich Betriebswirtschaft studiere. Vor langer Zeit haben sie mir diese Wohnung beschafft, damit ich eine Studentenbude habe. Doch Pauken ist nicht mein Ding. Ich weiß es genau, denn ich habe es versucht. Gestern fragten sie wieder, ob ich nicht daran denke, mein Wirtschaftsstudium fortzusetzen, doch sie kennen ja meine Antwort: In der Werbebranche gefällt es mir besser.

Dank Örjan habe ich angefangen, ihre Behaglichkeitsmanie zu durchschauen. Die ist nur da, um anderes zu bemänteln. Naiv ist Örjan ja vielleicht, aber nicht bekloppt. Er hat wirklich was, dieser Typ.

Manchmal habe ich das Gefühl, nicht das Geringste von ihm zu wissen. Er macht mich neugierig, und zugleich macht er mir Angst. Er hat von diesen Frauen erzählt, bei denen er in Lateinamerika gewohnt hat, er nennt sie meine »Schwestern«. Das macht mich wütend. Wir kommen aus völlig verschiedenen Ländern, aus ganz unterschiedlichen Gesellschaftsschichten und arbeiten unter vollkommen anderen Bedingungen. Ich bin nicht deren Schwester. Genauso wenig kann man eine Krankenschwester im Slum von Bogotá mit jemandem vergleichen, der im vornehmen Sophiaheim arbeitet. Es ist unglaublich irritierend, dass alle Huren ständig über einen Kamm geschert werden.

Jetzt habe ich zu viel geredet, ich muss Schluss machen. Wir hören uns ein andermal wieder … Allerdings wird das hier keiner je zu hören bekommen. Ich spreche mit dem Recorder, weil ich keinen Menschen zum Reden habe, und eigentlich ist das richtig furchtbar. Mach's gut.

Die tote Frau hatte eine Stimme, ein Leben, Gedanken und Ansichten besessen, die mit ihrem geschlachteten Körper im Schlafzimmer unvereinbar schienen.

Ihr Tod schien unwirklich, solange ihre Stimme so wirklich war.

Jemand, der sprach, konnte nicht tot sein, also gab es das Schreckliche nicht. Man konnte zumindest eine Mauer darum ziehen. Diese Mauer musste noch verstärkt werden. Um weiterleben zu können, gab es keine andere Möglichkeit, als eine haltbare Barriere zwischen dem Heute und den Erinnerungen zu errichten. Zwischen der toten Madeleine und jener Madeleine, die denken und sprechen konnte.

Helen hörte sich Madeleines Kassetten jetzt wie irgendein Rundfunkprogramm an – distanziert, beinahe träge, aber dennoch mit Interesse. Ihre Angst vor der Stimme der Toten war nicht verschwunden, doch Helen unterdrückte sie. Hielt sie in Schach, im selben Behälter eingeschlossen wie alles andere, das gefährlich war.

Der Deckel des Behälters wölbte sich. Unter ihm gärte es.

Sie hatte eine Plastikdose im Herzen, so eine, in der man Dinge einfrieren konnte, doch sie selbst besaß nicht genügend Kälte. Das Gefäß füllte sich langsam mit explosiven Gasen.

Eine tote Mama wimmerte in ihrer Brust ...

Sie vertraute ihrem Sohn. Er musste tun dürfen, was er wollte. Wenn etwas in seinem Leben nicht gut war, würde er es allmählich selbst begreifen. Er war clever genug. Besaß eigenes Urteilsvermögen …

Die Mama in ihrem Herzen musste sterben. Nur so konnte man klarkommen – indem man die Mama, die im Herzen saß und weinte, tötete. Sie starb, wenn sie ihr Kind vergaß, also vergaß sie es …

Unter dem Deckel gärte und brodelte es …

Sie hielt Madeleine am Leben, indem sie ihre Stimme hörte. Sie hielt sie sich vom Leibe, indem sie so tat, als sei das Ganze nur etwas, das im Radio lief.

Langsam begann sie wieder zu leben – zumindest kam es ihr so vor, obwohl die Therapeutin weiter auf ihrem Gerede vom Schockzustand und von Verwirrung bestand.

War sie verwirrt?

»Was machst du zu Mittsommer? Wenn du nichts anderes vorhast, willst du dann vielleicht zu unserer Party kommen?«

Vor ein paar Wochen hätte sie das Wort »Party« kaum aussprechen können. Wirklich hinzugehen, wäre für Helen wie ein Verrat an Örjan gewesen. Er konnte ja schließlich nirgendwo hingehen.

Ihr Sohn war früher jeden Sommer beim traditionellen Mittsommerfest ihrer Freunde dabei gewesen. Sie hatte ihn unter einer der Birken vor der Veranda gestillt, hatte ihn, während er an ihrer Brust döste, gegen die grellen Sonnenstrahlen und die Mücken geschützt, und das Sonnenlicht glitt über sein Gesicht und ihre Brüste. Ein Jahr später war er auf der Anlegebrücke mit einem Blumenkranz im Haar und nacktem Hintern herumgetappt. Sie hatte ihn ständig im Auge behalten, ohne es ihn merken zu lassen. Er sollte allein laufen lernen, auch an gefährlichen Orten.

Doch wenn er hinfiel, musste sie es sehen und sofort zur Stelle sein, ihn retten.

Eine Mutter durfte in ihrer Aufmerksamkeit nie nachlassen, doch konnte sie ihr Kind nicht vor Gefahren und Stürzen schützen, indem sie alles Riskante verbot. Ein Kind musste die Welt auf eigene Faust erkunden und sie begreifen lernen. Darin lag ein Risiko.

Was wusste sie von den Gefahren und Stürzen, die ihm heute drohten?

Überhaupt nichts.

Wie sollte sie ihn vor einem Sturz retten, wenn sie nicht wusste, wo er sich befand? Wo war er heute? Sie brauchte sich keine Sorgen zu machen. Er würde das Mittsommerfest bestimmt in der intakten Familie feiern. So war es doch jetzt immer.

»Ja, danke, ich komme gern zur Party. Ist sie wie immer draußen in den Schären?«

»Ja sicher. Du nimmst das Linienschiff nach Finnhamn und steigst an der Anlegestelle Svartsö aus, dort holen wir dich ab. Hast du Papier und Kuli zur Hand? Gut, dann gebe ich dir gleich die Abfahrtszeiten durch. Kannst du Schlafsack, Isomatte und vielleicht ein Zelt mitbringen? Mit den Betten sind wir nämlich ein bisschen knapp. Und vergiss den Schnaps nicht! Und wenn du etwas einkaufen könntest …

Zwei Tage später stand sie auf Strömkajen vor dem Grand Hotel mit voll gepacktem Rucksack und zwei Plastikbeuteln, bis an den Rand gefüllt mit frisch gebackenem Brot, Erdbeeren und anderen Köstlichkeiten, die sich die Gastgeber gewünscht hatten. Die meisten anderen Gäste kamen als Paar, mit oder ohne Kinder. Sie war eine Ausnahme, aber heute hatte sie nicht die Absicht, darüber nachzugrübeln. Sie wollte sich amüsieren. Es war ein ungewohntes Gefühl, überhaupt etwas zu wollen.

Bereits als das Schiff ablegte, war die Stimmung glänzend. Ein Trupp junger Burschen war mit einer Ladung Bier und einem Recorder von äußerst schlechter Qualität an Bord gestiegen. Der schmetterte antiquierte Hits im Stil von »Will, dass du im Dunkeln bei mir bist« und »Sommerzeiten hej, hej«.

Die Jungen waren im Alter ihres Sohnes. Sie waren von heller Hautfarbe und blass. Der größte von ihnen hatte in einer der Jeansschlaufen eine Fahrradkette befestigt. Bei jedem Schritt schlug ihm die Kette rhythmisch gegen die Hüfte. Die gewaltige Gürtelschnalle mit der Aufschrift ›SS‹ glänzte.

Helen unterdrückte den Impuls, zu ihm hinzugehen und ihm zu erklären, was diese Buchstabenkombination bedeutete. Ihm war das bestimmt nicht klar.

So musste es doch wohl sein? Ihm fehlte das Wissen, er war einfach nur jung und dumm.

Wenn Unwissen Glück war, dann ist es Torheit, klug zu sein. Aber wenn Unwissen nun das Böse war?

Hier und da würde es sicher gewalttätig zugehen, bevor die kurze Nacht anbrach, falls man da überhaupt von Nacht sprechen konnte. Eigentlich war die Mittsommernacht nichts anderes als ein flüchtiger blauer Schimmer, der die Abenddämmerung vom Morgengrauen trennte. Zu dieser Zeit des Jahres gab es keine Dunkelheit.

Aber das Böse gab es. Das Böse war nicht wie die Trolle, es zerbarst nicht im Licht. Es verzog nur das Gesicht in der Sonne, spielte Popmusik und schien jung, dumm und glücklich zu sein –, bis Gürtel und Fahrradketten plötzlich aus ihren Schlaufen gelöst wurden und die Jungen die Kassetten in dem miserablen Recorder wechselten, *weiße Macht* ... Sie waren so jung. Hakenkreuze in so junge Haut zu tätowieren, müsste gesetzlich verboten sein.

Die Mittsommerfeier war ein heidnischer Brauch, dem man keinen christlichen Deckmantel verschafft hatte. Noch immer ging es darum, das Licht zu feiern, das in diesen Breitengraden, wo kompakte Dunkelheit im Winter Wälder,

Häuser und Menschen umgab, flüchtig und unschätzbar war. Man feierte mit Gesang, Gebrüll und jeder Menge Alkohol. Am nächsten Morgen sahen die Stadtzentren der malerischsten Urlaubsstädte wie Schlachtfelder aus.

Bei Helens Bekannten auf Svartsö würde es jedenfalls ruhiger zugehen. Sie hatte das Fest schon häufig dort gefeiert und kannte den Ablauf. Begonnen wurde mit der Bowle, dem Abzupfen der Erdbeeren und dem kollektiven Abbürsten der neuen Kartoffeln, die zum Hering gebraucht wurden. Dann begann das Krocketspiel, bei dem ein Streit um die Regeln dazugehörte und die Gefahr des Ausartens bestand, falls die Gastgeber die falschen Leute eingeladen hatten. Während die Frauen später die Tafel auf der Veranda deckten, stellten die Männer den Grill auf. Dann gab es Hering, Bier und Schnaps. Viele Schnäpse. Es würde wunderbar werden.

Helen machte sich ein Starkbier auf und blinzelte zum Himmel. Während das Schiff drehte und am Schloss und Djurgården vorbei auf das Gewimmel der Schären zusteuerte, nahm sie einen großen Schluck.

Solange man die Stimme auf der Kassette und die blutigen Reste eines Gesichts nur auseinander halten konnte. Solange es da nichts gab, was sie unerbittlich zwang zu verstehen, dass jemand, der ein Leben hatte, auch einen Tod hatte und dass dieser Tod unwürdig und entsetzlich sein konnte. Solange sie es vermied, an Madeleines Eltern zu denken, die am Ende gezwungen waren, der Wahrheit ins Auge zu sehen. Die ihr Leben nicht weiterführen konnten wie bisher, weil die Lüge – auch wenn sie noch so praktisch schien – von allen Böden der unsicherste war, auf dem man sein Dasein aufbauen konnte.

Solange sie es vermied, Madeleines Stimme, die ihr Ich und ihre Gedanken zum Ausdruck brachte, mit dem Gebrüll aus jenem Körper zu verbinden, dessen Ich und dessen Gedanken verronnen waren, die herausgestochen, herausgeschnitten und herausgeschlagen worden waren.

Es kam darauf an, die Dinge auseinander zu halten. Eines Tages würde das nicht mehr möglich sein, und dann musste sie sich eine neue Überlebensstrategie ausdenken. Sonst würde sie zerbrechen.

»Wie das Frühjahr war? Ach danke, im Großen und Ganzen recht gut. Eigentlich ein bisschen zu ruhig. Ich könnte irgendeine Arbeit gebrauchen. Du kennst wohl auch niemanden, der ...?«

Am Mittsommertisch, gedeckt mit Plastikschnapsgläsern und Papptellern, die es ständig wegwehte, saß sie neben einem Bekannten, den sie nur hier, also einmal im Jahr, traf. Sie sagten jedesmal ungefähr dasselbe zueinander. Helen hatte ihren Teller bis zum Rand vollgeladen mit Senfhering, Matjeshering, Zwiebelhering und kleinen dampfenden Kartoffeln. Jetzt kamen die saure Sahne und der Schnittlauch bei ihr an, und sie nahm reichlich von beidem, dann noch einen Klecks Butter auf die Kartoffeln, am Ende Knäckebrot und Västerbottenkäse. Alles verlief wie üblich. Es lag eine Sicherheit in all dem Gewohnten, die sie früher nie gebührend gewürdigt hatte.

»Schön, dass bei dir alles ruhig gewesen ist«, sagte ihr Tischnachbar, mit noch ziemlich vollem Mund. »Ich wünschte, ich könnte dasselbe von mir sagen, aber ich habe wie ein Verrückter geschuftet. Du weißt, wenn man eine eigene Firma hat, muss man einfach hinterher sein. Es gibt keinen Chef, der dir sagt, was zu tun ist, und ...«

» ... Und die Kunden kommen nicht wieder, wenn man schlechte Arbeit leistet.«

»Ganz genau.«

Ihre Frage nach einem Job überging er höflich, also gab es vermutlich keinen. Ansonsten hätte sie sich sehr gut vorstellen können, für ein bisschen Geld auf die Hand seine Kuverts zuzukleben oder einfachere Telefonate zu erledigen, wo er selbst doch so beschäftigt war.

Momentan wäre jede Art von Arbeit akzeptabel. Die Krankschreibung ließ sich nicht ewig verlängern, und nach ihrem Ende war die Krise erneut vorprogrammiert. Nun ja, heute Abend nicht daran denken. Überhaupt nicht über schwierige Dinge nachgrübeln, Kopf hoch, mach schon! *Allen geht es gut. Alle sind fröhlich.* Alle sangen beim Trinklied mit. Sie hörte sich selbst überraschend schwungvoll einstimmen.

Nach dem dritten Schnaps drückte der Tischnachbar genau wie immer seinen Schenkel gegen den ihren, und wie in den Jahren zuvor rutschte sie freundlich aber bestimmt ein paar Zentimeter zur Seite. Ihre Gastgeber nährten die vergebliche Hoffnung, dass sie und dieser Gewerbetreibende aus der Gebrauchtwagenbranche sich finden und ein Paar werden könnten. Sie meinten es nur gut. Sie glaubten an die Zweisamkeit als ultimative Lebensform und übrigens tat sie das zuweilen selbst, und doch machte sie dieser Gedanke nie froh, er brachte sie nur dazu, sich einsam zu fühlen. Madeleine war viel einsamer gewesen als sie, angewiesen auf ihre Luftblase im Dasein, wo nach außen hin alles selbstverständlich und geradezu gerecht erschien. Etwas geben und etwas bekommen. Etwas nehmen und etwas bezahlen. Nie war Madeleine auf Festen wie diesem gewesen, nie hatte sie im Sommerabendlicht mit Leuten zusammengesessen, die ihr zwar nicht sonderlich viel bedeuteten, aber die doch Menschen waren wie sie. Nie hatte sie dumme Lieder über das Schnäpschen an einer Schnur gesungen und von Rönnerdal, der über die Sjösala-Wiese Walzer tanzte. So viel »nicht« und »nie«, und warum das? Vermutlich wegen der Freiheit, jener Freiheit, die – entsprechend den Normen der Gesellschaft – der höchste Wunsch jedes Individuums sein sollte.

»Es ist wirklich Wahnsinn«, sagte ihr Tischnachbar mit schwerer Zunge. »Weißt du, wie viel ich jedes Jahr an Steuern bleche? Weißt du das?! Und dabei nehme ich noch manches unterm Ladentisch ein, wenn ich ehrlich bin. Das soll man schließlich, man soll verdammt ehrlich sein, stimmt's, haha?! Was sagst du, meine Kleine, ist doch so, dass man *verdammt* ehrlich sein soll?«

Sein letzter Schnaps war zum Teil neben dem Mund gelandet. Jetzt wischte er sich das Gesicht mit der Serviette ab und legte die Hand auf Helens Arm: »Ich werde verdammt ehrlich zu dir sein, das werde ich, so wahr ich hier sitze. Du bist eines der hübschesten Weiber, das mir je begegnet ist, weißt du das?!«

Ja, sie wusste es. Sie hatte es schon früher von ihm gehört. Der Abend verlief wie immer, wie bei einer alten Schallplatte, die möglichst nicht hängenbleiben durfte, denn dann würde es schwierig werden.

Von anderen, weiter entfernt liegenden Sommerhäusern war Gesang, Gejohle und Tanzmusik zu hören. Die Birken raschelten im Abendwind, die Wiese leuchtete weiß von Wiesenkerbel und Laubkraut.

»Du«, sagte sie so vertraulich, wie sie nur konnte. »Ich habe eine Frage. Versprichst du, es mir nicht übel zu nehmen?«

»Klar doch«, stieß er hervor, »logisch, dass ich das nicht tue! Frag nur!«

»Könntest du dir vorstellen, eine Frau zu bezahlen, um Sex mit ihr zu haben?«

Seine Augen weiteten sich. Sie hielt die Luft an. Nach der ersten wortlosen Verblüffung begann er schallend zu lachen.

»Du meinst, wenn wir beide zusammen ins Bett gehen, dann willst du es bezahlt haben?!«

»Nein. Das habe ich nicht gemeint. Ich will keinen Sex mit dir. Ich frage mich nur, ob ...«

»… Ob ich mir vorstellen könnte, zu Huren zu gehen? Meine Kleine … ich hoffe, du bist mir nicht böse, wenn ich dich so nenne? Also meine Kleine, ich *gehe* zu Huren!«

Unten am Bootshaus strich eine Möwe dicht über die Bucht, auf der Jagd nach Nahrung, was sonst. Das versierte Geplauder am Tisch war in hemmungsloses Gebrüll übergegangen, was im Kontrast zur Stille des Meeres stand, wo nicht das leiseste Kräuseln den Spiegel der Wasserfläche verzerrte.

Außerirdische konnte man nicht mit einem Blick vom Rest der Menschheit unterscheiden. Im Gegenteil. Sie fügten sich ein. An ihnen war nichts Besonderes. Keine grüne Echsenhaut. Keine riesigen Untertassenaugen. Keine Insektenbeine oder Antennen. Sie sahen aus wie du und ich.

»Bist du jetzt schockiert? Ich mache es natürlich nur im Urlaub. Im Ausland. Es gehört irgendwie nicht zum Alltag, verstehst du. Aber wenn man weit weg ist von zu Hause und schöne Frauen für wenig Geld zu allem Möglichen bereit sind … Warum nicht?«

»Nein, eben«, sagte sie. »Warum nicht.«

Sie konnte nicht einfach aufstehen und gehen. Das nächste Schiff würde nicht vor morgen früh ablegen. Sie war gezwungen, sitzen zu bleiben und weiter mit ihm zu reden, und vielleicht hätte sie interessiert sein sollen. Sie hätte die Gelegenheit zu weiteren Fragen auf diesem Gebiet, das Gegenstand so vieler Studien gewesen ist, nutzen können: Warum gehen Männer zu Huren? Aber er hatte ihr bereits eine erschöpfende Antwort gegeben: Warum nicht?

Bald würde es auch zum Mittsommerbrauch gehören, dass er mitten im Satz am Tisch einschlief, so dass man ihn ins Bett transportieren musste. Er gehörte zu denen, für die ein Bettplatz reserviert war. Sie selbst würde draußen schlafen müssen.

Ihr Zelt wurde traditionsgemäß gleich hinter dem Haus

aufgestellt, wo es zwar jede Menge Mücken gab, der Boden dafür aber weder feucht noch uneben war. Wenn sie nur schnell genug ins Zelt kroch und den Reißverschluss sofort hinter sich zuzog, würden die Mücken ausgesperrt werden, und sie konnte sich in den Schlafsack schlängeln, um in einen guten tiefen Schlaf zu sinken. Zuvor wollte sie nur ihren Anrufbeantworter anrufen, um zu hören, ob irgendetwas passiert war. Sie hoffte, Örjan würde sich dieser Tage melden und ihr berichten, dass man ihn herausgelassen hatte.

Anfangs hatte sie nachts davon geträumt. Jetzt ließ sie das Träumen lieber, aber dennoch. Sie wählte ihre eigene Nummer, hörte die Ansage ab, gab den Code ein und wartete.

»Hallo, ich heiße Sofi«, sagte eine junge, sehr nervöse Stimme. »Du weißt nicht, wer ich bin, aber wir haben einen gemeinsamen Freund, Örjan. Deshalb rufe ich dich an, ich will wissen, wie es ihm geht. Ich habe gehört, er sitzt im Gefängnis, und ich begreife überhaupt nichts. Kannst du mich nicht anrufen, bitte, und erzählen, was passiert ist?! Ich heiße also Sofi, und ich habe deine Nummer aus dem Telefonbuch. Örjan hat von dir gesprochen, und ich habe mich an deinen Namen erinnert. Ich hoffe, du meldest dich, sobald ...«

Der Anruf wurde unterbrochen. Helen fluchte. Ein paar Pieptöne folgten, und dann war sie glücklicherweise wieder zu hören, jetzt noch atemloser als zuvor, diese Mädchenstimme, die ständig kurz davor war, sich zu überschlagen: »Also, ich habe vorhin offenbar so lange geredet, dass ich unterbrochen wurde. Hier ist wieder Sofi. Kannst du mich anrufen unter der Telefonnummer ...«

Sie sagte ihre Nummer langsam und deutlich, zweimal hintereinander, und Helen beeilte sich, sie mit dem Kuli auf ihren Handrücken zu schreiben. Papier für Notizen hatte sie nicht dabei. Jetzt kam es nur darauf an – genau wie damals, als sie siebzehn war und gerade einen unglaublich süßen Jungen kennengelernt hatte, der seine Nummer auf ihre Hand schrieb –, nicht zu vergessen, dass sie sich nicht waschen durfte.

Ich bin siebzehn«, sagte Sofi. »Ich hole Leuten gegen Geld einen runter oder blase ihnen einen. Verstehst du?«

Zwei dünne Zöpfe rahmten ihr Gesicht ein und ließen es schmaler und blasser aussehen, als es tatsächlich war. Der Rest des schwarzen Haares hing frei herunter und schien seit Tagen nicht mehr gebürstet worden zu sein. Sie wickelte sich den einen Zopf um den Zeigefinger, so fest, dass sich die Fingerspitze blaurot färbte.

Helen starrte ihr auf den Mund und die Hände, strengte sich wirklich an, zu verstehen. Es war nicht so leicht, wie sie gewünscht hätte.

Sie saßen sich auf dem weichen Knüpfteppich in Helens Wohnung gegenüber. Helen hatte Tee gemacht, den sie in zwei Gläser füllte. Sofi musterte sie von oben bis unten. »Ich nehme an, das hast du nie ausprobiert. Sex für Geld.«

Helen schüttelte den Kopf und versuchte, sich nicht wie eine Idiotin zu fühlen. Aus der üblichen Perspektive war sie selbst die Norm und Sofi die Abweichung, doch jetzt hatte sie das Gefühl, der Blick und Tonfall dieses jungen Mädchen kehre alles um. Diese unbeweglich starrenden Augen, wie Glasknöpfe in einem Puppengesicht, sahen die Dinge andersherum. Sie, Helen, war es, die sich jetzt erklären musste, als sei sie die jüngere und dümmere von ihnen beiden.

Weshalb fehlte ihr plötzlich die Lebenserfahrung? Warum

waren all ihre Kontakte mit dem anderen Geschlecht so unschuldig gratis gewesen?

»Darf ich rauchen?«, fragte Sofi. Ohne die Antwort abzuwarten, steckte sie sich eine Zigarette an, auf die sie nach eifrigem Wühlen in ihrer Schultertasche gestoßen war. Es war eine Tasche, die einem archäologischen Fundstück aus der Hippie-Zeit ähnelte, ein Wollbeutel in allen Farben des Regenbogens, der vermutlich von irgendeiner unterbezahlten Indianerin in Südamerika gewebt worden war.

Sofi glich überhaupt einem sehr zerbrechlichen, jungen, unversehrten Hippie-Mädchen. Ihre Nägel waren hellblau. In den Ohren baumelten Silberohrringe in der Form gigantischer Neumonde. Helen bemerkte einen schwarzen BH unter dem saloppen Batikhemd, aber sonst gab es nichts an Sofi, das nach Sünde roch. Reineren Herzens konnte niemand sein als dieses jungfräuliche Mädchen, das also den Männern für Geld einen runterholte oder blies.

»Ich bin noch Jungfrau«, hatte sie als Erstes erzählt.

»Hast du nie Angst, vergewaltigt zu werden?!«

»Ich bin doch schon vergewaltigt. Man ist es, wenn man so etwas macht wie ich, jedenfalls psychisch. Aber ich nehme an, du meinst, jemand könnte mir seinen Schwanz reinzwingen ... Tja ... Ob ich Angst habe? Ich weiß nicht. Warum sitzt Örjan im Knast?«

Sie hatten sich erst eine gute Viertelstunde unterhalten, aber Helen hatte sich bereits an die abrupten Wechsel im Gespräch gewöhnt. Ohne Vorwarnung wurde eine Sache durch eine andere ersetzt, Wichtiges und Unwichtiges durcheinander gewürfelt. Sofi mischte Trivialitäten mit Selbstbekenntnissen und enthüllte, ohne mit der Wimper zu zucken, Geheimnisse. Gerade deshalb blieb sie völlig geschützt. Sie gab nicht mehr preis, als sie geben wollte, trotz all ihrer Offenheit. Sie warf den Hunden Fleischbrocken zu, damit sie aufhörten, nach etwas zu schnüffeln, an das sie nicht heran sollten.

»Hast du nicht gehört, was ich gesagt habe? Warum sitzt Örjan im Knast?«

Sofi nahm einen Zug und blies den Rauch in Ringen aus. Sie sah Helen mit ihrem beharrlichen, starren Blick an. Hier im Zimmer, Auge in Auge mit ihr, wirkte sie unendlich viel sicherer und älter als auf dem Anrufbeantworter.

Die Stimme eines kleinen Mädchens.

Der Mund eines kleinen Mädchens.

Die Hände eines kleinen Mädchens.

»Er sitzt nicht im Gefängnis«, sagte Helen. »Er ist in Untersuchungshaft.«

»Und was ist das, verdammt noch mal, für ein Unterschied?!«

Sofi begann nervös an einem Fingernagel zu kauen, oder richtiger gesagt am Häutchen um den fast gänzlich abgeknabberten Nagel. Dennoch war es ihr gelungen, ihn so wundervoll babyblau zu lackieren. *Frauen können es*. Es gab keine Grenzen für die weibliche Kompetenz, zumindest keine, die weiter nach unten reichte.

»Wenn man im Gefängnis sitzt, ist man wegen eines Verbrechens verurteilt«, begann Helen. »Wenn man in Untersuchungshaft ist ...«

»Ja, ja, okay, die Bullen haben ihn jedenfalls eingelocht. Und weshalb?«

»Warum willst du das wissen?«

»Weil ich mit ihm befreundet bin.«

Sofis Blick hielt dem ihren stand. Die Augen loderten. Draußen glühte der Sommer schlimmer als je zuvor, hier im Zimmer lief Helen der Schweiß den Rücken hinunter. *Auch ich bin mit ihm befreundet. Unser Örjan ist der Freund vieler Leute. Vielleicht hat er sich einen gefährlich großen Kreis von Bekannten zugelegt.*

»Man hat ihn wegen Sexualmords verhaftet«, sagte Helen.

Sofis Maske fiel herunter wie ein vom Wind abgerissenes

Blatt. Ihr Gesicht wurde nackt, bebte, und die Unterlippe begann zu zittern.

»Sexualmord? Örjan?! Das ... Das ist nicht wahr, einfach nicht wahr. Das kann nicht sein!«

»Ich glaube auch nicht, dass er es getan hat, aber er steht jedenfalls unter Verdacht.«

Sofi war so bleich geworden, dass sie sich fast aufzulösen schien. An Stirn und Wangen spannte sich die Haut durchsichtig und kreideweiß über dem zerbrechlichen Schädel, und die Augen waren groß wie Seen. Sie traten über die Ufer. Sofi weinte, ohne sich zu regen oder zu schluchzen, ihr lief die Nase, ohne dass sie etwas dagegen tat. Helen streckte tröstend die Hand aus, zog sie aber wieder zurück.

»Er darf es einfach nicht gewesen sein«, flüsterte Sofi. »Denn wenn er es war, kann ich mich nicht mehr auf mich selbst verlassen, verstehst du? Dann ... Dann kann ich mich nicht mehr darauf verlassen, was ich Menschen gegenüber empfinde. Ich habe immer an mich selbst geglaubt, also, ich habe gedacht, wenn ich eine Person mag, dann ist diese Person okay. Aber wenn Örjan ein Sexualmörder ist ...«

»Wenn du ihn magst«, sagte Helen, »dann ist er okay. Dann ist er kein Mörder. Du musst weiter an dich glauben, weil ...«

»Scheiß drauf, mich zu trösten! Ich bin keine Idiotin! Ich begreife, worum es hier geht!«

Sofi hörte abrupt auf zu weinen und schneuzte sich wütend. Das Tempotaschentuch, das sie in ihrer Hippie-Tasche gefunden hatte, blieb als weißes, rotzbeschmiertes Knäuel auf dem Boden zwischen ihnen liegen, und Helen wünschte, es nicht anstarren zu müssen.

»Sexualmord«, wiederholte Sofi ein paarmal. »Ja, also. Ich frage mich, was Örjans Bruder für ein Gesicht gemacht hat, als er das erfuhr.«

»Sein Bruder? Hat er einen Bruder?!«

»Hat er dir das nicht erzählt? Sein Bruder heißt Klas, und er arbeitet beim TÜV. Er ist wohl die ordentlichste und vernageltste Person auf der Welt – meilenweit entfernt von allem, was Örjan ist, wenn man so sagen kann.«

»Und woher weißt du das?«

»Ich habe ihn kennengelernt. Auf der Geburtstagsparty zu seinem Vierzigsten, haha, Örjan hat mich mitgenommen. Er fand es lustig, mir zu zeigen, wie ein Svensson der allerschlimmsten Sorte lebt. Allerdings hat er Klas natürlich nicht erzählt, womit ich mein Geld verdiene.«

»Du hast nicht zufällig seine Telefonnummer?«

»Tja ... nee ... Aber er steht bestimmt im Telefonbuch. Also, ich möchte Örjan besuchen. Wie macht man das?«

»Hmm, alle Mädels wollen Örjan besuchen, aber das wird nur wenigen erlaubt. Das Beste ist wohl, wenn du Örjans Anwältin anrufst. Du, bist du sicher, dass Klas überhaupt erfahren hat, in was für eine Sache Örjan da verwickelt ist?«

»Woher soll ich das wissen?! Ich treffe ihn schließlich nicht gerade jeden Tag, und ... Aber ... Tja, nicht mal ich habe es ja gewusst, also woher soll er dann eine Ahnung haben? Örjan hat nicht gerade den besten Kontakt zu seinem Bruder.«

Die Zigarette war fast heruntergebrannt. Sofi schielte nach einer Möglichkeit, sie irgendwo auszudrücken, und Helen kam rasch auf die Beine, um einen Aschenbecher zu holen. Während sie noch suchte, klingelte es an der Tür.

»Tschuldigung, wenn ich störe, aber ich würde ganz gern meine fünfhundert Kronen zurückhaben!«

Nie zuvor war ihr aufgefallen, dass der Dichter von nebenan ein kaum wahrnehmbares Schonisch sprach. Vielleicht war es nur zu hören, wenn er aufgebracht war. Mein Gott, der Fünfhunderter! Sie wurde blutrot im Gesicht.

»Verzeihung«, stammelte sie. »Geht es in Ordnung, wenn ich in ein paar Minuten zum Automaten runterlaufe? Ich habe gerade Besuch.«

»Ja, ja, muss es dann wohl. Bis gleich.«

Da gingen die letzten Kronen flöten, die sie für ein neues Paar Schuhe eingerechnet hatte. Sofi saß reglos auf dem Boden; die Asche ihrer Zigarette wuchs immer gefährlicher an und würde bald auf den Teppich fallen. Ständig ging es um Kopf und Kragen. Immerzu hing alles an einem Faden. Warum war es immer nur bei ihr so?

»Hier ist der Aschenbecher. Findest du, dass du richtig eng mit Örjan befreundet bist?«

»Tja ... Erstens weiß ich nicht, ob ich überhaupt irgendwelche richtigen Freunde habe, und zweitens ... Ach was. Freunde oder nicht. Aber er ist okay. Hört zu, wenn man was erzählt.«

»Erzählst du ihm auch von deinem ... deinem Job, davon, was du tust?«

»Manchmal. Ein paar Sachen. Es gibt wohl keinen anderen Typen, mit dem ich über solche Dinge reden würde, aber

Örjan respektiert einen. Er respektiert mich, und da kann ich offen sein. Bist du seine Freundin?«

Helen wusste nicht, ob sie lachen oder weinen sollte. Ihr Herz schwoll plötzlich an. Sie dachte daran, wie er ausgesehen hatte, als sie sich dort im Besuchszimmer getroffen hatten, sah sein kurz geschorenes Haar vor sich und dass er etwas dick geworden war. Warum musste man ein Herz haben?!

»Ich weiß es wirklich nicht«, murmelte sie. »Ich weiß nicht, ob ich seine Freundin bin.«

»Würdest du es sein wollen?«

»Frage nicht so schwierige Dinge!«

Sie brachen gleichzeitig in Lachen aus. In diesem Moment gab es keinen Unterschied zwischen ihnen. Sie waren beide erst siebzehn, völlig unschuldig, und keine von ihnen hatte je einem Mann einen runtergeholt oder geblasen, niemandem war das Herz gebrochen worden, das Böse existierte nicht, und »Sexualmord« war ein leeres, unbegreifliches Wort.

Der Augenblick der Nähe währte nicht ewig. Er war vorüber, bevor sie noch begriffen hatten, dass er dagewesen war. Sofi begann, nach der Uhr zu schielen.

»Du, danke für den Tee, es war nett, mal zu reden, aber ich muss jetzt gehen.«

Sie stand abrupt auf, nahm ihre Tasche, und im nächsten Moment stand sie an der Wohnungstür.

»Warte! Da ist noch eine Sache, die ich wissen möchte. Hast du mit Örjan irgendwann mal über Sex geredet?«

»Wie über Sex?«

»Hat er mit dir darüber geredet, was er gern hat?«

Die Zeit drängte jetzt, sie konnte weder lange nachdenken, noch um die Dinge herumreden. Sofi antwortete genauso direkt, die Hand auf der Türklinke und mit einem Bein schon im Treppenhaus: »Ja, er hat gesagt, dass ihm so was gefällt, wie heißt es denn gleich, es hat einen französischen

Namen. Wenn man festgebunden wird oder Leute festbindet.«

»Bondage«, sagte Helen. »Es heißt Bondage.«

Aber da war Sofi bereits weg.

Einmal, als ich noch recht klein war, habe ich gehört, wie Vater mit Mutter schlief. Man kann einfach nicht sagen, dass sie miteinander *geschlafen haben, sondern er schlief mit ihr. Es war irgendwie nichts Gegenseitiges. Sie wollte nicht. Als er damit anfing, fauchte sie, dass sie müde sei, und bat ihn, aufzuhören, aber er gab nicht nach. Irgendwann ließ sie es mit sich machen.*

Er nahm, ohne dass sie etwas gab. Ich fand es schrecklich, die beiden zu hören, fühlte mich schmierig und dreckig, und ich fand, sie war abscheulich zu ihm. Die Leute sagen, es sei erniedrigend für eine Frau, gezwungen zu werden, aber kann es nicht ebenso erniedrigend für einen Mann sein, wenn er zwingen muss?

Es war auf dem Lande. Wir hatten ein kleines Ferienhaus an der Küste gemietet. Das war für uns ungewöhnlich, meist machten wir ja Urlaub im Ausland oder wohnten im Hotel. In diesen Hotelzimmern hörte ich sie nie Sex haben, obwohl ich manchmal im selben Raum wohnte.

Am nächsten Morgen war alles wie immer. Später am Tag fuhren wir in die Stadt. Vater lud uns zum Mittagessen ins erste Hotel am Platz ein, und dann ging er mit Mutter ins Juweliergeschäft. Sie bekam ein paar goldene Ohrringe, kleine hübsche Ringe, besetzt mit Saphiren. Sie freute sich sehr. Freute sich nicht so überschwänglich, wie manch andere, die etwas geschenkt bekommen, aber immerhin ... Tja, sie war zufrieden. Zufrieden und glücklich.

Am nächsten Abend wartete ich darauf, erneut dieses Wummern gegen die Wand zu hören, aber nichts geschah. In ihrem Zimmer war es völlig still.

Manchmal, wenn ich die Qualle treffe, denke ich an meinen Vater. Ich begreife nicht, warum. Sie sind sich überhaupt nicht ähnlich. Vielleicht liegt es daran, dass die Qualle mich gern einlädt. Er ist großzügig, und das ist Vater auch. Aber Vaters Großzügigkeit schätze ich, während ich sie bei der Qualle verachte. Vater gibt, um zu bekommen. Die Qualle gibt, um zu ... Um zu ...

Tja, vielleicht gibt er ja, um etwas zu bekommen, das ich ihm nie geben werde. Was weiß ich. Doch ich glaube eher, er gibt irgendwie ohne Grund. Er könnte alles, was er besitzt, weggeben, ohne etwas dafür zu bekommen, und das würde ihm nicht einmal etwas ausmachen. Er ist ein Loser. Er sagt, dass er mich liebt und mich aus meiner Hölle retten will. Was heißt hier Hölle?! Und wozu will er mich retten? Er will doch, dass ich ihn heirate. Er begreift nicht, dass ein Leben mit ihm eine viel größere Hölle für mich wäre.

Er will ein Ritter sein, der mich auf sein weißes Pferd hebt, und dann soll ich für alle Zeit in seinem Schloss eingesperrt leben. Und er bildet sich ein, das wäre so etwas wie Rettung? ... / Lachen/ ... Was glaubt er eigentlich, wer er ist? Manchmal bekomme ich wirklich ungeheure Lust, ihm all das ins Gesicht zu sagen. Aber im Hinblick aufs Geld wäre das bescheuert.

Eigentlich habe ich im Moment nur noch die Qualle und Monsieur. Das ist okay, mit ihrem Geld komme ich aus. Es ist schön, nicht neuen Kunden nachjagen zu müssen. Mir macht es keinen Spaß, in Hotelbars und Ähnlichem herumzuhängen. Je weniger man mich sieht, desto besser. So eine wie ich muss sich Stammkunden zulegen, und sowohl die

Qualle als auch Monsieur kommen zuverlässig immer wieder, wie können sie sich das nur leisten ... Aber bei Monsieur bekomme ich langsam verdammte Angst.

Es wird immer schlimmer.

Ich habe begriffen, dass man eine Menge Dinge tun kann, egal wie eklig sie auch sind, Hauptsache, man wird gut dafür bezahlt.

Jetzt haben wir April. Draußen werden die Bäume allmählich grün.

Ich sehne mich nach etwas, aber ich weiß nicht, was es ist.

Ich habe das Buch »Deine grenzenlose Stärke« vorwärts und rückwärts gelesen, habe nach Tipps gesucht, wie man die Sehnsucht heilen kann, aber da steht nur, dass man sich ein Ziel setzen soll.

Ich habe bereits eine Menge Ziele. Ich brauche nicht noch mehr.

Mein wichtigstes Ziel ist, Monsieur abzuschaffen.

Ich habe mir überlegt, ob ich Örjan erzählen soll, dass ich mir Sorgen mache, aber ich glaube, ich sollte ihn auf Abstand halten. Wenn man ihm auch nur einen kleinen Bissen gewährt, will er noch mehr, und ich bin kein Futter für ihn.

Ich weiß nicht recht, was ich tun soll.

Heute Morgen war ich im Schwimmbad, habe geduscht und meine Haare gewaschen. Jetzt bin ich geschminkt und fertig angezogen, um in die Stadt zu gehen und ein bisschen was einzukaufen. Ich trage die Kette mit dem Goldherzchen, die ich zur Konfirmation bekommen habe, und übrigens auch Mutters Ohrringe – diese kleinen Goldringe mit den blauen Steinen. Sie hat sie mir zu meinem achtzehnten Geburtstag geschenkt, und ich habe mich ungeheuer gefreut. Ich fand immer, dass es ihre schönsten waren. Jetzt gehören sie mir. Vater ist sicher stolz, dass ich sie habe.

Gestern, als ich mit der Qualle unterwegs war, gab es einen kleinen Zwischenfall. Eine Frau stolperte in einem der

Durchgänge von Slussen und ihre Handtasche flog auf den Boden, mir direkt vor die Füße. Ich geriet völlig aus dem Konzept, als ich ihr in die Augen sah, denn ich war mir sicher, dass ich sie kannte. Ich vergaß sogar, mich zurückzuhalten, obwohl die Qualle dabei war. Ich fragte sie, ob wir uns nicht schon irgendwo gesehen hätten.

Sie schien mich auch wiederzuerkennen. Vermutlich ist sie eine Bekannte von Örjan, wir haben uns wohl im Zusammenhang mit ihm getroffen. Manchmal, wenn ich mich extrem einsam gefühlt habe, bin ich ja mit Örjan zu Partys gegangen. Das werde ich nie mehr tun. Ich muss ihn wirklich auf Distanz halten. Er hat zu viele Bekannte. Sie können einem auf die Schliche kommen.

Heute war es an der Zeit, die Telefongespräche zu führen. Es würde schwierig werden. Es war so heiß. Helens Haus zog die Hitze förmlich an und speicherte sie in den Ziegelwänden, bis man das Gefühl hatte, in einem Ofen zu wohnen. Nachts schlief sie schlecht. Warf sich im Bett hin und her und schwitzte, obwohl sie nur unter einem dünnen Laken lag.

Die Blätter hingen schlaff an den Bäumen und färbten sich bereits gelb. Die Birken kamen mit der Trockenheit am schlechtesten zurecht, mehrere von ihnen würden diesen Sommer wegen Wassermangels eingehen. Die Hitze hatte andererseits einen guten Effekt, sie dämpfte die Geschäftigkeit der Stadt. Die Leute machten alles in Ruhe, weil es nicht anders ging.

Normalerweise herrschte in Stockholm aggressives Gehetze, jeder wollte der Erste sein. Die Stadt war klein und spärlich bevölkert, aber sie wurde von Menschen bewohnt, die glaubten, in einer Metropole zu leben. Das brachte den maximalen Stress mit sich, denn es gab jede Menge Platz zum Überholen, kombiniert mit der Wahnvorstellung, in Metropolen sei Eile geboten.

In richtigen Großstädten war das Tempo hingegen gering. Die Bewohner waren gezwungen, dem Rhythmus der Volksmenge zu folgen und darauf zu warten, dass sie an die Reihe kamen. Weil es überall so eng war, nutzte es nichts, wenn man versuchte, der Schnellste zu sein. Man kam nur dann vorwärts, wenn das Gedränge es zuließ, nicht, wenn man selbst es so bestimmte. Also hatte man keine andere Wahl, als sich im Bus zurückzulehnen, hinter dem Steuer die Ruhe zu bewahren, an den Fußgängerübergängen das Tempo zu drosseln und abzuwarten.

Den Bewohnern von Paris und London war klar, dass sie nichts an der Ankunft und Abfahrt der Züge ändern konnten, und sie warteten geduldig. Sie wussten, wollte man bei der U-Bahn ein- oder aussteigen, kam es darauf an, zu kommunizieren. Man war gezwungen, zu sehen und gesehen zu werden. Nirgendwo sonst hatten Großstädter die Möglichkeit, ihre Mitpassagiere in der U-Bahn derart zu missachten wie in Stockholm. Nur ein Stockholmer glaubte, der Zug käme schneller, wenn er von einem Fuß auf den anderen trat und unentwegt auf die Uhr starrte.

In diesen Tagen aber machte niemand Stress. Die Leute saßen still und auf den Parkbänken und holten Luft, gönnten sich eine halbe Stunde, um ein Eis zu essen. Niemand drängelte. Es war wie in einem Film über eine Hitzewelle in New York.

Helen wünschte sich einen Ventilator, so einen, der wie in amerikanischen Fernsehserien an der Decke von Privatdetekteien rotierte. Sie fantasierte von einem Büro mit eisgekühlten Glastüren und einer Flasche Whisky in der Schreibtischschublade. Sie wollte sich wie in einem Krimi fühlen.

Das hier fing an, spannend zu werden.

Das Leben erschien plötzlich verblüffend einfach. Die Angst ließ langsam nach. Helen war guter Dinge und erleichtert, ja, sie hatte Lust zum Spielen.

Sie spielte, sie hätte die Hauptrolle in einem Film übernommen, bei dem sie selbst Regie führte. Natürlich wusste sie, dass es ein kindisches Spiel war. Sie begriff, was sie stattdessen eigentlich hätte tun sollen. Die Polizei müsste die Chance erhalten, herauszufinden, wer dieser Monsieur war – Örjan zuliebe und wegen Madeleine. Aber was war, wenn Örjan freigelassen wurde, direkt zu Farsaneh ging, sich mit ihr auf die geplante Reise in den Orient begab und sie selbst hier allein zurückließ …

Unerträglich, sich vorzustellen, wie seine Lage im Untersuchungsgefängnis sein mochte, aber solange er dort drinnen saß, konnte sie ihn jedenfalls nicht verlieren. So wollte sie nicht denken. Sie wusste nicht einmal, dass ihr Unterbewusstsein so für sie dachte. Die meisten von uns sind bereit, Dinge, die sie nicht verlieren wollen, wegzuschließen. Viele von uns vermengen Dinge und Menschen, und wer weiß denn schon, was unter der Oberfläche eines jeden von uns gärt …

Kann ich von Dingen verändert werden, die meine Vorstellung von mir selbst ins Wanken bringen?

Möchte ich mich selbst kennen?

Helen wollte sich nicht selbst kennen. Sie wollte nicht einsehen, dass sie, solange sie die Kassetten behielt, auch die Macht über einen Mann behielt, dessen Tun sie andernfalls nicht steuern konnte.

Sie lauschte Madeleines Bändern, als gehöre die aufgenommene Stimme einer fiktiven Person, nicht einem wirklichen Menschen aus Fleisch und Blut.

Madeleine spielte im Film mit, genau wie sie selbst.

Örjan ebenfalls.

Alle.

Wirklichkeit und Fantasie vermengten sich.

Das war Helens Methode, die Dinge zu ertragen. Wenn sie so tat, als sei die ganze Sache nur ein Spiel, wurde sie nicht in die Dunkelheit der Realität gezogen, ertrank nicht in ihrer eigenen Hilflosigkeit. Sie brauchte die Tragweite dessen, was sie an jenem Tag in Madeleines Wohnung erlebt hatte, nicht zu verstehen.

Der Mensch war ein widerwärtiges Tier. So viel hatten sie der Anblick der Sterbenden und die Erkenntnis, dass dieser Tod das gewollte Werk eines anderen Menschen war, gelehrt. Sie konnte dieses Widerwärtige ertragen, aber nur, wenn sie sich – wie im Kino – von der darin liegenden Spannung fesseln ließ. Wenn sie so tat, als hielte sie die Fäden in der Hand und könnte den Verlauf der Ereignisse und auch die Menschen um sich herum lenken, als hätte sie ein Recht dazu.

Im Kosovo töteten die Menschen einander jetzt nicht mehr. Nun blieb den Vertriebenen nur, ihre verwüsteten Häuser wieder aufzubauen. Für Helen war es unvorstellbar, aus ihrer Heimat fliehen zu müssen, nie hatte sie erlebt, wie Freunde und Angehörige vor ihren Augen ermordet wurden. Sie hatte nur eine einzige Erfahrung von Gewalt, die Leben zerstört, und diese Gewalt nannte sie krank. Wie groß war wohl der Teil der Menschheit, der demnach krank war?

Die Person, die Madeleine getötet hatte, war nicht kränker als jede andere.

Wir alle sind infiziert. Ich selbst bin Teil dieser Krankheit.

Sie musste über bestimmte intime Dinge mit Farsaneh reden. Das würde schwierig werden, aber es war nicht zu vermeiden.

Außerdem wollte sie diesen Mann vom TÜV treffen, Klas, Örjans Bruder.

Vielleicht wusste er Dinge über seinen charmanten kleinen Bruder, die alle anderen um Örjan herum – diese strahlenden Frauen – nicht kannten.

Örjan konnte Abgründe in sich haben, die sie dazu bringen müssten, sich so weit als möglich von ihm fernzuhalten.

Hingegen zog es sie dorthin, an den Rand dessen, was vielleicht abgrundtief und schwarz in ihm war. Sie müsste wohl Angst verspüren, doch er konnte ihr nichts tun, solange sie das Dunkel in ihm ahnte und auf der Hut davor war. Außerdem hatte er Madeleine vermutlich nicht getötet.

Aber er könnte es getan haben.

Diese Möglichkeit war ihr nicht mehr fremd.

Natürlich hatte sie keine Ahnung, was die polizeilichen Ermittlungen erbracht hatten. Jeder Versuch, es herauszufinden, wäre zwecklos, sie würden schweigen wie ein Grab. Helen war eine Zeugin, und deshalb musste sie auf Distanz gehalten werden. Sie war auf ihre eigenen Spekulationen angewiesen, und die bewegten sich frei in alle Richtungen.

Um an einem heißen Tag telefonieren zu können, brauchte man – wenn es um ernste Gespräche ging – bestimmte Requisiten. Sie hatte keinen Ventilator und keinen Whisky, hingegen ein paar Tafeln Keksschokolade und einen Krug mit eiskaltem Schwarze-Johannisbeer-Tee. Farsanehs Nummer kannte sie auswendig, und Örjans Bruder ließ sich bestimmt durch einiges Herumtelefonieren ausfindig machen. Es gab vier Personen mit seinem Namen im Stockholmer Telefonbuch, und eine von ihnen musste der Gewünschte sein.

Sie hatte sich bequem hingesetzt. Der Schweiß lief ihr den Rücken hinunter, und die Stirn klebte, aber das kam nur von der Hitze.

Farsaneh meldete sich viel zu schnell, nach nur anderthalb Klingelzeichen, als hätte sie schon wartend dagesessen, die Hand am Hörer. Helen war völlig überrascht, schluckte das, was sie auf der Zunge hatte, hinunter und brachte zunächst kein Wort heraus. Dann äußerte sie viel zu schwach und mit einer Stimme, die sich mitten im Satz überschlug: »Hier ist Helen. Du, da ist eine Sache, die ich dich fragen muss.«

»Bitte sehr. Frag nur.«

Farsaneh klang amüsiert und überhaupt nicht verwundert. Es hätte nicht schlimmer anfangen können.

»Ich hoffe, du findest nicht, dass ich mich in Dinge einmische, die mich nichts angehen. Ich möchte gern wissen, was ihr beide, Örjan und du, gemeinsam habt. Was ist es, das ...«

»Sex«, unterbrach Farsaneh. »Was wir gemeinsam haben, ist Sex.«

Das Herz nicht berühren lassen. Nicht zulassen, dass es zu flattern oder zu weinen beginnt. Es gab kein Herz. Weiter im Text: »Ich verstehe. Aber was für eine Art von Sex?«

»Willst du Details wissen?! Was bist du, eine Spannerin?«

Farsanehs Stimme war so kratzig wie Rosshaar geworden. Sie sprach das Wort »Spannerin« mit einem Akzent aus, der es unschuldig, beinahe lächerlich klingen ließ, und diese kleine sprachliche Vibration ermöglichte es Helen dennoch, weiterzumachen. Was die Sprache anging, war sie Farsaneh überlegen, egal wie die Machtstrukturen zwischen ihnen sonst aussahen. Also brauchte sie nicht den Mut zu verlieren.

»Du kannst mich nennen, wie du willst«, sagte sie freundlich. »Aber ich muss einfach wissen, ob ihr beide irgendetwas über das Normale hinaus gemacht habt. Ist er sadistisch veranlagt? Hatte er Spaß daran, dich zu fesseln?«

Farsaneh holte hörbar Luft. In ihrem Schweigen lag die akute Gefahr, dass sie den Hörer jeden Moment auflegen und sich weigern würde, je wieder ein Wort mit Helen zu wechseln. Es gab keine Möglichkeit, dieses Risiko zu vermeiden.

»Ich habe begriffen, dass du meinst, eine Beziehung zu Örjan zu haben, die über bloße Freundschaft hinausgeht«, sagte Farsaneh in einem Schwedisch, das durch ihren Zorn im Moment glockenrein klang. »Du bist in ihn verliebt, oder? Du glaubst vielleicht, ihr beide hättet ein Verhältnis. Dann solltest du seine Neigungen ja wohl kennen. Er hat dich also nie festgebunden? War nie grob zu dir?«

Erhellende Augenblicke werden oft als Idylle beschrieben, als Früchte positiver Umstände. Dieser Moment war ein erhellender Augenblick, doch das Licht, das er auf die Umstände warf, war nichts Gutem entsprungen. Es resultierte aus dem Hass.

Du liebst ihn, dachte Helen, und er hat dich gefesselt. Es gefiel ihm, grob zu dir zu sein. Gut.

»Ging es jemals so weit, dass er dich erschreckt hat?«

Ihre Stimme war jetzt sanft geworden. Farsaneh schien sich nicht dagegen wehren zu können. Sie antwortete ganz ruhig und ohne jede Wut: »Wenn man nie Angst hat, ist es nichts. Ja, er hat mich manchmal erschreckt, und ich habe es genossen. Und jetzt will ich nicht mehr mit dir reden, und ich will auch nicht, dass du noch mal hier anrufst.«

Erhellende Augenblicke konnte es vielleicht inmitten von

Gewalt und Schmerz geben, wenn man Gewalt und Schmerz bewusst und im gegenseitigen Einvernehmen als Methode einsetzte – nicht, um zu schaden, sondern um die Möglichkeit zur Begnadigung zu schaffen. Vielleicht hatte Farsaneh zusammen mit Örjan Augenblicke voller Gnade erlebt. Helen wusste es nicht und wollte es auch nicht wissen.

Sie wollte keine Angst vor jemandem haben, den sie liebte; sie sah keinen Sinn in einem Liebesverhältnis, wenn es sich darin definierte, dass man Angst hatte. Vielleicht würde sie Örjan deshalb nie so nahe kommen können wie Farsaneh, und in dieser Erkenntnis lag ein erhebliches Maß an Schmerz und keinerlei Gnade. Das Herz hatte sich trotz allem nicht außen vor halten lassen.

Und jetzt?

Sie musste es wissen.

Also Konzentration. Die Nummer von Klas wählen, eins, zwei, drei und los.

Bei der ersten Nummer meldete sich ein Mann, der erklärte, nie von einem Örjan gehört zu haben.

»Entschuldigung, dann habe ich mich geirrt.« Den Hörer aufgelegt. Konzentration. Klas Nummer zwei hatte einen Anrufbeantworter, der mitteilte, während der Geschäftszeiten sei er bei der S-E-B-Bank erreichbar. Es war jetzt keine Geschäftszeit, aber die S-E-B-Bank war auch nicht der TÜV, also spielte es keine Rolle. Falls der große Bruder Klas nicht seinen Lebensweg geändert hatte. So etwas kam schließlich vor. Konzentration! Klas Nummer drei hatte eine Adresse in Järfälla: »Ja, ich bin Örjans Bruder«, sagte er, »und wer will das wissen?«

Sie hatte vergessen, sich vorzustellen. Keinen Whisky, keinen Ventilator und keinen Stil. Sie riss sich zusammen: »Ich heiße Helen und bin eine gute Freundin von Örjan. Ich weiß nicht, ob Sie gehört haben, was ihm passiert ist?«

»Ja, danke, dieser Taugenichts sitzt in Haft, so viel ist mir bekannt. Es ist nicht das erste Mal, dass er Ärger macht. Was hat er getan, können sie mir das sagen? Warum hat man ihn eingelocht?«

»Hat er schon früher Probleme gehabt?«

Klas murmelte, dass er in Eile sei, die Familie wolle sich ein Haus anschauen: »Wir denken darüber nach, uns zu vergrößern, aber das geht Sie ja eigentlich nichts an. Ich muss jetzt los. Wenn Sie noch weiter reden wollen, rufen Sie heute Abend nach sechs an.«

Klicken. Ihr Digitalradio zeigte 11.43 Uhr. Die Zeit würde lang werden.

Die Temperaturen in Schweden sind selten extrem«, steht in den Reiseführern über unser Land, und es stimmt, nicht einmal in diesem Julimonat, wo die Hitze außerordentlich und lang andauernd ist, ist sie schwer zu ertragen. Der Wind bläst durch die Stadt, bis alles wie ein einziges Geglitzer wirkt; bis sich Wasser, Laub und Felsen im Blickfeld vermischen und die Weltränder aufweichen. Tatsächlich ist nichts so schwer, wie man denken könnte.

Wenn das Warten übermächtig und die Gedanken quälend werden, kann man das Rad nehmen. Man kann aus der dunklen, drückenden Wärme zwischen den steinernen Wänden hinausfahren, zu Park, Wind und Wolken. Der Teppich der Kumuluswolken liegt am Himmel wie eine Verheißung von Regen, Tag für Tag dasselbe, ohne dass etwas geschieht. Manchmal steigen die Wolken höher und verdichten sich zu einer Gewittersäule vor dem gewaltigen Blau, doch mehr passiert nicht. Die Hitze hält weiter an. Man kann sich müde radeln im windigen Licht, kann die Kopfschmerzen wegblasen lassen auf Sandwegen, die von Picknickgesellschaften umlagert sind und von Heerscharen weißwangiger Gänse, die überall hinkacken, wirklich überall, und das Gras an den Böschungen millimeterkurz fressen.

Ein gleichmäßiger Strom von Schiffen und Booten ist auf dem Weg in die Stadt, durch den Kanal von Isbladsviken nach Djurgårdsbrunn und Strandvägen. Entlang des grünen Wassers, gefleckt von Sonne und Schatten und wieder Sonne, werden Barsche und größere Fische geangelt. Bei Lilla Sjötullsbron stand unsere Heldin früher und spielte Pu-Stöckchen mit ihrem Sohn, als er noch ein kleiner Pummel und ganz in ihrer Nähe war; jetzt ist er weit weg. Er ist in eine Welt der Finsternis entschwunden. Sein Vater hatte gerade angerufen und erzählt, dass er falsche Freunde und Ideale habe. Was soll eine Mutter da tun? Was kann sie tun?

Sie radelt sich müde. Draußen auf Blockhusudden legt sie eine Pause ein. Kauft sich eine Flasche Limonade, sitzt im Café und beobachtet die Schiffe, die in Richtung Stadtkern und Södermalm fahren. Dann erneut aufs Rad, treten, treten und nochmals treten, bis es sich in ihrem Kopf wie in einem Karussell dreht, ohne dass die Bewegung etwas bringt oder verändert. Am Ende ist es leer dort drinnen, still und leer.

Alles scheint weit weg. Wer den Mord begangen hat, und dass jemand tot ist, ist nicht mehr so wichtig. Dennoch hat sie vor, nach sechs anzurufen, als spiele all das noch eine Rolle für sie. Aber so war es ausgemacht: »Rufen Sie nach sechs an.«

Im Moment ist es ihr gleich, wie er, der dort hinter Schloss und Riegel sitzt, sich fühlt. Er geht sie nichts an. War nur ein Spiel. Was verspürt sie für ihn? Liebe? Auf keinen Fall. Was er aufwühlt, ist nur Hitze, eine Hitze, die nicht vergeht, die wie eine Wespe summt und sticht. Eine sinnlose Hitze, der man nicht entrinnen kann, voller Besessenheit und Lust nach Macht, Lust, zu besitzen oder zu schaden, wenn man schon nicht besitzen kann.

Das ist keine Liebe. Das ist Niedertracht.

Ihr Sohn mit den Pu-Stöckchen und den unermesslich tiefen Augen riskiert, im Dunkel zu versinken. »Wenn ich zwischen den Kumpels und dir oder Mama wählen muss, dann wähle ich meine Kumpels.« Das hat er gesagt, laut seinem

Vater: »Es ist vermutlich nur eine Laune, die bald vergeht. Bis dahin müssen wir einen kühlen Kopf bewahren. Es ist ein gefährliches Terrain, auf dem er sich bewegt.«

Gefährliche Terrains gibt es so viele. Plötzlich endet der Radweg an einem Abgrund, und sie fällt schreiend – nein, sie fällt nicht. Alles ist wie immer. Die Bäume stehen schützend um sie, und der Boden unter ihr ist fest und sicher. Aber vielleicht stößt sie jetzt an ihre Grenzen – vielleicht aber auch nicht. Vielleicht schafft man mehr, als man glaubt. Immer und immer wieder mehr, als man glaubt …

Sie ist machtlos, und möglicherweise ist ja alles ihre Schuld. Wer weiß? Keiner. Keiner kann eine Antwort geben. Ein Rasensprenger hält den Rasen des Gartenlokals am Leben, in dessen Mitte die blaugelbe Fahne an einer Stange flattert. Die Äpfel an den Bäumen schwellen. Die vielen Wespen sind eifrig zugange, und die grüne Farbe blättert von Stühlen und Tischen. Sie hat ihre Flasche längst geleert und ist schon wieder weit entfernt von diesem Ort.

Es gibt keine Geschichte, die man zum Trost erzählen könnte, und gäbe es eine solche, würde Helen sie nicht kennen. Sie hat ihr Märchenbuch vor so langer Zeit verloren, dass sie alle Geschichten darin vergessen hat. Sie erinnert sich kaum, je ein solches Buch besessen zu haben. Sie fährt auf dem Rad, eine tote Mama in ihrer Brust, *nie mehr würde sie ihn in den Schlaf wiegen …*

Durch den Hochsommernachmittag mit seinem Geruch nach Heu und Gras radelt sie nach Hause, falls es ein »Zuhause« überhaupt gibt, während die Wellen an die Felsen unterhalb der Café-Terrasse schlagen, wo sie soeben noch gesessen hat. Eine leere Flasche ist auf dem Tisch zurückgeblieben. Ein Surfer, eine Ålandsfähre und ein Segelboot mit norwegischer Flagge gleiten jetzt dort vorüber. Dieses »Jetzt« ist genauso unbeständig wie »zu Hause«.

Zu Hause geht sie ihr Bücherregal durch. Alles, was mit

der geplanten wissenschaftlichen Arbeit zu tun hat, wird in Kisten verstaut. Es wird ohnehin nichts daraus. Die Dichtung hat sich ihr verschlossen, und jetzt werden ihre Spuren beseitigt. Mappe um Mappe voller Notizen landet in Umzugskartons, die Helen vom Dachboden geholt hat. Sie hatte so viele Ideen. Hatte so viel gesehen in den Windungen der Sprache, in ihrer Tiefe. Aber diese Zeit ist vorbei.

Meine fünfhundert Kronen!«

Jetzt ist der Dichter richtig wütend. Er steht auf ihrer Schwelle, nachdem er ausdauernd an der Tür geklingelt hat. Sie begreift seinen Zorn nur zu gut. Murmelnd entschuldigt sie sich, lässt die letzten staubigen Bücher auf den Boden plumpsen und stürzt sofort die Treppe hinunter. Vor dem Geldautomaten warten ein paar Leute, und sie tritt ungeduldig von einem Fuß auf den anderen. Sie ist eine typische Stockholmerin, sie will ihr Geld sofort! Ohne von ihrer Eile Notiz zu nehmen, spuckt der Automat ihre letzten armseligen Kronen aus, die sie schließlich dem Nachbarn überreicht.

»Die Sache ist mir schrecklich peinlich«, sagt sie, »aber ich war völlig durcheinander, als ich das Geld von Ihnen geliehen habe. Eine Bekannte von mir war gerade ermordet worden, verstehen Sie. Das ist zwar keine Entschuldigung, aber ...«

»Ermordet? Das ist nicht Ihr Ernst?!«

In seinen Augen entzündet sich ein Funkeln. Sie spürt, wie der eiserne Vorhang krachend herunterrasselt, mehr gedenkt sie nicht zu erzählen. Ihr Mord soll nicht in seiner Lyrik verbraten werden. Ach, ist das jetzt »ihr« Mord?! Offensichtlich.

»Sie sollen eine Art Zinsen erhalten«, hört sie sich plötzlich sagen. »Sie müssen sich absolut nicht verpflichtet fühlen, das hier zu lesen, aber ... Ja, ich habe ein paar Gedichtheftchen publiziert ... Hier, bitte sehr.«

Er wirft einen Blick auf den Umschlag der Bücher, doch es misslingt ihm total, Interesse zu heucheln. Eine misstrauische Falte bildet sich zwischen seinen Augenbrauen und bleibt da. Sie bereut die Sache bereits, aber jetzt ist es zu spät, die Bücher wieder an sich zu nehmen. Wenn er nur gleich gehen würde! Er tut es. Verschwindet in seine Wohnung, und die Tür fällt mit so viel Nachdruck ins Schloss, als wolle er sie nie mehr öffnen.

Draußen gibt die Hitze nicht auf. Sie hält Svealand in eisernem Griff. Nein, die Temperaturen in Schweden werden niemals extrem, und gerade deshalb ist die Hitze *schwer* zu ertragen. Niemand ist daran gewöhnt, niemand weiß, wie man einer Hitzewelle wie dieser begegnet. Resignation überall.

Die weißwangigen Gänse erheben sich in die Luft. Kreischend patrouillieren sie ein Weilchen über dem Wasser, bis sie ein Stück weiter entfernt wieder landen, so, als sei dort alles besser. Die Stadt sammelt sich zu einem weiteren Abend, dieser kleine Ort in der Nähe des Polarkreises, der wirklich nur aus einem Haufen glitzernder Lichter in einer Unendlichkeit von Wasser, Nadelwäldern und Wildnis besteht. Und diese Wildnis drängt sich bis ins Zentrum hinein. Dort kitzelt sie wie eine Zunge, wie Finger.

Als Helen sich schwitzend auf dem Bett ausstreckt, nachdem sie mit dem Aussortieren der Bücher fertig ist, denkt sie an seine Zunge, die nicht zu ihr gelangt. Seine Zunge ist eingesperrt, liegt wie tot hinter Gittern. Sie denkt an seine Hände, nein, nur an die Hände von irgendjemandem, es geht nicht mehr um ihn, oder? Sie weiß es nicht. Sie versteht nicht, wer er ist, und kann nicht einmal versuchen zu erraten, was er getan hat und was nicht. Er oder jemand anders?

Es durchströmt sie in Wellen, rot und heiß. Ihr Unterleib zieht sich zusammen. Er oder jemand anders?

Jemand.

Hitze. Salz. Feuchte Finger.

Am späten Abend – nachdem sie mit Örjans Bruder am Telefon gesprochen und verabredet hatte, ihn und seine Familie am nächsten Tag zu besuchen, nachdem sie in einem Anfall von Raserei in jedem Winkel ihrer Wohnung staubgesaugt, allen alten Dreck beseitigt und die Räume klinisch sauber gescheuert hatte, nachdem sie die Wäsche gewaschen, den Abwasch erledigt und die Fenster geputzt hatte –, am späten Abend dieses Tages blieb sie mit einem Taschenbuch, das bei der Wegwerfaktion Gnade gefunden hatte, am Küchentisch sitzen.

Es war, als ob Helen erst jetzt, nachdem sie alle weltlichen Ambitionen in Bezug auf die Dichtung abgelegt hatte, erneut einen Blick für dieselbe bekommen würde. Als sie noch versuchte, ihren Lebensunterhalt mit der Poesie zu verdienen, verschloss sich ihr diese und verstummte. Aber jetzt ... Sie las:

Alle Geschichten handeln von Kämpfen der einen oder anderen Art, Kämpfen, die mit Siegen oder Niederlagen enden. Alles läuft auf den Schluss zu, an dem die Folgen klar werden.

Gedichte kümmern sich nicht um die Folgen, sie überqueren das Schlachtfeld und versorgen die Verletzten ... Sie bringen eine Art Frieden mit sich. Nicht, indem sie Schmerzen lindern oder beruhigende Worte anbieten, sondern in-

dem sie bestätigen und versprechen, dass das, was man erlebt hat, nicht verschwindet, als sei es nie geschehen. Dennoch verspricht die Poesie nicht, Denkmäler zu errichten … Das Versprechen besteht darin, dass die Sprache jene Erfahrungen, die sich laut bemerkbar machen und Forderungen stellen, berücksichtigt und ihnen zustimmt.

Im Augenblick war sie aller Dichtung, allen Friedens beraubt und der Geschichte über sich selbst ausgeliefert. Allmählich würde sie das Ende erfahren und die Folgen verstehen. Sie zitterte vor diesem Moment, ungewiss, wie er sich gestalten würde.

Wer war Freund und wer Feind auf diesem Schlachtfeld, wo der Rauch der Brände alle Konturen verschwimmen ließ? Sie hielt Waffen in der Hand und sah keinen anderen Ausweg, als sie zu benutzen, auch wenn das Ziel des Kampfes diffus und unbegreiflich war. Vielleicht hatte so mancher Frontsoldat in den Weltkriegen Ähnliches empfunden. Sie schämte sich dieses Vergleichs. Ihr Leben stand schließlich nicht auf dem Spiel.

Oder doch?

Ihr Herz und ihre Seele standen auf dem Spiel und damit ein Teil ihres Lebens. Sie las:

Das Gedicht steht dem Gebet näher als der Erzählung, doch existiert in der Poesie niemand jenseits der Sprache, an den man sich richten könnte. Die Sprache selbst muss zuhören und zustimmen … Bei aller Dichtung müssen die Worte zunächst gegenwärtig sein, bevor sie zum Kommunikationsgegenstand werden können.

Wenn die Geschichte zu Ende war, konnte die Dichtung beginnen, ganz neu, als sei sie nie berührt worden. Sie selbst würde sich am Ende von allem, was die Poesie belastete, lösen; der Prozess hatte bereits begonnen. Die Umzugskisten mit dem Material, das ihre Arbeit hatte werden sollen, standen im Flur, am Dienstag würden sie abgeholt werden. Was sie gefesselt hielt – die Ereignisse der Wirklichkeit, die schwerer und bedrückender waren, als sie es in einer erfundenen Geschichte hätten sein können –, würde zu Ende gehen, wie jeder Albtraum.

Für wie viele Lyriker verstummte die Dichtung im selben Augenblick, in dem der Erfolg die Poesie von einem Ort der Freiheit zu einer Einnahmequelle und dem Weg zum Ruhm verwandelte? Wie stellten sie es an, dieses Geheimnis – dass die Dichtung verstummt war – vor sich selbst und ihrer Umgebung zu verbergen und einfach weiterzudichten, weiter Preise zu gewinnen und sich Stück für Stück einen Namen aufzubauen?

Der Dichter verlegt die Sprache hinter die Reichweite der Zeit, oder präziser: Der Dichter nähert sich der Sprache, als wäre sie ein Ort, ein Treffpunkt, wo die Zeit nicht das letzte Wort hat, sondern selbst umfasst und umschlossen werden kann.

Draußen begannen die Kirchenglocken zu läuten. Es war Mitternacht, und bald musste sie ins Bett. Morgen würde sie den Vorortzug zu Klas nach Järfälla nehmen, und sie wollte richtig ausgeschlafen sein, wollte ein paar Dinge gründlich durchdacht und ausgiebig gefrühstückt haben.

Es war so viel Zeit vergangen, seit Örjan und sie sich getroffen hatten. Wenn sie kontinuierlich mit ihm hätte reden können, wäre es möglich gewesen, Dinge zu bestätigen, zu widerlegen und zu nuancieren, aber eine solche Kommunikation war im Augenblick verboten. Alles, worüber sie verfügte, waren eine Menge Vorstellungen und Spekulationen, die ihr durch den Kopf gingen, ohne richtig Fuß zu fassen. Sowohl Horrorvisionen als auch Ikonisierungen seiner Person drohten, sich ins Übermächtige auszuwachsen:

Er war ein Mörder.

Er war unschuldig.

Mörder.

Unschuldig.

Sie fand sich zwischen diesen beiden Polen nicht zurecht.

Sie wusste nicht, ob sie ihn liebte, bevor sie wusste, ob er ein Mörder war oder unschuldig. Die Antwort auf diese Frage verdeckte der Rauch vom Schlachtfeld. Vielleicht war gerade in ihrem Fall ein Problem auf die Spitze getrieben worden, das zwischen Liebenden eigentlich immer existierte, zumindest so lange die beiden einander lieber erträumten als miteinander kommunizierten: Man weiß nicht, wer der andere ist. Man entdeckt seine Abgründe nicht. Stellt sich vielleicht Abgründe vor, die es nicht gibt.

Mörder?

Unschuldig?

Als Klas erfuhr, warum Örjan in Haft war und welche Rolle sie, Helen, am Tatort und in Örjans Leben gespielt hatte, da kamen ihm zunächst die Tränen. Danach erklärte er ganz ruhig, er habe Dinge zu erzählen, die wichtig sein könnten. Er wolle sie mit ihr besprechen, bevor er eventuell die Polizei verständige.

Die Wärme im Reihenhaus war drückend. Trotz des Sommerwetters schienen Klas und seine Frau nicht gerade häufig zu lüften. Von dem mit Kiefernholz getäfelten Flur öffnete sich ein Rundbogen zum Allerheiligsten, dem Wohnzimmer. Ein paar üppige, obszön ochsenblutrote lederne Ecksofas erinnerten an einen Mund, der gleich alles verschlingen würde: Schmuckgegenstände, silberne Taufgaben und Familienporträts im Bücherregal, die Vitrine mit Schnaps- und Likörflaschen und geschliffenen Kristallgläsern, die Bilder an den Wänden, auf denen Katzen, Fischerhütten und ein Elch im Sonnenlicht zu sehen waren, die Ficus-Töpfe auf dem Fensterbrett, die Piedestale mit den gewaltigen Goldranken und Porzellanblumen, der Kronleuchter, das Stereoregal, das CD-Gestell, wo »Arvingarna« und »Vikingarna« klassischen Hits und Absolute Music den Platz streitig machten. Alles lag in der Gefahrenzone. Der Sofatisch aus Glas und Messing war schon auf halbem Weg in den Schlund, zusammen mit allem, was darauf stand: Ein Teller mit selbst gebackenen Hefestücken, eine Tosca-Torte, eine Thermoskaffeekanne und drei Sonntagstassen, auf denen Möwen abgebildet waren.

Genauso soll man leben, dachte sie. So leben Familien mit Kontinuität. In solchen stickigen Reihenhäusern wird den Kindern die Luft genommen. Die Mütter brauchen sich nie von ihren Kindern zu trennen. Sie können sich bis ans Lebensende festklammern. Wenn ich so gelebt hätte, wäre ich nie in Frage gestellt, nie abgetrennt worden. Nie hätte man mir alles genommen, und nie wäre ich frei geworden.

»Wir sind froh, dass Sie sich die Zeit genommen haben, herzukommen«, sagte Klas.

Er sah Örjan so herzzerreißend ähnlich, dass es ihr einen Stich versetzte. Dieselben Augen, derselbe Haaransatz, dasselbe Grübchen am Kinn und der weiche Zug um den Mund. Dieselben Lippen.

»Ich bin froh, dass ich kommen durfte«, murmelte sie.

Klas war rot um die Augen. Seine Frau auch. Sie hatte versucht, die Schwellung nach den Tränen des gestrigen Abends und der Nacht mit einer dicken Schicht Make-up zu überdecken, doch hatte die Schminke für ihre Haut die falsche Farbe. Der Schmerz, der verborgen werden sollte, wurde durch das Übertünchen nur noch deutlicher. Das zu sehen, tat weh.

Die Wirkung von Madeleines Tod breitete sich aus wie Ringe auf dem Wasser. Dieser Tod erschütterte das Leben einer viel größeren Anzahl Menschen, als Helen sich hatte vorstellen können. In ihrem Inneren tauchte das Bild von Madeleines Eltern auf. Sie sah vor sich, wie es ihnen jetzt wohl ergehen mochte, wie sie Abend für Abend in ihrer Wohnung in Östermalm saßen und sich anstarrten, stumm und hilflos wie Erdbebenopfer in den Trümmern all dessen, was sie sich aufgebaut hatten. Auch hier in dem ganz normalen Reihenhaus in Järfälla war eine Welt zusammengebrochen, und so viele andere Welten – einschließlich ihrer eigenen – waren ins Wanken geraten.

»Du – wir sagen doch du? – du bist also dort gewesen, als es passiert ist?«, fragte Klas.

Er versuchte, gefasst zu wirken, aber seine Hände zitterten, als er ihr Kaffee einschenkte, so dass ein ordentlicher

Schwapp neben der Tasse landete. Seine Frau war sofort mit einer Serviette zur Stelle. Das Zuhause der beiden war blank gewienert und schmuck wie eine Puppenstube.

Klas war in Helens Alter. Dennoch schien es, als gehöre er einer anderen Generation an – einer Generation, die eine materiell beständige Welt um sich aufgebaut hatte, während sie selbst ihr Leben bisher dazu genutzt hatte, im Dunkeln zu tappen und zu sehen, wie die Dinge um sie herum zusammenstürzten.

Schon seit ihrer Jugend hatte sie mit gedankenlosem Eifer solche Leute wie ihn und seine Frau verachtet. Diese Reihenhausfamilien, diese Haus-, Auto- und Hund-Menschen, die durch Ratenzahlungen und andere Pflichten gebunden waren und ihre Seele vernachlässigten. Jetzt packte sie plötzlich eine unvernünftige Sehnsucht nach genau diesem Leben.

In einem solchen Leben würde sie nicht darüber nachgrübeln müssen, wer sie war und wohin ihr Weg sie führte. Stattdessen würde sie all ihre Kraft für andere Dinge aufwenden, beispielsweise um den Holzboden der Terrasse zu ölen und darüber zu fluchen, dass die Waschmaschine streikte. Sie würde Rührkuchen backen, den Kindern die Nase putzen und sie zum jeweiligen Sporttraining oder Blockflötenunterricht fahren. Manchmal am Abend, wenn sie ein Stündchen für sich erübrigen konnte, würde sie ein Buch lesen. Nichts Kompliziertes oder Tiefgehendes – dazu hätte sie nicht die Kraft nach einem Arbeitstag im Krankenhaus, geprägt von Unterbesetzung und Stress. Sie würde dann nämlich sechs Stunden am Tag als Hilfsschwester arbeiten. Lieber las sie ein Taschenbuch von der Bestsellerliste, das von Leidenschaft, jähem Tod und den Dingen handelte, die in der Wirklichkeit nicht existierten, zumindest nicht für Leute wie sie, Gott sei Dank.

Sie würde nie davon träumen, alles hinter sich zu lassen und nur mit dem, was in ihren Rucksack passte, durch die

Welt zu ziehen. Sie würde keine ichbezogene Lyrik schreiben oder kostbare Stunden mit Herumsitzen und Grübeln vergeuden. Keinerlei Fantasien über Sex mit fremden Männern würden ihre Liebe zu jenem Mann überschatten, mit dem sie, seit sie zwanzig war, zusammenlebte und mit dem sie vermutlich den Rest ihres Lebens verbringen würde, wenn nichts Unvorhergesehenes und Schreckliches geschah. Sie würde die Sachen der Kinder flicken, ihre Geburtstagspartys ausrichten und ihnen mit der Präzision einer richtig guten Mutter die Zwischenmahlzeiten vorsetzen. Ihre Söhne würden keine Nazis und ihre Töchter keine Huren werden. Sie würden sich irgendwann einen anständigen Job suchen und von zu Hause weg in ebensolche Reihenhäuser ziehen, wie die, in denen sie aufgewachsen waren. Punktum.

»Ich kam zum Tatort, als es gerade geschehen war«, sagte sie. »Es war … Ich kann es nicht beschreiben. Es war ganz einfach entsetzlich.«

»Und als du hingekommen bist, war Örjan da?«

Sie nickte.

»Hast du in dem Moment geglaubt, dass er es getan hat?«

Ja, du musst jetzt gleich kommen, aber du darfst nicht reingehen. Du kannst hier nicht reingehen, hörst du, was ich sage, Helen, du darfst hier nicht reingehen, das nicht sehen, es nicht sehen, ich will es nicht sehen, will nicht …

Sie hätte mich fast erwürgt, ich wollte ihr nichts antun, hatte nicht vor …

»Nein«, sagte sie. »In dem Moment habe ich nicht geglaubt, dass er es getan hat.«

»Und was glaubst du jetzt?«

»Es ist so viel Zeit vergangen, seit ich mit ihm gesprochen habe. Wenn man mit einem Menschen keine Verbindung hat, beginnt man sich schließlich alles Mögliche vorzustellen. Ich weiß nicht. Ich glaube nichts. Ich kann weder das eine noch das andere glauben, ich bin völlig verwirrt.«

»Örjan war als Kind der liebste Junge der Welt«, murmelte Klas. »Er musste manchmal Prügel von mir und meinen Kumpels einstecken. Wir haben damals nicht darüber nachgedacht, aber es war natürlich nicht einfach, immer der Kleinste zu sein ... Mit dem Rad abgehängt oder an der Nase herumgeführt zu werden ... Er selbst hat nie jemandem etwas Böses getan, soweit ich mich erinnere. Er war Mutters Goldstück, und ich weiß noch, dass ich ihn manchmal dafür hasste. Ich war neidisch und fand, er schmeichle sich ein. Ich hätte sicher fairer zu ihm sein können. So etwas fällt einem später ein, wenn ...«

»Er ist nicht tot«, erinnerte ihn Helen.

Klas sah sie lange an. In seinem Blick lag eine Leere, die nichts mit Trauer zu tun hatte, nur mit Verlust.

Sein kleiner Bruder war verschwunden.

Ein anderer war an dessen Stelle getreten, jemand, den er nicht kannte und nicht verstand.

Dieser Unbekannte, der sich »Bruder« nannte, beanspruchte einen Platz in Klas' Leben durch seine Abwesenheit und ruhelose Unbegreiflichkeit – ständig auf Reisen, nie still an einem Ort, keinerlei Ordnung und Sicherheit. Erst jetzt schien diese Tatsache in ihrer ganzen Brutalität deutlich zu werden: »Ich kenne meinen eigenen Bruder nicht.«

Ein fremder Mensch kann alles Mögliche tun. Man weiß nicht, was man zu erwarten hat, und wenn das Unwahrscheinliche geschieht, ist man bereit, es zu akzeptieren.

Klas' kleiner Bruder – der liebe kleine Junge, der sich herumkommandieren ließ und sich am wohlsten in Mutters Nähe fühlte – hätte nicht töten können.

Aber der Fremde, der sich ›Bruder‹ nannte und der dessen Platz eingenommen hatte ...?

Man wusste es nicht.

»Örjan und ich hatten keinen engeren Kontakt mehr, seit wir erwachsen sind«, murmelte Klas. »Wir haben wohl beide ganz einfach gefühlt, dass wir nicht viel gemeinsam haben. Ich meine, du siehst, wie *wir* hier leben, und du kennst *ihn*. Er hat uns manchmal besucht, aber es macht nicht gerade Spaß, einen Gast zu haben, der einen verachtet, besonders nicht, wenn es der eigene Bruder ist.«

»Und du? Respektierst du ihn?«

»In seinem Leben hat es, weiß Gott, nicht die geringste Ordnung gegeben, das ist alles, was ich sagen kann. Er ist bisher freilich nie vor einem Gericht gelandet, aber manchmal glaube ich, dass das nur Zufall war. Und was mich am meisten beunruhigt ... Was mich glauben lässt, dass ...«

Er unterbrach sich, als wollte er kontrollieren, dass niemand heimlich lauschte. Seine Frau reckte den Hals und warf einen Blick in den Garten, wo von einem gewaltigen Jasminbusch Wolken von Blütenblättern über den Rasen und die Terrassenmöbel flogen.

In der Abenddämmerung musste er wie das Paradies selbst duften, aber vielleicht wurde die Tür zur Terrasse niemals geöffnet, um den Wohlgeruch hereinzulassen. Die Welt dort draußen schien hermetisch abgeschlossen.

Das kleine Stück sorgfältig gepflegter Rasen war von einer Hecke umgeben, die jeden Einblick von der Straße verwehrte. Mitten im Gras stand ein aufblasbarer Plastikpool, in dem ein Junge und ein Mädchen planschten. Von ihrem Spiel drang nicht ein Laut ins Zimmer, weder Lachen noch Gebrüll. Es war, als würde man einen Amateurfilm ohne Ton anschauen, als würde einem all das dort draußen vorgespielt, um zu beweisen: Genauso ist es, so gut geht es uns, nimm noch ein Stück Kuchen.

»Sie sind alle beide im Garten«, stellte Klas' Ehefrau fest. »Sie hören nichts. Erzähl nur.«

»Als Örjan um die zwanzig war, lebte er mit einer jungen Frau zusammen«, sagte Klas. »Sie war wie alle anderen, sie war nichts Besonderes, und das bekam er dann wohl satt. Er liebt das Abenteuer, das wissen wir ja, und sie ... Tja, sie wollte ein normales Leben führen. Sie wollte Haus und Familie und all das, was normale Menschen haben.«

»Er verschwand über Nacht«, ergänzte Klas' Frau. »Am Abend gingen sie gemeinsam schlafen, und am nächsten Morgen hatte er seine Siebensachen gepackt und war abgehauen. Sie war natürlich völlig am Boden, wer wäre das nicht gewesen? Sie schrie und weinte und mitten in all der Hysterie kam das eine oder andere zutage.«

»Ihr scheint Örjans Freundin beide gekannt zu haben?«

»Oh, natürlich, wir wohnten nicht weit voneinander und trafen uns oft. Als die Sache geschah, waren wir diejenigen, die sich um sie kümmern mussten.«

Klas und seine Frau erzählten die Geschichte jetzt gemeinsam, einer beendete den Satz des anderen, ergänzte Details, die der andere vergessen hatte, bestätigte den Wahrheitsgehalt des Gesagten, indem er dem Sprecher mit Nicken und zustimmenden Lauten beipflichtete. Helen hörte ihnen mit einem Gemisch aus Entsetzen und Neid zu.

Sie war nie mit einem anderen Menschen so im Einklang gewesen, hatte so darin übereingestimmt, wie die Ereignisse der Welt vonstatten gingen und wie man sie zu werten hatte.

Genauso entsteht Faschismus, dachte sie.

Er wird aus dem Bedürfnis geboren, sich darin einig zu sein, dass irgendein anderer ein Idiot ist. Nichts verschafft eine solche Sicherheit, wie gegen das Idiotische, was es auch sein mag, zusammenzuhalten.

Wenn das, was sie sagten, stimmte, dann hatten sie natürlich Recht: Örjan hatte sich damals idiotisch verhalten. Aber ...

»Sie war völlig verzweifelt. Und sie sagte, Örjan habe sie geschlagen, dass dieses Schwein hinter Gitter gehöre, für das, was er ihr angetan habe. Doch sie wolle ihn nicht anzeigen, weil sie einen Prozess nicht durchstehen würde.«

Keinen Ventilator, keinen Whisky, keinen Stil, aber vielleicht war Helen dennoch gut im Pokern. Sie verzog keine Miene: »War das nicht ein Problem?! Dass man deinem Bruder so schlimme Dinge vorwarf, meine ich? Hast du nie gedacht, dass sie sich vielleicht an ihm rächen wollte, dass es nicht stimmte, was sie sagte, oder dass sie jedenfalls ungeheuer übertrieb?«

Helen versuchte, sich nur an Klas zu wenden, aber die Antwort kam von ihr: »Eine Frau, die behauptet, misshandelt worden zu sein, muss man ernst nehmen! Du bist ziemlich naiv, wenn du glaubst, dass man bei so etwas lügt, nur um sich zu rächen. Ich kann dir sagen, dass ich diese Frau ziemlich gut kenne, und ich vertraue ihr völlig. Wenn sie sagt, dass Örjan sie geschlagen hat, dann stimmt das auch.«

»Ich würde sie schrecklich gern treffen. Hast du etwas dagegen, mir ihre Telefonnummer zu geben?«

»Weshalb denn? Was willst du von ihr?«

»Örjan ist mein Freund und vielleicht sogar mehr als das. Ich muss mir Klarheit verschaffen, ob er ein Mörder ist oder nicht, andernfalls weiß ich nicht, wie ich mit der ganzen Sache umgehen soll. Also versuche ich, so viel wie möglich über ihn herauszufinden, okay?«

Klas' Frau nickte widerstrebend.

»Okay –, aber ich muss sie erst fragen, ob ich ihre Nummer weitergeben darf. Sie ist vielleicht nicht im Geringsten daran interessiert, an Örjan erinnert zu werden, jetzt, wo die Wunden endlich verheilt sind. Es hat sie viel Zeit gekostet, wieder zu sich zu finden, verstehst du?«

»Wenn er sie geschlagen hat, muss es für sie doch eine Erleichterung gewesen sein, dass er plötzlich verschwunden ist. Aber sie ist ja wohl erst danach zusammengebrochen. Weil er sie verlassen hat?«

Klas' Frau stellte ihre Tasse mit einem Klirren auf den Tisch.

»Ich will nicht weiter mit dir reden«, erklärte sie. »Keine Minute mehr.«

»Du, bitte«, versuchte Klas, »Helen meint es doch nicht böse! Sie versucht doch nur, Klarheit in das Geschehene zu bringen! Was hat es für einen Sinn, wenn wir uns streiten?!«

»Ich ertrage es nicht, dass sie Ingalill etwas unterstellt! Wenn Ingalill deinen Bruder all die Jahre geschützt hat, indem sie ihn nicht angezeigt hat, dann finde ich nicht, dass jemand, den wir nicht einmal kennen, sie in den Dreck ziehen darf!«

Klas' Frau zitterte vor Wut, als wäre Örjans Treulosigkeit ihre eigene Angelegenheit. Helen sah den Schmerz tief in ihrem Blick und wollte eine letzte Frage stellen, unterdrückte sie aber: *Hattet ihr etwas miteinander, du und Örjan? Hatte er Sex mit dir? Hat er dich im Stich gelassen? Warum hasst du ihn sonst so sehr?*

Klas' Frau stand auf und ging zu den Kindern hinaus. Sie ließ die Terrassentür halb offen. Vom Duft des Jasmins war nichts zu spüren, es war zu heiß und noch zu früh am Tag.

»Hier«, sagte Klas. »Hier ist Ingalills Nummer. Es ist vielleicht das Einfachste, wenn du nicht sagst, dass du sie von uns hast.«

»Und was soll ich dann sagen?!«

»Dass Örjan dir von ihr erzählt hat.«

»Aber er hat kein Wort über irgendeine Ingalill verloren!«

»Schhh ... Sie freut sich, zu hören, dass er sich an sie erinnert. Es ist das Beste so. Entschuldige, dass die Sache so gelaufen ist. Meine Frau reagiert manchmal überempfindlich, so ist sie einfach. Du weißt ...«

Er behielt das letzte Wort für sich. Helen lächelte ihn in plötzlichem Einvernehmen an. Sie waren trotz allem Brüder, diese beiden Männer, die sich voneinander zu unterscheiden schienen wie Schwarz und Weiß. »Du weißt, Frauen.«

»Mit mir hättest du vielleicht mehr Spaß als mit ihr«, sagte

Helen mit einem Nicken zum Rasen hin, wo Klas' Frau gerade dabei war, die Kinder auszuschimpfen.

Dann ging sie durch den Rundbogen, den Flur und die Haustür hinaus, den gepflasterten Weg hinunter und betrat die Vorortstraße, wo die glänzenden Autos in ordentlichen Reihen vor den Häusern standen und alles friedvoll erschien.

Der Mensch braucht Sex. Sex gehörte zur Basis, nicht zum Überbau. Was sie jetzt gemacht hatte, war vielleicht nicht gerade toll, aber sie gab ihrem Körper die Schuld. Er brauchte es, und sie hatte Klas nicht gezwungen. Er hatte angerufen und wollte sie unbedingt treffen.

Der Ärmste, er war so nervös gewesen. Sie glaubte nicht, dass er seine Frau schon einmal betrogen hatte. Wäre er ein Mann, der fremdging, dann hätte er beteuert, dass er so etwas wirklich nie tue. Die Untreuen redeten am lautesten von ihrer Treue. Die Untreuen müssen einem anderen die Schuld geben: »Normalerweise bin ich meiner Frau treu, aber du hast mich dazu gebracht, es ist deine Schuld, dass es so gekommen ist, ich kann nichts dafür.«

Klas war tatsächlich unschuldig, und deshalb nahm er hinterher alles auf sich. Sie selbst war natürlich ebenfalls unschuldig. Vielleicht war ja seine Frau an allem schuld? Oh, es war ein schönes Gefühl, so zu denken. Der Mensch fühlt sich stets am besten, wenn es jemanden gibt, dem er die Sache unterschieben kann. Besonders wenn es jemand ist, von dem man weiß, dass man ihn durch sein Tun verletzt. Wenn seine Frau nicht eine solche Zimtzicke wäre, hätten Klas und Helen nicht miteinander vögeln müssen.

Bullshit, dachte sie. Wir haben es getan, weil wir es so wollten. Wir. Oh.

Oh, oh, oh.

Es war fantastisch gewesen.

Er musste seit langem nichts mehr bekommen haben, dieser Mister TÜV dort draußen in seinem Vorstadtidyll. Normalerweise war es natürlich ein Märchen, dass prächtige verheiratete Paare, die in Reihenhäusern wohnten, ein kümmerliches Sexleben führten. Das war etwas, das sich mittellose, nach Gemeinsamkeit dürstende, grübelnde Singles neidisch einbildeten.

Prächtige verheiratete Reihenhauspaare rammelten normalerweise wie die Kaninchen. Gebt ihnen am Samstagabend eine Flasche Wein und lasst die Kinder einschlafen, dann werdet ihr sehen, was auf dem Sofa vor dem Fernseher, im Badezimmer oder auf dem Teppich in der Diele passiert. Der Durchschnittsschwede hat Sex.

Aber Klas fiel aus dieser Statistik heraus.

Er hatte normalerweise keinen Sex, das war offensichtlich.

Das Beste war seine Hingabe. Er hatte sich völlig preisgegeben. Es war, als würde seine hilflose Geilheit ihr ganz und gar das Kommando überlassen, und dadurch war sie zu ihrem Recht gekommen, sie hatte es sich verschafft. Helen konnte sie beide zu allem Erdenklichen bringen, oh, verdammt, ja, sie wollte mehr von ihm.

Sie hatte die Absicht, sich mehr von ihm zu holen.

Jetzt war Schluss damit, ständig nur lieb zu sein und immer an die Konsequenzen zu denken. Rücksicht auf Frau, Familie, den Teufel und seine Großmutter zu nehmen, sich zu sorgen, dass einer, der es nicht tun durfte, sich verlieben könnte …

Klas sollte sich wirklich nicht in sie verlieben, aber das musste er selbst begreifen. Diese Erkenntnis lag in seiner Verantwortung. Sie wollte mehr von ihm, und das würde sie bekommen, nächste Woche würde er sie wieder besuchen.

Sie hatte vor, ihn zum Essen, zu Wein und anfangs nur einer nackten Schulter einzuladen, später dann zu mehr, aber ganz langsam. Eine entblößte Schulter und die Hand weich an die Innenseite seines Schenkels gelegt, das genügte, um ihn völlig verrückt zu machen, und sie liebte es, war es so wenig gewöhnt. Nie zuvor hatte sie einen Mann zum Wahnsinn getrieben, nur indem sie ihren Körper benutzte.

Sex hatte für sie nie Macht bedeutet.

Sie hatte die Absicht, mehr Sex mit ihm zu haben, doch zuerst wollte sie Ingalill treffen.

Ich versuche, nicht so viel über das, was ich tue, nachzudenken. Ich halte nichts vom Grübeln. Aber ich vermisse jemanden, mit dem ich über den Job und andere Dinge reden könnte. Jemanden, der fragt, der sich kümmert und wissen will, wie es mir geht. Vielleicht träume ich deshalb davon, bei einer solchen Befragung, ihr wisst schon: »Schwedische Prostituierte erzählen«, mitzumachen. Aber eine Hure wie ich ist nicht sichtbar, darf nicht sichtbar sein. Sie muss hundertprozentig diskret sein. Wenn ich mich erfassen lassen will, dann muss ich schließlich mitteilen: »Es gibt mich!« Damit riskiere ich, mir eine Menge Probleme aufzuhalsen.

Und wenn ich laut darauf aufmerksam mache, dass es mich gibt, wird man es sofort als einen Ruf nach Hilfe verstehen, und ich will keine.

Ich will lieber freiwillig Fehler begehen, als mich zwingen zu lassen, die richtigen Dinge zu tun.

Allerdings weiß ich nicht, ob man etwas freiwillig tun kann, wenn man nicht einmal sicher ist, dass man existiert. Manchmal glaube ich, dass ich nur der Gedanke von irgendjemandem bin. Was wäre, wenn die Menschen, die Welt und alles, was uns geschieht, nur Gedanken des Universums wären, ungefähr so, als ob das Universum jemandem eine Geschichte erzählen würde, und in dieser Geschichte existierten wir?

Wer hört sich dann die Geschichte über uns an?!

Das Schreckliche ist, dass sie vielleicht niemand hört.

Aber auch diese Kassetten soll schließlich niemand hören, und dennoch rede ich.

Ich bin genauso einsam wie das Universum.

Wenn die Gedanken so tief gehen, dann möchte man die ganze Zeit nur weinen. Davor muss man sich in Acht nehmen. Durch Weinen wird man schwach. Ich weine fast nie.

Wenn Mama mir früher Lieder vorsang, dann war dabei auch eines, bei dem eine Zeile lautete: »Alles, was ich haben will, ist eine Halskette aus Korallen, nichts anderes, denn das kostet zu viel.« Es war ein Lied mit einer Menge Strophen. Ich fand, es passte nicht zu meiner Mutter. Hätte Vater ihr eine Korallenkette geschenkt, hätte Mutter sie ihm an den Kopf geworfen.

»Eine Frau darf nicht dumm sein«, sagte sie einmal zu mir, als ich ungefähr zwölf war. »Wenn man etwas gibt, muss man auch dafür sorgen, dass man etwas bekommt.«

Ich begriff nicht, warum das besonders für Frauen gelten sollte. Das traf doch wohl auf alle Menschen zu?! Niemand bekommt etwas, ohne dafür zu bezahlen, und nur Idioten kümmern sich nicht darum, mit dem, was sie hergeben, auch etwas zu erreichen.

Es gibt da immer noch so vieles an Mutter, was ich nicht begreife.

Sie ist ein Rätsel für mich. Sie kann so herzlich sein, dass sie beinahe richtig liebevoll wirkt. Aber ich traue ihr nicht, wenn sie so nett ist. Das habe ich nie getan. Es ist, als würde sie nur Theater spielen. Vielleicht bin ich extrem ungerecht, wenn ich das sage, aber …

Weshalb hat sie sich überhaupt ein Kind angeschafft?

Vielleicht hat sie mich nur angeschafft, um Vater garantiert zu halten. Um nicht Gefahr zu laufen, irgendwann einsam zu werden. Könnte das so sein?

Ich weiß nicht, ob sie durch und durch berechnend ist. Vielleicht ist sie ja auch derartig empfindsam, dass sie sich hinter einer Menge Berechnung verstecken muss, um nicht kaputtzugehen.

Ich könnte sie nach all dem fragen. Am besten noch bevor sie alt wird und stirbt. Aber ich glaube nicht, dass sie mir eine ordentliche Antwort geben würde. Bestimmt würde sie alles von sich weisen und sagen, sie verstehe nicht, wovon ich rede.

Ich frage mich, wie es wohl ist, Mutter zu sein.

Würde ich Mutter werden, dann würden die Behörden mich als Hure entlarven und mir mein Kind wegnehmen. Es hätte also keinen Sinn. Eine Hure darf in dieser Gesellschaft keine Mutter sein. Mütter sind keine Huren.

Ich begreife nicht, warum, aber ich heule schon die ganze Zeit über.

Nach dem Äußeren zu urteilen, wirke ich wie eine Stewardess. Ich könnte auf Langstreckenflügen Getränke servieren und mich um die Sicherheit im Passagierraum kümmern. Manche glauben, ein solcher Job sei ungemein glanzvoll. Ich denke nicht so.

Ich glaube, man hat Schmerzen im Körper, weil man unter künstlichem Druck arbeitet, und man muss ständig die Zähne zusammenbeißen und sich selbst überwinden. Und bestimmt ist man gezwungen, eine Menge Scheiße zu ertragen. Nein, Stewardess wäre nichts für mich.

Bei meinem Job habe ich wenigstens Macht.

Es ist komisch, aber schon, bevor ich selbst eine Frau war, habe ich gewusst, dass Sex Macht ist. Keine andere Macht lässt sich so leicht beschaffen und ausüben. Alle Frauen werden mit ihr geboren, und dann braucht man nur ein bisschen Übung. Natürlich ist es auch notwendig, dass man einen einigermaßen hübschen Körper hat, aber die meisten sehen ja okay aus, wenn sie auf sich achten und nicht zu dick wer-

den. Alle können sexuelle Macht ausüben. Alle können Huren werden, und nur als Hure hat man Macht über die Männer.

Den Mann ... Er macht genau, was ich will, wenn ich ihm ein paar kleine Dinge gebe, die er haben will. Ich kann ihn nach Belieben an der Nase herumführen. Der erste Bluff ist, ihn glauben zu lassen, dass er das Sagen hat. Diese Lüge darf nicht platzen, sonst kann es gefährlich werden.

Die Männer sollten mal wissen, wie sehr wir Huren sie verachten. Wir verachten alle, über die wir Macht haben, weil wir uns selbst im Innersten verachten. Ich meine, ich bin nicht gerade stolz auf mich. Aber jedenfalls bin ich diejenige, die alles im Griff hat.

Als ich anfing, mich mit Jungen zu treffen, sagte Mutter, dass es nicht clever sei, die Sache zu genießen. Das Physische, meine ich. Sollte ich anfangen, daran Spaß zu haben, würde ich die Kontrolle verlieren, und dann könnte alles Erdenkliche passieren. Das erste Mal, als ich einen Jungen küsste, habe ich mich wirklich darauf konzentriert, nicht zu genießen. Es war schwierig, denn ich fand es schön. Aber ich habe mit ziemlich vielen Jungen trainiert, und am Ende hatte ich es im Gespür, mich zu bremsen, bevor es anfing, schön zu werden.

Das erste Mal, als ich geküsst habe, steckte dieses schöne Gefühl überall – in der Haut, im Herzen, in der Brust, im Bauch, in der Möse, einfach überall. Ich weiß noch, ich war so erregt, dass es richtig wehtat. Hätte Mutter das erfahren, wäre sie bestimmt ungeheuer böse geworden.

Wenn ich anfangen würde, nach all den Jahren wegen des Genießens zu vögeln, könnte ich keine Hure mehr sein. Aber ich weiß gar nicht, ob es mir überhaupt gelingen würde, Sex wegen des Spaßes an der Sache zu haben. Es ist schwierig, sich das vorzustellen. Manchmal glaube ich, dass alle Frauen nur so tun, als hätten sie einen Orgasmus, und dass sie lü-

gen, wenn sie sagen, dass Sex schön sei. Ich kann schließlich selbst eine Menge Genuss vorspielen, ohne dass ich eine Ahnung habe, wie sich schöner Sex anfühlt. Das mit dem Vorspielen lernt man als Hure.

Können das alle Frauen?

Unterscheide ich mich wirklich so gewaltig von anderen Frauen?!

Vielleicht sind die Kinder auch nur Gedanken ihrer Mütter. Unsere Mamas beginnen uns zu erträumen, wenn wir in ihren Bäuchen sind, ungefähr so wie das Universum seine Geschichte über die Welt und die Menschen erzählt. Vielleicht ist unser Leben die Fortsetzung dieses Traumes. In dem Fall besitzen nicht die Huren die größte Macht, sondern die Mütter.

Ich will über dieses Schwein nicht reden, ich will ihn nur vergessen.«

Ingalill besaß einen Collie. Der strich mit verschlagenem Blick durch die Wohnung und ließ überall Wolken von Haaren zurück. Helen sammelte ein Haar nach dem anderen von ihrem Kleid, während sie Ingalill einfühlsam ansah.

»Ja, das hast du auch schon am Telefon gesagt. Du willst nicht über Örjan reden. Aber wo ich doch jetzt extra hergekommen bin? Ich meine, es war doch deine Idee, dass wir reden sollen.«

»Ja, verdammt noch mal, ich will schließlich wissen, was passiert ist! Wenn er im Knast sitzt, weil er irgendein armes Mädel verdroschen hat, ist das schließlich auch für mich interessant! Aber ich will nicht darüber reden, was zwischen ihm und mir gewesen ist, das würde zu viele Wunden aufreißen.«

»Aber warum ist es dann überhaupt wichtig für dich, was jetzt mit ihm passiert? Es sind doch so viele Jahre vergangen, seit ihr zusammen wart?«

Ingalills Lippenstift hatte rosarote Spuren auf allen Filtern im Aschenbecher hinterlassen. Auf dem staubigen Sofatisch lag ein halbfertiges Strickzeug und eine aufgeschlagene Illustrierte. Eine Yuccapalme im Fenster ließ die Blätter hängen, die Jalousien waren heruntergelassen, und der Fernseher lief. Kein Ton war zu hören, die Gesichter auf dem Bildschirm mimten stumm.

Ich mag sie nicht, dachte Helen hilflos. Es wäre eine gute Tat, sie zu mögen, sie ist offensichtlich einsam und braucht Zuneigung, aber ich kann einfach nicht.

»Würde es dich nicht interessieren, wenn dein Ex, der dich wie Dreck behandelt hat, noch immer Leute wie Dreck behandelt? Ich meine, er hat schließlich gegen das Gesetz verstoßen! Es gibt Dinge, die ich der Polizei vielleicht erzählen sollte!«

»Niemand weiß, ob Örjan gegen das Gesetz verstoßen hat«, sagte Helen vorsichtig. »Er ist nicht verurteilt und wird es vielleicht auch nicht.«

»Nein, er kommt sicher davon«, brummelte Ingalill. »Er gehört zu dieser Sorte. Wer hat denn diesmal Prügel bezogen, sein Mädchen oder ...?«

»Es geht nicht darum, dass jemand misshandelt wurde. Er steht unter Mordverdacht. An einer Prostituierten.«

Ingalills Augen wurden kugelrund wie Murmeln. Dann breitete sich ein Lächeln der reinsten Freude auf ihrem Gesicht aus. Sie grinste schadenfroh, ohne den Versuch zu machen, es zu verbergen: »Alle Wetter!«, stieß sie hervor. »Das ist nicht dein Ernst!«

»Was ist denn mit dir los?! Bist du noch bei Trost? Findest du es etwa lustig, dass ein Mensch erstochen worden ist? Ich tue dir einen Gefallen, fahre einen halben Tag mit Vorortzug und Bus, weil du wissen willst, was passiert ist, und wenn ich erzähle, wie furchtbar schrecklich alles ist, sitzt du nur da und grinst wie eine Idiotin! Ich verstehe, dass er dich sitzengelassen hat! Wer, zur Hölle, könnte es mit einer wie dir aushalten!«

Kein Stil, kein Poker-Face. Helen biss sich auf die Lippe. Ingelill schaute sie nachsichtig an.

»Es ist schon okay«, sagte sie. »Ich weiß, wie es ist, in ihn verliebt zu sein. Ich bin es auch einmal gewesen. Verliebt in einen Mörder.«

Sie zerquetschte eine weitere Kippe im Aschenbecher und steckte sich eine neue Zigarette an. Ihre Nägel waren gelb. Sie sah Helen flehentlich an. Sie hatte den Blick einer großen Schwester, die im selben Boot sitzt und am besten weiß, wie man rudert, und darauf wartet, dass ihr Schwesterchen das begriffe und sie die Ruder übernehmen ließe, statt mit ihr zu streiten.

»Ich möchte wohl Rache um jeden Preis«, fuhr Ingalill nach einer Weile fort. »Okay, es ist verkehrt, dass jemand mit dem Leben dafür bezahlen muss, dass ich ihn hinter Gittern sehen kann, aber ... Aber es ist ein verdammt schönes Gefühl, versuch das doch zu verstehen. Er ist dort, wo er hingehört, und das macht mich glücklich.«

Ungeschickt zog sie die Beine unter sich aufs Sofa. Der arme Collie, der neurotisch im Zimmer hin- und hertrabte, könnte – genau wie sein Frauchen – mehr Bewegung gebrauchen. Der Bauch des Frauchens quoll über den Hosenbund, er nahm mehr Platz ein als die Brust. Helen starrte mit Widerwillen auf die Schale voller Chipskrümel, die inmitten des übrigen Gerümpels auf dem Tisch stand und verstaubte.

»Ich war ein anderer Mensch, als Örjan und ich uns begegnet sind«, sagte Ingalill. »Ich war eine Prinzessin, verstehst du? Andere Mädels sahen zu mir auf und fürchteten mich. Alle Jungen wollten mich haben. Ich bekam den Hübschesten, den, von dem alle träumten, aber wenn ich gewusst hätte ...«

»Du wolltest doch nicht über ihn reden?«

»Als wir zusammengezogen sind, hatte ich keine Ahnung, wie es werden würde. Du weißt, man träumt von Kindern und so, doch es zeigte sich, dass dein Freund nie zu Hause sein wollte ... Er zog die ganze Zeit los, flirtete mit anderen Frauen. Abend für Abend saß ich einsam vor dem Fernseher, während er mit anderen schlief ...«

In ihren Augen standen Tränen. Hinter der dicken Schale, in die Zeit und Enttäuschung sie gehüllt hatten, wurde plötzlich ein anderer Mensch sichtbar. Ein junges zartes Mädchen mit wundervollen Träumen von der Liebe – und einem bereits fix und fertigen Bild davon, wie diese Liebe auszusehen hatte.

»Ich wollte, dass es ein ganz reines Verhältnis ist«, murmelte sie. »Ich wollte, dass es nur uns beide gibt.«

»Und dann hat er dich betrogen? Und dich geschlagen?«

Eine einsame Träne lief Ingalills Wange hinunter.

»Ich will wirklich nicht darüber reden«, murmelte sie.

»Es ist okay, du brauchst nicht. Du hast ihn in all den Jahren nicht vergessen, stimmt's?«

»Ich erinnere mich noch immer an seinen Geruch, das ist das Schreckliche. Es gibt keinen anderen Mann auf der Welt, der so gut riecht wie er. Manchmal glaube ich, genau das fasziniert die Leute an ihm. Du weißt, man verliebt sich nicht in die anständigen Jungen, sondern in diese Idioten, die zufällig schöne Augen haben oder gut riechen.«

Ingalills Blick verlor sich in der Ferne. Er umfasste ein Meer von Trauer.

»Verzeih mir, dass ich so wütend geworden bin. Du ... Entschuldige. Es war nicht meine Absicht, gemein zu sein.«

»Du warst nicht gemein. Ich habe mich blöd verhalten. Du hast ja Recht, es ist einfach nur furchtbar, dass er jemanden umgebracht hat.«

Helen begriff, dass es nicht in Ingalills Kopf gehen würde, dass Örjan vielleicht kein Mörder war. In ihren Vorstellungen hatte er bereits vor langer Zeit gemordet. Er hatte ihre Fähigkeit zu lieben vernichtet, indem er ihr empfindsames Mädchenherz brach, das alles erwartet hatte und doch nur enttäuscht worden war.

»Hat er dich oft geschlagen? Hast du nie die Polizei gerufen?«

»Ich werde den Morgen niemals vergessen, als ich merkte, dass er abgehauen ist«, flüsterte Ingalill. »Ich habe sofort begriffen, dass er für immer weg ist, man spürte es irgendwie an der Luft im Zimmer. Stell dir das mal vor – aufzuwachen und zu wissen, dass dein Liebster weg ist. Er wird nie wieder dort neben dir im Bett liegen, du wirst nie Kinder mit ihm haben, wie du es dir erträumt hattest. Dein Leben ist zu Ende. Alles ist zu Ende.«

»Aber du warst doch noch so jung, und du warst die Prinzessin, die jeden haben konnte?! Ich verstehe, dass es schrecklich war, aber du musst doch bald einen anderen kennengelernt haben? Und wenn er dich geschlagen hat, muss es doch eine Erleichterung gewesen sein, dass er abgehauen ist?«

Helen wurde in Ingalills Blick hineingesogen. Sie ertrank fast in seinem durchsichtigen Wasser, musste nach Luft schnappen. Der Collie hatte sich auf den Teppich unterm Sofatisch gelegt, und Ingalills Hand spielte gedankenverloren in seinem Fell. Sie kraulte ihm den Nacken, bis er die Augen schloss und einzuschlafen schien.

»Auf Tiere kann man sich verlassen«, sagte sie. »Ein Tier würde mir nie etwas Böses tun. Sieh dir Lassie an, er liebt mich wirklich. Menschen können nicht so lieben. Ich bin sein ein und alles. Er würde für mich sein Leben hergeben. Kein Mensch würde das jemals tun.«

»Lassie?! Heißt er wirklich so?«

Plötzlich hatte Helen das erschreckende Gefühl, dass Ingalill nicht ganz richtig im Kopf war. Sie machte einen leicht debilen Eindruck, der sie ebenso unantastbar wie uneinnehmbar machte. Aber dann erhielt ihr Blick plötzlich Schärfe: »Örjan hat mich mit seinem Gürtel geschlagen«, sagte sie. »Er besaß so einen breiten Ledergürtel mit einer Harley-Davidson-Schnalle aus Metall. Wenn du willst, kann ich ihn dir zeigen. Er hat ihn damals nicht mitgenommen.

Ich habe ihn noch immer. Örjan war nicht ganz normal, er wollte, dass ich ihn ebenfalls schlage. Ich habe mich natürlich geweigert, und da wurde er total wütend und nannte mich eine Memme und kein bisschen sexy. Rate mal, wie weh es tut, das von jemandem zu hören, den man liebt?! Er schlug mich mit diesem Gürtel ...«

»Sehr schlimm? Hat es geblutet?«

Ingalill gab keine Antwort. Es war, als würde der Strom zu gewissen Kreisen in ihrem Gehirn regelmäßig unterbrochen. Dann mussten ihre Gedanken in ganz neue Bahnen gelenkt werden. Helen konnte nicht beurteilen, ob ihre Erinnerungen und Behauptungen auf tatsächlichen Ereignissen basierten. Waren sie vielleicht eher das Ergebnis von Umdichtungen und dem Wechsel der Spur aufgrund regelmäßiger zerebraler Kurzschlüsse?

»Du hast ihn nie wegen Körperverletzung angezeigt?«

»Ich hatte nicht die Kraft dazu. Ich war nur müde und traurig, ich wollte alles vergessen, aber es ist, als könne es nicht verschwinden. Er ist noch in mir. Ich liebe ihn immer noch und werde es immer tun.«

»Also deshalb bist du nicht zur Polizei gegangen – aus Liebe?«

»Nein, absolut nicht, im Gegenteil. Wenn ich die Kraft gehabt hätte, wäre ich zu den Bullen gegangen, gerade weil ich ihn liebe. Nur, wenn man jemanden wirklich liebt, kann man so verletzt werden, dass man sich rächen muss. Ich saß nur da, heulte und heulte, konnte nicht mal arbeiten, und alle haben zu mir gesagt, ich würde einen Prozess nicht durchstehen, und damit hatten sie auch Recht.«

»Also, wenn du ihn angezeigt hättest ... Dann hättest du es getan, um es ihm heimzuzahlen?«

Ingalills Blick wurde leer und verständnislos.

»Wozu geht man sonst zur Polizei?!

Ihr langes Haar hätte geschnitten werden müssen. Unterhalb der Schultern war es verfilzt und splissig. Es gäbe so vieles, was man mit ihr tun könnte – sie zum Friseur bringen, sie abnehmen lassen, ihr schicke Sachen besorgen, sie lieben, bis das Licht in ihren Augen wieder entzündet würde. Es wäre eine so dankbare Arbeit.

Helen musste an die Qualle denken, diesen unbekannten Mann, der sich in unerwiderter Liebe zu einer Hure verzehrte. Warum hatte er sich die Hacken nach Madeleine abgerannt, hatte Zehntausende von Kronen für ihre Gesellschaft und den Zugang zu ihrer Möse bezahlt, wenn es doch so viele Frauen wie Ingalill gab?

Frauen, die ein Fünkchen Aufmerksamkeit schön machen würde. Frauen, die nicht eine Öre Bezahlung nehmen würden, um ihr Herz zu geben.

Warum?

»Du«, sagte sie sanft zu der Frau auf dem Sofa, zu dem kettenrauchenden Kind, das ihr so fern und unbegreiflich war, »ich muss jetzt gehen. Ich hoffe, du hast erfahren, was du wissen wolltest?«

»Hmm, ich glaube schon ... Aber könntest du mich nicht mal wieder besuchen? Es war schön, mit dir zu reden, und wir haben ja schließlich etwas gemeinsam, oder?«

Ingalill sah sie mit dem Blick eines Collies an, und Helen unterdrückte den Impuls, sofort aufzustehen und aus dem Zimmer zu verschwinden.

»Ich rufe dich an«, sagte sie vage. »Entschuldige, aber ich glaube, wenn ich mich jetzt nicht beeile, verpasse ich meinen Zug.«

»Versprich, anzurufen!«, rief Ingalill ihr hinterher, als sie schon auf dem Flur war.

»Ich verspreche es«, log sie. Dann öffnete sie die Wohnungstür, schlüpfte hinaus und lief rasch die Treppe hinunter.

Draußen auf der Straße musste sie mehrmals tief Luft holen, um die Lungen zu säubern. Sie erlaubte ihren Gedanken nicht, bei der armen Frau zu verweilen, die früher eine Prinzessin gewesen war. Wenn etwas von ihr selbst in diesem verräucherten Wohnzimmer voller Hundehaare hängenblieb, dann lief sie Gefahr, vom Treibsand der Einsamkeit verschluckt zu werden.

Es hieß, nach vorn zu blicken.

In dieser Hinsicht hatte ihr die Begegnung mit Ingalill wirklich eine Lektion erteilt.

»Du bist so schön, weißt du das? Ich sollte das hier nicht tun, aber du bist einfach unwiderstehlich.«

Er wagte es kaum, sie anzufassen, seine Berührungen waren vorsichtig und scheu und erregten sie.

Das war keine Liebe. Diese Gewissheit gab ihr ein Gefühl von Sicherheit. Sie liebte nicht. Deshalb konnte sie mit ihrer einen Brust ruhig und gewieft seinen Arm streifen, wie zufällig, als sie auf dem Weg zum Herd bei ihm vorbeikam. Eine Berührung, die nur einen Augenblick währte, so dass er sie spüren konnte und dann Gelegenheit hatte, sie zu vermissen.

»Magst du das Essen stark gewürzt?«

»Und du?«

Sie lächelte ihr spezielles Lächeln für ihn, den Blick tief in seine Augen versenkt und die Zungenspitze glitzernd zwischen den Zähnen. Dieses Lächeln war schon zur Routine geworden. Als sie ein wenig in den Töpfen gerührt und mehr Chili in die Soße geschüttet hatte, als sie eigentlich für gesund hielt, ging sie zu ihm.

»Du kannst dich jetzt an den Tisch setzen«, sagte sie. »Das Essen ist fertig.«

Sie legte die Hand auf seinen heißen Penis, der die Jeans zu sprengen drohte, und dachte: Armer Mann.

Er würde es nicht wagen, die Initiative zu ergreifen, bevor

sie grünes Licht gab. Klas befand sich in ihrer Gewalt, und seine Augen waren die eines Ertrinkenden.

»Ich halte es kaum aus«, sagte er, während sie aßen. »Ich will dich so sehr.«

»Und ich dich, aber das weißt du ja.«

Nein, er war sich nicht sicher, und ihr war klar, dass er es nicht wusste. In diesem Niemandsland der Unsicherheit schwoll ihre Lust an. Sie gab vor, zu schwitzen, und fuhr mit der Hand in den Ausschnitt ihres Tops, so dass der Träger herabglitt. Die Geste war einstudiert, alles war Theater, sie hatte vor dem Spiegel geprobt und es genossen, bis sie gezwungen gewesen war, ihre eigene Lust zu unterdrücken. Am meisten machte sie an, dass er nicht ahnte, dass er in ihrem Stück mitspielte.

Er glaubte ihr. Sie hatte nicht gewusst, dass die Lüge ein solches Aphrodisiakum sein konnte.

Sie aßen, ohne zu reden und den Blick vom anderen zu lösen.

»Bleib sitzen«, befahl sie dann. »Ich werde Kaffee machen.«

Während sie an der Spüle hantierte, ließ sie sich von ihm betrachten. Sie fühlte seine Blicke, wie sie an ihren Kleidern zogen und zerrten. Es gab keinen Grund, sich zu beeilen.

»Milch und Zucker?«

»Ja danke. Und du ...»

Als sie ihm die Tasse reichte, packte er sie beim Handgelenk. Sein Griff war hart, und sie musste sich freikämpfen.

»Du musst dich beruhigen«, sagte sie. »Wir müssen uns in Geduld üben, das weißt du.«

»Aber was soll ich tun, wenn ich es nicht *kann*?!«

Sein Gesicht war schmerzverzerrt. Sie stellte sich außer Reichweite und tastete nach ihrer eigenen Brust, streichelte sie, bis sie nackt und sichtbar über den Rand des Tops quoll. Sie musste sich beherrschen, um nicht selbst nachzugeben und von dem heißen Fluss mitgerissen zu werden. Es funktionierte. Wie hypnotisiert starrte er auf ihre Brust. Er saß über den Tisch gebeugt, mit halb offenem Mund und einer Miene, als würde er sterben.

Sie nahm seine Hand und führte sie unter ihr Oberteil, hörte ihn wimmern, als er die harte Brust an der Handfläche spürte. Sie nickte sanft auf die Frage in seinem Blick, und er begann ihre Brüste zu küssen, genauso bebend, als hätte er sich nie zuvor einer Frau genähert.

Sie atmete schwer wie ein Tier. Ein Geruch nach Brunst erfüllte das Zimmer. Sie hatte ihn nie zuvor gerochen, erkannte ihn jedoch sofort. Er erinnerte an Zeiten, bevor der Mensch zum Menschen wurde. Als sie seiner Hand eine geraume Weile später erlaubte, den Rand ihrer Möse zu berühren, da war diese weit geöffnet, heiß und pochend, und sie musste sich anstrengen, um sich nicht sofort über ihn zu wälzen und ihn zu nehmen. Er jammerte: »Ich werde gleich kommen. Es tut mir Leid, aber ich werde gleich kommen.«

»Ich auch«, zischte sie ihm ins Ohr. »Wenn du nur nicht die Kontrolle verlierst. Wenn du dich beherrschen kannst ...«

Jetzt streifte sein Penis die heiße Mündung, und er zog sich zurück, als hätte er sich verbrannt. Mal um Mal rutschte er in die Furche aus Feuer und Nässe und glitt weg, bis es so weit war, bis sich nichts mehr lenken oder unterlassen ließ. Sie warf sich rücklings auf den Tisch und schrie ihn an, sie zu nehmen, zu nehmen. Und das tat er.

»Du hast gelogen«, flüsterte sie hinterher. »Du bist überhaupt nicht sofort gekommen.«

»Nein«, erwiderte er zufrieden. »Man steht doch schließlich seinen Mann.«

Wer in diesem Augenblick die Macht hatte, wusste sie nicht. Die Frage nach Macht und Machtlosigkeit war – für einen kurzen Moment – uninteressant geworden.

Leben heißt vergessen.

Wer nicht vergessen kann, stirbt.

Helen vergisst – für lange Momente – ihren Sohn und seine Finsternis. Wenn sie nicht darüber nachdenkt, tut es nicht weh. Schlimme Dinge können weggeräumt oder vergraben werden, damit sie nicht herumliegen und wehtun, das ist bequem. Genau das tun starke Menschen: sie vergraben und gehen weiter. Es steht ja doch nicht in ihrer Macht. Sie kann ihn nicht retten.

Sie vergisst den Laut aus dem zerfetzten Gesicht, jene Stimme, die reduziert wurde zu einem Wimmern in höchster Not aus der Kehle einer Sterbenden. Sie vergisst, dass dieselbe Stimme täglich zu ihr von den Kassetten spricht – eine lebendige Stimme von einer lebendigen Frau mit Gedanken und Gefühlen.

Bloß nicht diese lebendige Stimme mit dem Wimmern der Sterbenden verknüpfen.

Nicht den lebendigen Körper mit dem, der zerfetzt und blutend dagelegen hat.

Überleben heißt, keinen Zusammenhang zu sehen.

Keinen Zusammenhang zu sehen bedeutet, sich selbst zu betrügen.

Draußen brennt der heiße Sommer. In ihr brennt die Lust nach einem Mann, dessen Leben sie zerstören will. Sie vergisst Örjan, der tagaus, tagein dort drinnen sitzt, vergisst seine Tage, die zu einem grauen Wulst verschwimmen, bei dem ein Morgen nicht vom anderen zu unterscheiden ist.

Man wacht morgens auf, bekommt sein Essen, sitzt in seiner Zelle, dann geschieht nichts, dann bekommt man sein Essen. Vielleicht bekommt man die Erlaubnis, aufs Dach hinauszugehen, sich ein bisschen zu bewegen und in den Himmel zu schauen. Man sitzt in seiner Zelle, starrt die Wände an, durch die Stahljalousien wirkt die Außenwelt wie ein Schatten ihrer selbst. Man steht auf, drückt die Stirn ans Gitter und schaut hinaus, weiß nicht mehr, wie die Zeit abläuft, ob eine Stunde vergangen ist oder zwei, vielleicht auch ein ganzer Nachmittag. Man sieht die Bewegungen der Sonne, aber man spürt sie nicht in sich selbst. Man hat nichts mehr mit der Welt zu tun. Man liest. Zuweilen, wenn man sich in die Lektüre verliert, ist man frei. Man sehnt sich nach Frauen. Man liegt auf seiner Pritsche, starrt auf seine Erektion und würde sich mit jeder beliebigen Frau begnügen. Dann bekommt man Essen. Man versucht, nicht zu viel zu denken, sich nicht zu erinnern, wie es dort draußen war. Erinnern ist Sterben.

Man ist dick geworden. Am Essen ist nichts weiter auszusetzen, man hat sich daran gewöhnt. Man hat aufgehört mit seinen regelmäßigen Panik- und Aggressionsausbrüchen, bei denen man sich gegen die Wände warf, bis die Wärter kamen und alles noch schlimmer wurde. Man schreibt Briefe. Man sieht fern. Es wird dunkel.

Man weiß nicht mehr, ob man jemanden umgebracht hat oder nicht.

Es gab eine Zeit, als man es wusste. Aber man hat vergessen. Es spielt keine Rolle.

Man wünscht, dass jemand käme und sagte: »Es war ein Albtraum. Jetzt ist er vorbei. Du darfst aufwachen und von hier weggehen.« Nachts, in den Träumen, ist man auf Reisen. Man bewegt sich frei durch fremde Länder, bis der Morgen anbricht und der Traum zerplatzt. Er war nur eine gemalte Kulisse, dahinter liegen neue, endlose graue Tage.

Man hat von seiner Anwältin gehört, dass es jetzt bis zum Prozess nicht mehr lange dauert, an einem der nächsten Tage wird der Termin für die Hauptverhandlung bekannt gegeben. Man glaubt ihr nicht. Man sieht sie an und stellt sich vor, sie zu vögeln, malt sich in seiner Fantasie aus, dass sie Ähnliches denkt. Doch man ahnt, dass sie sich lediglich nach Urlaub sehnt, danach, diesen Fall abschließen zu können und hinterher einen langen schönen Spätsommermonat auf dem Lande zu verbringen. Man ahnt es, aber man will es nicht wahrhaben. Überleben heißt, sich selbst zu betrügen.

Man denkt an Madeleine. Dann hört man sofort auf, an sie zu denken, sonst breitet sich Entsetzen im Körper aus, und das erträgt man nicht. Es ist lange her, dass man ausführlich mit jemandem geredet hat. Man möchte gern lange über das reden, was an jenem Tag passiert ist, über ihren Körper, überall das Blut, aber es gibt niemanden hier, der zuhört. Man hat versucht, mit seiner Anwältin zu reden, aber die hat keine Zeit. Man hat versucht, mit seinen Besuchern zu reden, aber das ist nicht erlaubt. Man hat versucht, mit dem Wärter zu reden, doch der ist zu dem Schluss gekommen, dass man Abschaum ist. Nur Abschaum sitzt hier drinnen. Man ist Abschaum, und mit dem redet der Wärter nicht. Was bleibt, ist Schweigen, und das Schweigen hat eine barmherzige Seite: Es vergräbt. Jeden Morgen nach einem Albtraum vergräbt man Madeleine in Schweigen. Sie sinkt tief ins Unterbewusstsein und verbirgt sich dort, liegt dort und stirbt, ununterbrochen, es nimmt nie ein Ende.

Die Träume sind unerträglich – auch die schönen, weil man aus ihnen erwacht. Die Wirklichkeit ist wie ein endloser grauer Albdruck. Man hat gebeten, mit einem Psychologen reden zu dürfen, aber es kommt keiner. Manchmal hat man

Angst – Angst vor dem Urteil, davor, im Gefängnis zu landen wegen einer Sache, die im Begriff ist, verlorenzugehen. Da vergisst man. Man verdrängt alles, außer dem kleinen Würfel, in dem man verwahrt wird. Außer ihm und den wenigen Habseligkeiten, die man in Sichtweite hat – Bücher, Schreibheft, CD-Player und CDs – gibt es nichts.

Man denkt: »Das hier ist die Welt. Das ist alles, was existiert.«

Man lebt im Jetzt.

Es existiert kein Sommer dort draußen, keine Stadt, keine Erinnerungen und keine Zukunft.

Es gibt nur das Vergessen. Dort ist man sicher, dort ruht man weich und kann schlafen. Man schläft viel. Anfangs konnte man es nicht, viel zu viele Gedanken gingen einem pausenlos durch den Kopf, und man wurde nicht müde; der Körper bekam keine Chance, müde zu werden. Später begriff man, dass Schlaf die einzige Chance ist.

Es hätte schlimmer kommen können. Man hätte in einer Todeszelle in Bangkok landen können. Manchmal, im äußersten Notfall, hat man ein bisschen gedealt, ist ein Stümper am Rande der Kriminalität gewesen, aber nur, wenn man dazu gezwungen war. Man hätte irgendwo landen können, wo schwere Krankheiten umgingen und wo sie mit Stöcken auf die Gefangenen eindroschen. Es gibt auf der Erde jede Menge Höllen. Das hier ist nicht die Hölle auf Erden. Es gibt immer einen Grund, dankbar zu sein.

Manchmal ist man dankbar dafür, nicht vergessen zu werden, dankbar, dass das Essen immer pünktlich kommt, dass jemand reagiert, wenn man sich bemerkbar macht. In manchen Albträumen haben sie einen hier sitzen lassen, man ist allein im Haus zurückgeblieben und nebenan auf der schmalen Pritsche liegt Madeleine. Ihr Auge starrt aus dem, was einmal ein Gesicht gewesen ist, ihre Zähne schnappen. Sie ist noch nicht tot, man wusste nicht, dass der Tod so viel Zeit braucht, dass Menschen, die ermordet werden, nicht wie im Kino fein säuberlich den Geist aufgeben. Dass sie Geräusche von sich geben und scheißen. Dass sie auf dem Leben beharren. Sich festklammern, bis das letzte bisschen Kraft aus ihnen herausgesickert ist.

Es gibt so vieles, das man nicht wusste. Man weint. Man gibt ein Signal und darf aufs Klo gehen. An manchen Tagen duscht man. Seift den Körper von oben bis unten ein, bis die Haut glatt und voller Schaum ist, widmet sich mit besonderer Sorgfalt dem Schwanz, als würde man bald eine Frau treffen. Man onaniert. Man lässt es in der Dusche gegen die Wand spritzen, während man die Augen schließt und an Brüste denkt, an Farsanehs dunkle, schwere Brüste. Man onaniert viel zu oft. Sex haben, heißt vergessen, auch wenn man allein ist. Der Erguss löscht alles andere für eine Weile aus. Bald aber ist alles wieder da, und man muss erneut onanieren. Es wird zu einer Droge. Man wird zum Sklaven des einzig zugänglichen Lasters. Auf diese Weise hält man das Unerträgliche einigermaßen von sich fern.

Sie hielt das Unerträgliche einigermaßen von sich fern.

Klas half ihr dabei. In letzter Zeit hatten sie sich so oft getroffen, dass sie sich fragte, was er eigentlich zu seiner Frau sagte. Vielleicht hatte er ein kompliziertes Lügennetz gesponnen, oder er tat einfach so, als müsse er eine Menge arbeiten. Ihretwegen brauchte er niemandem etwas vorzulügen, und er tat es ja auch nicht ihretwegen.

Mit ihm zusammen zu sein, hielt die Gedanken von anderen Dingen fern.

Sie hatte niemals eine Beziehung erlebt, die so intensiv war, und das lag wohl daran, dass sie ihre Gedanken mit aller Kraft von anderen Dingen fern halten musste.

Sie durfte nicht an all die Toten denken.

An die tote Frau im Bett, die tote Mama in ihrer Brust, das tote Mädchen in der Siebzehnjährigen, die den Männern einen herunterholte oder blies, der tote Junge in ihrem Sohn, der die Finsternis wählte, *all diese Toten …*

Wenn sie mit Klas zusammen war, spürte sie wenigstens, dass sie lebte. Sie besaß einen Körper. Der Puls hämmerte, die Möse öffnete sich, die Hände griffen, die Augen sahen, die Toten gab es nicht. Nichts gab es, nur den Körper …

Es war wie eine Droge.

Als würde sie sich für eine Weile mit etwas betäuben, das immer größere Mengen erforderte, um Wirkung zu zeigen.

Auch Örjan lebte, aber das war nicht mehr ihr Problem. Die Lebenden waren kein Problem. Das Problem waren die Toten, und das schlimmste von allen war das tote Kind, ihr kleiner toter Junge, der irgendwo dort draußen zum Mann heranwuchs, aber scheißegal. Alles war scheißegal. *Sie hielt das Unerträgliche einigermaßen von sich fern …*

Nur eine Kassette hatte sie noch nicht gehört.

Die letzte.

Bisher hatten die Bänder keine Antworten gebracht, und sie rechnete auch nicht damit, dass diese letzte es tun würde. Sie verstand überhaupt nicht, warum sie sich in Madeleines Leben vertiefte. Anfangs hatte sie es getan, um jemanden zu retten, den sie zu lieben glaubte, aber jetzt?

Sie wusste nicht, wen sie liebte, und auch nicht, wer getötet hatte. Es kümmerte sie nicht, solange sie hin und wieder in der Hitze ausruhen durfte, bei einem Mann, der sie einfach haben musste.

Sie missbrauchte ihn.

Es gab Frauen, die verheiratete Männer liebten und mit hündischer Treue auf sie warteten. Sie ließen sich in dasselbe Lügennetz einwickeln wie die betrogenen Ehefrauen. »Liebling, ich muss heute Abend wieder arbeiten.« – »Liebling, ich werde mich scheiden lassen, ich verspreche es.«

Sie war keine von denen. Sie ließ sich nicht einwickeln.

Und Klas sprach nicht von Scheidung. Er hatte Angst zu hören, dass sie das gar nicht wollte.

Ich bin kein guter Mensch, dachte sie, aber das spielt keine Rolle. Gute Menschen gibt es ohnehin nur wenige.

Auch Madeleine ist nicht gerade gut gewesen. Und Örjan? Dass er ein Scheißkerl war, hatte sie eigentlich schon immer gewusst. Doch im Verdrängen war sie gut.

Klas würde sie mit dem Auto abholen. Sie hatten ein Picknick im Grünen geplant. Sie wollte ihn draußen im Freien haben, wo die Gefahr bestand, ertappt zu werden.

Es gab niemanden und nichts, um den oder das man noch besorgt sein musste. Sie brauchte sich weder um sich selbst zu sorgen noch um jemand anderen. Es gab kein Leben. Es spielte keine Rolle …

Während die Menschen lieben oder sterben – *sie klammern sich am Leben fest, bis das letzte bisschen Kraft aus ihnen herausgesickert ist* –, liegt der Sommer wie ein Deckel über der Stadt. Während sich in den Räumen der Stadt verschwitzte Körper in den unterschiedlichsten Kämpfen winden, flimmern Laub und Wasserflächen vor Hitze. Der kleinste Windstoß fegt bereits welke Blätter von den Ästen.

Mitten in die Hitzewelle kommt verfrüht der Herbst. Gras und Birken werden gelb, es ist kein Verlass mehr auf die Jahreszeiten.

Die Stadt wird von hohen und niedrigen Brücken zusammengehalten. Brücken verbinden nicht nur Menschen und Plätze miteinander. Sie bieten auch die Möglichkeit, sich davonzumachen.

Unsere Heldin verlässt ihren Liebhaber mitten in der Ekstase. Er weiß es nicht. Er glaubt, sie zu besitzen, doch während ihr Körper rhythmisch gegen den seinen schlägt, macht sich ihre Seele davon. Sie ist weit weg und für eine Zeit lang frei oder glaubt es zu sein.

Während sie liebt und ein kleines bisschen stirbt, macht sich ihr Sohn aus seinem Zimmer in dem Gustavsberger Eigenheim auf den Weg. Er nimmt den Bus über die Brücken, wie an so vielen anderen Abenden, und lässt sich von der Stadt verschlingen.

Dorthin führen seine Brücken: In einen Zusammenhang, wo er nicht frei sein muss, wo er wirklich *jemand* ist, ohne sich selbst ausgeliefert zu sein.

Du bist schuld! Du warst nie eine gute Mutter, hast nur immer an dich gedacht, wolltest nie etwas aufbauen, nie …«

»Ist es denn so verwunderlich, wenn man mit einem Mann, der säuft wie ein Loch, keine Familie aufbauen will?!«

»Ich kümmere mich wenigstens! Du könntest auch mal versuchen, an deine Verantwortung zu denken! Statt dich immer nur *selbst verwirklichen* zu wollen! Wie fühlst du dich denn im Augenblick, hast du das Empfinden, tatsächlich zu existieren? Bist du glücklich!? He?«

»Bist *du* denn glücklich?«

Er starrte sie an. Seine Augen waren rot unterlaufen und wirkten müde. Vielleicht hatte er getrunken, vielleicht auch nur geweint.

»Glaubst du, es geht im Leben immer nur darum, dass man um jeden Preis selbst glücklich sein muss?!«

Er schrie jetzt nicht mehr. Sie fummelte verbissen an der Serviette herum und sah, wie ihm die Tränen in die Augen stiegen. Eigentlich waren sie nicht wütend aufeinander, sondern nur auf das, was geschehen war. Aber wie sollte sie ihm das begreiflich machen?

Es hatte keinen Sinn, es zu versuchen.

Überhaupt keinen Sinn.

»War übrigens eine gute Rezension, die heute in der Zeitung stand«, sagte er.

»Rezension? Was denn für eine Rezension?«

»Na, im Feuilleton ... Über dein Buch ... Hier, siehst du ...«

Als er die Zeitung aufschlug und ihr die Notiz über ihren kleinen Gedichtband zeigte, blieb ihr vor Verblüffung der Mund offen stehen. Der mufflige Macho-Dichter aus der Nachbarwohnung hatte über ihr Buch geschrieben! Mein Gott, warum denn das?!

»Und warum hat er es nicht gelesen, bevor er darüber geschrieben hat?«, brummte sie, als sie die wenigen Zeilen überflog. »Himmel, er muss nicht ganz dicht sein! Was ist denn das hier! ›Einfühlsame Mädchenhaftigkeit ... Der reine Blick des Kindes ... Das Leben, gefiltert durch ein ungeschliffenes Temperament ...‹ Was glaubt er, was ich bin, eine verdammte Kindergartenpoetin?«

Sie faltete die Zeitung zu einem harten Bündel zusammen und gab sie ihm zurück. Dann leerten sie ihre Teller, obwohl das Essen nicht besonders gut schmeckte. Hier bezahlte man für die Aussicht: Die Stadt und die Schären breiteten sich, im Sonnenlicht glitzernd, meilenweit unter den Fenstern aus. Es war schön, doch kaum fünfundachtzig Kronen wert.

Sie wischte sich den Mund ab und sah verstohlen zu ihm hin. Er wirkte wütend.

»Nie zufrieden«, murrte er. »Du wirst niemals mit irgendetwas zufrieden sein. Du warst mit mir nicht zufrieden und wirst dich auch mit nichts anderem zufrieden geben. Du kannst einem Leid tun.«

Die Serviererin fragte, ob sie Kaffee wollten. Sie schüttelte den Kopf und wünschte sich weit weg von hier. Ihr tat das Herz so weh.

Es gab keine Geschichte, die sie zum Trost erzählen könnte, und gäbe es eine solche, würde Helen sie nicht kennen. Sie hat ihr Märchenbuch vor so langer Zeit verloren, dass sie alle Geschichten darin vergessen hat. Sie erinnert sich kaum, je ein solches Buch besessen zu haben. Eine tote Mama wimmert in ihrer Brust …

Das geschändete Gesicht, die zerschnittenen Lippen, der Wind aus der Kehle, der heulte und pfiff … Nie mehr würde sie ihn in den Schlaf wiegen …

»Ich muss jetzt los«, sagte sie.

Er nickte. Dann ging sie hinaus in den sterbenden Sommer, der das Laub von den Ästen brannte und den Schweiß in Strömen rinnen ließ. Es war in Ordnung, ihn mit der Rechnung zurückzulassen. Sie dachte nicht einmal darüber nach. Er konnte bezahlen.

Es gibt niemanden und nichts, um den oder das man noch besorgt sein musste. Ich brauche mich weder um mich selbst zu sorgen, noch um jemand anderen. Es gibt kein Leben. Es spielt keine Rolle …

Dass sie es eilig hatte, zu einem wichtigen Treffen zu kommen, war keine Lüge. Sie war – ein letztes Mal – mit Madeleine verabredet.

Ich habe die Pflanzen in der Küche umgetopft. Der Ficus Benjamini hat neue Erde und jede Menge Wasser bekommen. Ich darf nicht vergessen, ihn zu gießen, es ist heiß draußen, und er braucht viel Feuchtigkeit.

Vielleicht sollte ich mich auch selbst umpflanzen.

Ich habe Erde unter den Nägeln, ich muss sie säubern, bevor der erste Kunde kommt. Ich muss mich bald fertig machen, aber es ist so schön, einfach nur herumzutrödeln. Ich habe ein ausgiebiges Frühstück zu mir genommen und die Zeitung gelesen – also die GANZE Zeitung, auch die Leitartikel – und versucht, nicht so viel zu denken.

Aber das fällt mir schwer. Das Geld geht zu Ende. Ich würde mir gern ein paar neue Sachen kaufen, aber das lässt sich nicht machen.

Ich bin nicht sehr gut darin, mich selbst zu verkaufen.

In letzter Zeit war ich beim Beschaffen neuer Kunden besonders miserabel. Daran ist die Qualle schuld.

Es gibt für mich nicht einen einzigen Mann, selbst wenn die Qualle glauben will, er sei diese Person. Allerdings ist er ja fast mein einziger Kunde geworden.

Ich bin so verdammt bequem. Kann mich nicht mehr aufraffen, neue Jobs zu besorgen. Aber bald muss ich raus und mich selbst puschen. Es ist nicht sehr schwer, ich weiß, wie man es macht, aber es widerstrebt mir trotzdem. Man hat den Kerlen in der Bar ständig die Titten unter die Nase zu halten und zugleich klassisch kühl zu wirken. Ich muss es nur anpacken.

Aber Dreck und Sperma unter den Nägeln ist einfach nicht mein Ding.

Ich könnte die Qualle schon heiraten, wenn er reich genug wäre. Dann würde ich ungefähr so wie jetzt leben, aber ich hätte Geld für Kleidung.

Er glaubt, ich will Liebe, aber ich will nur Geld.

Money can't buy everything, it's true, but what it can't buy I can't use, I want money …

Haha. Vielleicht hätte ich stattdessen Sängerin werden sollen. Doch selbst dann wäre ich wohl gezwungen gewesen, den entsprechenden Kerlen die Titten unter die Nase zu halten.

Und Fotomodell?

Ein Job bei den Medien?

Oder in der Werbung?

Man ist eine Hure, egal, was man macht.

Mir geht es nicht wie dem Ficus dort in der Küche. Mich topft keiner um.

Heute kommt Monsieur zum letzten Mal. Ich habe meine Entscheidung getroffen, und das gedenke ich ihm zu sagen. Monsieur soll aus meinem Leben verschwinden. Dann bin ich völlig pleite, brauche aber keine Angst mehr zu haben.

Die habe ich bei der Qualle wenigstens nicht.

Aber ich überlege trotzdem, ob ich ihn nicht auch fallen lassen sollte.

Was das angeht, denke ich rein ökonomisch. Er ist eine verlässliche Geldquelle, aber er stiehlt mir Zeit. Ich meine, ich kann mich nicht gut dafür bezahlen lassen, dass er mir Rosen schenkt. Und jedes Mal, wenn ich Rosen bekomme, verliere ich Zeit. Es gehört schließlich zum Spiel, dass ich »oohh« sage und nach einer Vase renne, und das kann man nicht auf dieselbe Weise in Rechnung stellen, wie wenn man ihm einen ablutscht. Mir gefällt dieses Wort nicht, aber genau darum geht es doch.

Nicht, dass die Rosen ein Riesenproblem wären. Sie sind nur ein Detail, aber es gibt viele solcher Details. Manchmal will er spazieren gehen, und selbst wenn ich dafür einen Stundenlohn ansetze, so ergibt das doch nicht dasselbe, wie die Bezahlung per Produkt. In der Zeit, in der ich mit der Qualle spazieren gehe, könnte ich effektiven Sex mit drei Kerlen haben.

So geht es einfach nicht weiter.

Er muss aus der Agenda gestrichen werden. Eigentlich könnte ich es ihm ebenso gut heute sagen. Wenn ich Monsieur fallen lasse, kann ich die Qualle auch gleich mit abstoßen.

Und dann?

Dann stehe ich da. Keine Kunden, kein Geld. Aber das ist gut so. Dann bin ich gezwungen, mich zusammenzureißen und einiges zu tun, um einen neuen Markt zu etablieren …

Das erste Mal, als ich Sex für Geld hatte, war mit einem guten Freund meines Vaters, Leif hieß er.

Ich war siebzehn und begriff nichts. Er drückte mir hinterher Geld in die Hand und flüsterte, ich könne damit machen, was ich wolle. Das Geld gehöre mir, wenn ich verspreche, nichts zu sagen. Ich war schockiert. Fühlte mich nicht gekränkt oder so, ich fand ihn nur bekloppt. Ich hatte freiwillig mit ihm Sex gehabt, er hätte es gratis haben können, und dennoch bezahlte er?!

So bekloppt konnten Männer offenbar sein.

Es kam also darauf an, sie für etwas bezahlen zu lassen, das andere gratis machten.

Ich finde, dass Frauen, die gratis vögeln, genauso bekloppt sind wie Leif.

Die ganze Sache passierte während eines Abendessens bei

uns zu Hause. Leif hatte mich mit in die Bibliothek genommen, um mir ein Buch zu zeigen, das ich unbedingt lesen sollte. Es war ein Buch mit einer Unmenge Bilder, die richtig sexy waren, und während ich es mir ansah, fing er an, mich zu begrapschen.

Er fasste mir an die Brust, und ich hatte kein Problem damit. Ich hatte es ja bei so vielen Jungen ausprobiert, also wusste ich, wie man abschaltete und sie machen ließ. Der hier war übrigens kein Junge. Er war ein erwachsener Mann, mit dem meine Mutter oft flirtete. Mir gefiel wohl der Gedanke, dass ich ihn ihr wegnahm.

Er musste wohl die Tür abgeschlossen haben, wie hätte er es sonst wagen können? Ich begreife nicht, dass er sich traute, aber das hatte man ja gehört: Wenn bei einem Mann eine bestimmte Grenze überschritten ist, kann er sich nicht länger kontrollieren. Vielleicht war es so bei Leif. Und ich glaube, das Risiko, entdeckt zu werden, hat ihn zusätzlich angemacht.

Er vögelte die Tochter seines besten Freundes und drückte ihr hinterher einen Tausender in die Hand. Ihr – mir. Danach trafen wir uns regelmäßig ein paar Jahre lang, bis er sich nicht mehr traute. Er hatte ständig eine Mordsangst, dass mein Vater dahinter kommen könnte. Diese Angst trieb ihn sexuell an, aber am Ende wurde es wohl doch zu viel für ihn.

Es machte mir nichts aus, dass er mich fallen ließ, ich brauchte ihn nicht mehr. Ich hatte bereits andere Kunden. Das ist jetzt lange her, und es hat keinen Sinn, in der Vergangenheit zu graben. Jetzt geht es um die Zukunft.

Ich werde Monsieur und die Qualle abstoßen. Erst den einen, dann den anderen. Ich werde der Qualle sagen, was ich von ihm halte, das wird Spaß machen. Er glaubt, dass ich ihn lieben könnte, dass es zwischen uns einen echten Kontakt und gegenseitigen Respekt gibt. Er bildet sich so viel ein.

Ich möchte ihm so sehr zusetzen, dass er daran stirbt, ich weiß nicht warum.

Jetzt wird die Zeit knapp. Ich kann hier nicht mehr herumsitzen und mit mir selbst reden. Örjan hat gesagt, ich müsse zu einer Therapie gehen. Er weiß schließlich nicht, dass ich es irgendwie schon tue. Dieses Reden mit dem Recorder ist doch wohl eine Art Therapie. Ich werde Örjan anrufen, denn ich will, dass er herkommt, sobald all das hier vorbei ist. Ich brauche jemanden, der die Lage checkt.

Ich habe Angst.

Monsieur wird mich nicht einmal anfassen dürfen. Wir werden uns vollkommen angezogen an den Küchentisch setzen, und ich werde ihm in aller Ruhe erklären, dass unser Kontakt beendet ist. Er ist kein Unmensch, solange er nicht geil ist. Das wird schon klappen.

Und der Qualle werde ich einen Traum erfüllen .../Lachen/ ... Er wird das machen dürfen, worum er immer gebettelt hat. Bisher hatte ich es strikt abgelehnt, aber heute ist sein großer Tag.

Er wird mich festbinden dürfen, um dann nur dazustehen und mich anzusehen. Es ist seine triefendste Fantasie, mich so straff zu fesseln, dass ich keine Chance habe, loszukommen, und dann will er überhaupt nichts tun. Keine Vergewaltigung, kein Onanieren, kein Lutschen, nichts.

Er will nur dastehen und mich ansehen, damit er weiß, wo er mich hat.

Das wird er tun dürfen. Und während er dasteht, werde ich ihm sagen, dass zwischen uns Schluss ist.

Er hat bezahlt, um mit mir zusammen sein zu dürfen. Das ist pathetisch.

Er ist so verdammt pathetisch, und das werde ich ihm sagen.

Er wird wahrscheinlich zu heulen anfangen, mich losbinden, mich überallhin küssen und bitten und betteln. Wie ver-

dammt pathetisch … Und wenn es nun genau das ist, was ich will, dass er mich losbindet, mich überallhin küsst und mich trotzdem liebt, obwohl ich ihn auf die schlimmste Weise verletzt habe, die man sich vorstellen kann? Äh, was für ein Quatsch. So eine Liebe gibt es nicht, und wenn es sie gäbe, würde ich sie nicht wollen. Niemand will von jemandem geliebt werden, der so pathetisch ist.

Zuerst Monsieur.

Dann die Qualle.

Sich von jemandem fesseln zu lassen, erforderte Vertrauen. Es war nichts, was sie jedem Beliebigen erlaubt hätte. Es musste irgendwo einen Mann geben, dem sie vertraute und den sie falsch eingeschätzt hatte.

Helen erbrach sich. Als sie die Kassette ein zweites Mal gehört hatte, war Madeleines Stimme schließlich mit dem geschändeten Gesicht und dem blutigen Körper eins geworden, und die Galle kam ihr hoch.

Den ganzen Sommer über hatte sie wie im Nebel gelebt. *Hatte nur wie in einem Spiegel gesehen ...*

Von Angesicht zu Angesicht sollen wir sehen ...

Sie hatte Beweise vorenthalten, aber das spielte jetzt keine Rolle.

Wer in ihr die Bänder gestohlen hatte, begriff sie nicht. Es war jemand, der mit ihrem normalen Ich nichts zu tun hatte. Eine Fremde in ihr beobachtete alles ruhig und kalt, um zu sehen, wohin es führen würde. Diese Fremde hatte Dinge an sich genommen, die vielleicht Beweismaterial waren und den Verdacht von Örjan nehmen oder ihn belasten konnten.

Indem sie die Kassetten an sich gebracht hatte, bekam sie Macht über das Geschehen – und über ihn.

Wie diese Macht genau aussah und wie stark sie war, wusste sie noch nicht. Deshalb wartete sie ab. Ihr Zögern beruhte nicht nur auf Angst.

»Ich kann ihn befreien«, sagte sie laut. »Auf der ganzen Welt kann nur ich das.«

Lachen und Weinen stiegen in ihr hoch, und ihre Kehle verkrampfte sich. Sie umklammerte den Rand der Spüle. Das kalte Metall schnitt ihr in die Handflächen. Sie schwankte. Ihr ganzer Körper wurde in den Wirbel der Gefühle gerissen. Der Mund zuckte, das Herz hämmerte vor Entsetzen.

»Wenn die Polizei diese Kassetten in die Hand bekommen hätte«, murmelte sie, »dann hätten sie ihn nie festgenommen. Nichts von alledem wäre geschehen. Es ist meine Schuld, dass er da drinnen sitzt. Ich muss ihn da rausholen.«

Und dann – dann ...

Dann ...

Von Angesicht zu Angesicht ...

Der, den sie liebte, hatte niemanden getötet. Deshalb liebte sie ihn. Der Kreis schloss sich.

»Er wird mich hassen«, murmelte sie. »Sie werden mich alle hassen, weil ich eine so blöde Gans gewesen bin, weil ich einfach die Kassetten genommen und sie ewig habe liegen lassen, aber darauf pfeife ich.«

Sie brauchte sich eigentlich nicht zu erkennen zu geben. Sie konnte die Kassetten in ein gefüttertes Kuvert stopfen und sie anonym an die Staatsanwaltschaft schicken. Niemand würde darauf kommen, dass sie es war, die ...

Aber sie war doch als Erste dort gewesen. Vor der Polizei. Alle würden begreifen, dass sie es war, die ...

Ehrlichkeit währt am längsten ...

Als sie in den Flur ging, um sich anzuziehen und mit den Kassetten zum Polizeipräsidium zu fahren, entdeckte sie den Stapel Post an der Tür. Briefe, Rechnungen und Werbung waren soeben eingeworfen worden, ohne dass sie es gehört hatte.

Zunächst wollte sie einfach darüber hinwegsteigen, um

sich sofort auf den Weg zu machen. Dann kam sie auf die Idee, dass irgendeine Zahlungsanweisung darunter sein könnte.

Eine Telefonrechnung. Ein Kontoauszug, in dem stand, dass sie in den letzten Monaten viermal überzogen hatte. Ein Werbeblatt vom Supermarkt mit Coupons, die einen Rabatt von 2,50 für Limo-Getränke garantierten. Ein Brief von Örjan.

Sie sank auf den Fußboden und saß, den Rücken an die Wand gelehnt, einen Moment reglos da. Der Brief vibrierte in ihrer Hand.

Sie betastete den Umschlag, als sei ihr das Material unbekannt. Dann öffnete sie ihn vorsichtig mit dem Zeigefinger.

Das Briefpapier war dünn und schlaff.

Seine Schrift hatte sich verändert.

So hatte sie nicht ausgesehen auf den Ansichtskarten, die im Laufe der Jahre aus den verschiedensten Winkeln der Erde bei ihr eingetroffen waren. Früher hatte er flüssig, ziemlich schluderig, ja kaum leserlich geschrieben. Jetzt malte er die Buchstaben wie ein Schuljunge, sie ließen sich leichter deuten als früher, es war, als wäre dem Text dadurch das Leben entzogen worden. Seine Persönlichkeit, so wie Helen sie in Erinnerung hatte, war darin nicht mehr zu finden.

»Liebe Helen …«

Tränen traten ihr in die Augen. Sie brauchte eine Pause, bevor sie weiterlesen konnte.

»Liebe Helen – es ist so lange her, dass ich richtig mit Dir geredet habe. Wenn ich hier rauskomme, werden wir reden. Ich sehne mich danach und nach Dir, meiner schönen Freundin.

Es gibt so vieles, was ich tun will, wenn sie mich hier rauslassen. Ich werde stundenlang durch die Stadt gehen und nur tief durchatmen. Wisst Ihr dort draußen eigentlich, wie glücklich man ist, wenn man, solange man Lust hat, in Cafés sitzen kann? Jetzt will ich nicht weiter darüber schreiben, sonst fange ich an zu heulen. Es ist schwer, seine Gedanken hier drinnen zusammenzunehmen. Aber ich habe meine Sehnsucht nicht verloren. Und ich hoffe.

Wenn ich hier rauskomme, werden Farsaneh und ich nach Persien reisen. Wir werden dort lange herumfahren, und ich werde diejenige, die ich liebe, durch das Land, das sie geboren hat, entdecken. Farsaneh ist eine großzügige Frau, sie gibt mir so viel, und auch ich kann ihr etwas zurückgeben. Ich kann ihr etwas von mir selbst geben. Auch Du gibst mir viel – danke für die Bücher! Sie zu lesen, hat geholfen.

Wenn ich hier rauskomme …

Küsse von Deinem Freund Ö.«

Langsam knüllte Helen seinen Brief zu einem harten Knäuel zusammen.

Erst eine Weile später erinnerte sie sich, wohin sie gehen wollte. Sie stand auf, hängte sich die Tasche über die Schulter und ging zu ihrem Fahrrad hinunter.

Sie schloss es auf und setzte sich auf den Sattel. *Ehrlichkeit währt am längsten.* Der Wind zerrte an ihrem Haar, während sie die kurze Strecke zur Skeppsbro hinunterrollte. Am Kai ließ sie das Rad stehen und ging bis zum Wasser vor. *Diese orientalische Fotze.*

Die Meeresbucht vor ihren Füßen glänzte tiefschwarz. Auf dem Grund lag alles Mögliche, was die Welt vergessen hatte. Sie ließ sich auf dem Rand des Kais nieder, und ihre Beine baumelten über dem Wasser.

Sie hatte Zeit, nichts drängte sie. Sie nahm die erste Mikrokassette aus der Tasche. Mit dem Fahrradschlüssel zog sie Meter um Meter aus dem Gehäuse. Als sie ein wirres Knäuel aus braunem Magnetband in der Hand hielt, presste sie es zusammen, bis fast nichts mehr davon übrig war.

I have so many – don't ask me what it's for – Can I have a car, dear, I'm gonna leave this town – I hate to see you bleed …

Sie hörte Musik …

Sonic Youth hämmerte und gellte ihr durchs Gehirn …

Shoot …

Der Kai lag fast menschenleer da, trotz des Sonnenscheins und des späten Nachmittags. Sie beeilte sich nicht und versuchte auch nicht zu verbergen, was sie tat. Gerade deshalb nahm niemand Notiz von ihr. Kassette um Kassette wurde ihres Inhalts entleert. *I hate to see you bleed …*

Als alles im Wasser versunken war, als Madeleines Stimme dort unten auf dem Grund des Vergessens lag und langsam ausgelöscht wurde, stand sie auf und ging zu ihrem Rad zurück.

Den Rest des Nachmittags und Abends fuhr sie planlos durch die Stadt.

Eine heiße Besessenheit und Lust auf Macht und der Wunsch zu besitzen und, wenn sie nicht besitzen konnte, zu schaden …

Es war jetzt vorbei.

In ihr brannte nichts mehr.

Als sie nach Hause kam, wusste sie nicht mehr, wo sie gewesen war.

Hallo! Wie nett, dich zu sehen!«

Als sie am nächsten Morgen aus ihrer Wohnung kam, stand der Macho-Dichter, nur mit Shorts bekleidet, im Treppenhaus. Als er sie anlächelte, glänzte das Goldkettchen um den Hals mit seinen Zähnen um die Wette. Sie lächelte nicht.

Seine Beine, die aus den weiten Hosenbeinen ragten, waren spindeldürr und so gut wie unbehaart. Nur alte Männer hatten solche Beine. Sie kannte das aus ihrer Zeit bei der Altenfürsorge.

Genau dorthin war sie jetzt unterwegs – oder, besser gesagt, zum Arbeitsamt und dann garantiert weiter zu irgendeinem Pflegejob, falls sich nicht irgendwas in einem angesagten Café fand. Am liebsten würde sie in einer Espresso-Bar hinterm Tresen stehen, mit dem Kaffee der Leute hantieren und ein extrem gelangweiltes Gesicht aufsetzen. Liebend gern würde sie mit ausgesuchter Gemächlichkeit Saft pressen und Muffins servieren, während ihre Gedanken ganz woanders weilten.

Sie wünschte sich – kurz gesagt – einen normalen, ehrlichen Job.

Bevor sie gestern Abend eingeschlafen war, hatte sie sich entschlossen, die Stadt zu verlassen. Aber heute Morgen rief ihre Verwandte an und sagte, dass die Sache geregelt sei, und sie den Mietvertrag der Wohnung übernehmen könne.

Mit anderen Worten, bald besäße sie in Gamla Stan eine Einzimmerwohnung, hätte eine Arbeit, zu der sie gehen könnte, und ein anständiges Leben.

Alles andere würde verschwinden, als hätte es nie existiert.

Sie hatte keine Lust, jemals wieder daran zu denken.

Vergiss die Geschichte, die wissenschaftlichen Arbeiten, die hoffnungslosen Liebhaber und die schmerzlichen Erinnerungen!

Alles würde in Ordnung kommen, wenn sie es nur schaffte, oberflächlich zu werden. Die Oberflächlichen waren die glücklichsten Menschen, das hatte sie schon immer gewusst, und sie verachtete sie nicht mehr. Sie beabsichtigte, eine von ihnen zu werden.

»Ich weiß nicht, ob du gesehen hast, dass ich in der Zeitung über dein Buch geschrieben habe. Es hat mir sehr gefallen!«

Hinter dem Macho-Dichter war eine junge Frau aufgetaucht, die Helen aus der Zeitung kannte – eine Lyrikdebütantin, die man als Hoffnung der neuen schwedischen Literatur handelte. Der Macho-Dichter richtete jetzt sein Lächeln auf die Debütantin, die sich elegant an ihm vorbei aus seiner Wohnung schlängelte. Das Manöver gelang ihr, ohne ihn auch nur zu streifen.

»Mach's gut, bis bald«, sagte die junge Dichterin und beugte sich gekonnt zur Seite, um seinem Kuss auf die Wange zu entgehen.

Sie eilte die Treppe hinunter, und der Macho-Dichter blickte ihr zufrieden hinterher.

»Ein fantastisches Talent«, stellte er fest. »Das bist du übrigens auch!«

»Und du bist ein verdammter, geiler alter Wichtigtuer«, antwortete Helen.

Adieu Poesie. Sie sprang die Treppe in zwei Sätzen hinunter. Die Haustür war hinter der jungen viel versprechenden Dichterin noch nicht wieder ins Schloss gefallen. Helen öffnete sie weit und fühlte, wie frisch die Luft war. Es würde bald Herbst werden.

Seine Augen sind leere, ausdruckslose Flächen. Aus ihnen laufen Tränenströme die Wangen hinunter. Niemand wird es jemals trösten können.

Keiner ist so einsam wie das Phantom.

Hier habe ich im Frühjahr mit Örjan gesessen, dachte sie. Jetzt sitze ich allein hier. Das ist traurig. Ich mag meinen Espresso nicht, obwohl er gut ist. Ich sollte mich vielleicht darüber freuen, dass heute wieder die Sonne scheint. Einen solchen Hochdrucksommer haben wir nicht mehr gehabt, seit dem Jahr, in dem die ›Estonia‹ gesunken ist. Aber nein, es ist nur lästig, dass die Hitze nicht nachlassen will.

Nichts darf wachsen und Früchte tragen.

Alles stirbt.

Keinen Stil, keinen Ventilator, keinen Whisky, kein Poker-Face, aber jedenfalls bin ich hart gesotten, wie ein Ei in der Wüste.

Dort drinnen hängt es an der Wand und weint. Weder Bitten noch Betteln würden jemals echte Tränen aus seinen Augen hinter der Maske pressen.

Früher einmal hatte ich einen Traum – auch wenn ich das nicht zugeben wollte –, nämlich den, das Phantom zu demaskieren. Damals war ich jung und dumm.

Wer sein Gesicht zu sehen bekommt, stirbt einen entsetzlichen Tod.

Ich will sein Gesicht absolut nicht sehen.

Es interessiert mich nicht mehr. Es macht mir nur Angst.

Hier habe ich Örjan zu Schokoladenbiskuit und Käsebrot eingeladen. Er war glücklich wie ein Kind und erzählte von seiner letzten Reise. Seitdem sind tausend Jahre vergangen.

Seinetwegen sollte ich mich bemühen, dem Phantom die Maske abzureißen und der Welt zu zeigen, wer es ist. Aber das wird nicht geschehen. Das Phantom wird, wie ein ganz normaler Mann, auch weiterhin in seinem Mantel auf den Straßen umhergehen, nur dass sein Hund nicht wirklich ein Hund ist.

Er ist ein Wolf.

Das Phantom hat in dieser Stadt den Teufel an der Leine. Jetzt, in diesem Augenblick, wo ich vergeblich versuche, den Kaffee und das Törtchen hinunterzuwürgen.

Das Phantom kommt zu seiner Arbeitsstelle, begrüßt die Kollegen freundlich und setzt sich an den Schreibtisch. Es nimmt Anrufe entgegen, führt selbst diverse Telefongespräche, schickt und empfängt E-Mails, steht gähnend Sitzungen und Besprechungen mit Kunden durch. Am Nachmittag geht es nach Hause zu …

Ja, wohin?

Wer ist das Phantom?

Wer ist die Qualle?

Ich will es nicht wissen. Also schütze ich ihn. Die Faulen und Feigen schützen die Bösen, so war es schon immer. Es tut mir Leid, aber ich verkrafte das nicht mehr, und deshalb habe ich vor, es einfach ruhen zu lassen.

Verzeih mir, Madeleine.

Wenn er erneut einen Mord begeht, wer verzeiht dann mir?

Aber er wird es nicht wieder tun.

Ich glaube nicht, dass er noch lebt.

Ich glaube, er hat auf sie eingestochen, bis sie fast tot war, und dann ist er weggegangen, als sei nichts geschehen. *Ein ganz normaler Mann*, sein Teufel zerrte und riss an der Leine und führte ihn zu dem einzig möglichen Ort, dem des Vergessens. Dem dunklen Wasser.

Dort liegt er jetzt, beschwert mit Gewichten an den Füßen und Steinen in der Tasche. Es ist ihm gelungen, die Sache gründlich zu erledigen. Er weiß, wie man tötet.

Die Qualle ist weg.

Aber das Phantom lebt ewig, kehrt in jeder Generation von Männern zurück. Es hat seinem Teufel beigebracht, bei Fuß zu gehen.

Es ist in den gesundheitsbewussten Männern, die Windjacken und schlecht sitzende Hosen tragen und aussehen, als kämen sie direkt von einer Vorstandssitzung der Gewerkschaft; in den geschmeidigen Anzugträgern, die mit der Aktentasche unterm Arm und dem Handy am Ohr die Bürgersteige entlangeilen; in den jungen Burschen, die wie Beavis und Butthead lachen, *hä-hä-hä*, sie haben Base-Caps auf dem Kopf und Wunden im Gesicht, dort, wo der Rasierapparat Pickel weggerissen hat. Oh, es ist überall, aber es wagt nicht, sich zu zeigen, denn dann sterben wir. All diese normalen Männer sind seine Verkleidung.

Das Landgericht hat angerufen.

Sie sagen, ich könne damit rechnen, bald eine Zeugenvorladung zu bekommen.

Ich begreife nicht, warum es so lange dauert, bis der Prozess stattfindet. Ich habe die Staatsanwältin angerufen, die sagte, sie könne mir nicht mehr über die Ermittlungen berichten, als in den öffentlichen Dokumenten stehe, alles andere verstoße gegen die Regeln. Und ich habe ein paarmal mit Örjans Anwältin telefoniert, der ich schon ein bisschen auf die Nerven gehe. An jenem Tag, als ich die Beherrschung verlor und anfing zu heulen, hat sie mir geduldig erklärt, das kriminaltechnische Labor sei sicher mit DNA-Analysen beschäftigt. Schließlich hätte Örjan ja überall Blut an sich gehabt, an den Armen und der Kleidung. Er war in der Küche gewesen und hatte versucht, es von den Händen zu waschen, aber an seinen Sachen war es noch vorhanden. Man musste sicherstellen, dass es ihr Blut war. Unter anderem deshalb dauerte alles so lange. Man musste das Ergebnis der Tests abwarten. Auch das Selbstverständliche musste belegt werden. Wessen Blut sollte sonst an seiner Kleidung sein, wenn nicht das von Madeleine?

Er hatte Verletzungen gehabt, die sie ihm zugefügt hatte, als sie ihn abwehrte. Sie hatte versucht, sich gegen ihn zu wehren, als er trösten wollte. Deshalb sitzt er nun im Knast, weil er trösten wollte.

Nein, nicht nur deshalb sitzt er jetzt dort. Es ist meine Schuld, aber ich habe kein schlechtes Gewissen. Nur weh tut es.

Ich kann beruhigt sein.

Es kommt zum Prozess.

Danach wird Örjan frei sein.

Oder?

Was tue ich, wenn es nicht so ist?

Blödsinn. Selbstverständlich lässt man ihn frei.

Aber wenn nicht?

Ich will nicht daran denken. Ständig versuche ich, an etwas anderes zu denken als an Örjan und sein verdammtes Schlamassel, in das ich gegen meinen Willen hineingezogen wurde, und es gelingt mir immer besser. Letztes Wochenende war ich in Linköping. Ich habe Blumen auf Vaters Grab gelegt und ein bisschen geweint, das tue ich immer, wenn ich auf dem Friedhof bin. Ich vermisse ihn noch immer und werde es immer tun.

Mein Papa war gut. Das ist der Vorteil von Vätern, die gestorben sind, als man noch klein war, dass sie natürlich immer gut waren.

Ich habe Mutter besucht, sie ist jetzt alt, und es gibt nichts mehr, worüber man streiten müsste, also war es recht schön. Wir haben zusammen gegessen und einen Abendspaziergang durch die Stadt gemacht. Dann habe ich in meinem früheren Zimmer geschlafen. Am nächsten Tag bin ich in die Kirche gegangen.

Ich habe es wieder gesehen, dieses vielfarbige Licht, das auf dem Fußboden des Doms funkelt, wenn die Sonne scheint. Das erste Mal habe ich es bei Papas Beerdigung beobachtet, da glaubte ich allen Ernstes, es sei ein Zeichen von Gott.

Jetzt weiß ich es besser.

Gottes Licht ist nichts anderes als Sonnenstrahlen, die durch buntes Glas fallen.

Ich weiß es, denn gestern habe ich zu Gott gebetet, ohne eine Antwort zu erhalten.

Ich frage mich, wann sie dieses furchtbare Jesus-Bild wohl vom Altar nehmen werden.

Vermutlich niemals.

Am nächsten Tag lagen in der Post keine Ansichtskarten oder Briefe, deren Adresse mit der Hand geschrieben war, keine Benachrichtigungen über Pakete, die man von der Post zu holen hatte. Keine Geschenke, keine Liebe, kein Geld. Ein einsames weißes Fensterkuvert erwartete Helen, als sie vom Arbeitsamt nach Hause kam, Absender Gerichtskanzlei. Sie nahm es ruhig zur Hand und schlitzte es ohne Eile auf. Kein Herzklopfen, keine Gefühle, keine Angst, als sie das Blatt auseinanderfaltete und las:

> LANDGERICHT STOCKHOLM, *Vorladung:*
> *Staatsanwaltschaft / Örjan Wall*
> *Betr.:* ***Mord***
> *Sie werden zur Vernehmung als Zeugin in der Hauptverhandlung vorgeladen.*
> *Persönliches Erscheinen ist Pflicht, falls Sie nicht wegen Krankheit oder aus anderen triftigen Gründen verhindert sind. Bleiben Sie ohne triftigen Grund der Verhandlung fern, können Sie zu einem Ordnungsgeld von 2000 Kronen verpflichtet oder durch die Polizei beim Landgericht vorgeführt werden. Sie können ebenfalls verpflichtet werden, die Prozesskosten zu tragen.*
> *Bei Verhinderung haben Sie dem Gericht den Grund umgehend mitzuteilen.*

***Beachten Sie**, dass die Vorladung gilt, bis eine anderweitige Benachrichtigung durch das Gericht erfolgt.*

Das Verfahren sollte in drei Tagen stattfinden.

Ihr war, als hätte sie selbst ein Verbrechen begangen.

Als sich der erste Schrecken gelegt hatte – sie brauchte sich keine Sorgen zu machen, dass die Polizei sie holen würde, denn sie gedachte schließlich, sich zur Verhandlung einzufinden –, da hatte sie das Gefühl, auserwählt zu sein. An diesem Nachmittag durchkämmte sie sorgfältig ihre Garderobe.

Sie hatte nichts anzuziehen.

Was zog man für eine Gerichtsverhandlung an? Ein Kostüm, wie es amerikanische Juristinnen im Fernsehen trugen, oder konnte sie in ihren üblichen Jeans erscheinen?

Ihre Zeugenaussage war so wichtig, dass ihre Anwesenheit vom Landgericht unter Androhung von Strafe gefordert wurde.

Die Frage war nur, was sie wissen wollten?

Nichts zu verschweigen, hinzuzufügen oder zu verändern …

Sie hatte die Absicht, zu verschweigen. Das würde keiner merken. Sofern es der Polizei nicht zu Ohren gekommen war, dass Madeleine regelmäßig ein Tagebuch aufsprach, das man in ihrer Wohnung hätte finden müssen.

In diesem Fall würde man sie vielleicht fragen, ob sie am Tatort zufällig einen Stapel Kassetten gesehen habe? Aber Madeleine selbst hatte doch erwähnt, dass diese Kassetten ihr Geheimnis waren, kein anderer sollte sie jemals hören. Niemand wusste, dass es sie gab.

Die einzige Person, die darüber Bescheid wissen könnte, musste ein richtig enger Vertrauter von Madeleine sein.

Ein Freund wie Örjan.

Sie nahm das Rad und fuhr in wilder Fahrt die Scheelegata entlang, sauste am Supermarkt vorbei und sah ein, dass sie es nicht schaffen würde, eine Frühstücksbanane zu kaufen, überquerte die Kungsholmsgata bei Rot, so dass ein Taxifahrer gezwungen war, auf die Bremse zu treten. Es war vier Minuten vor halb zehn. Sie hatte keine Zeit gehabt, zu duschen und sich zu kämmen, hatte nur noch die schäbigsten Jeans zum Anziehen gefunden. Das Paar, das an den Knien aufgeplatzt war, wie es einmal Mode war, aber jetzt lief keiner mehr so herum. Sie sah unmöglich aus.

Der Schlaf steckte ihr noch immer in den Knochen, als sie vor dem gewaltigen Backsteinbau vom Rad sprang. Die Fassade des Hauses sollte Eindruck machen, und das gelang ihr auch. Die Gerechtigkeit stand, in den Händen Schwert und Waage, mit geschlossenen Augen unter dem Portal, wo aus Stein gehauene Gestalten das Menschenleben zusammenfassten – boshaft grinsend, leidend, kämpfend und liebend.

Sie rannte die Treppe zum Eingang hoch. Während sie die Tür aufschob, wurde sie von einem der Beamten der Gerechtigkeit überholt. Er kam wohl in letzter Minute zur Verhandlung, sein Schlips lag ihm wie ein Spieß über der Schulter, und die Schöße des Jacketts flatterten.

»Bitte im Rathaus keine Reiskörner werfen«, stand auf einem Schild vor dem Vestibül. Nein, hier würden keine Reiskörner geworfen werden. Neue Türen, rasch hinein in die Eingangshalle, die schön, angenehm beleuchtet und voller Schüler war, die einen Informationsbesuch machten. Sie boxte sich durch eine Traube Schuljungen mit Base-Caps und Nike-Shirts und suchte, durch den Raum irrend, nach einem Anschlagbrett. Ihr war gesagt worden, dass dort ein Aushang über Örjans Verhandlung zu finden sei und darin stehe auch, wohin sie sich zu begeben habe.

Verdammt!

Sie fand ein Anschlagbrett, aber dort gab es keine Aushänge über die heutigen Prozesse, nur Mitteilungen wie »Beschluss über Einziehung und Verfall«, »Ersuchen um Inkenntnissetzung« et cetera, et cetera. Ihr Blick wanderte zwischen all den Dokumenten hin und her und blieb an einem handgeschriebenen Zettel hängen:

Angaben zur Person, bei der die Maßnahme erfolgte: Unbekannt.

Ort, an dem die Maßnahme erfolgte: Helikopterplattan, Munkbron.

Kurze Beschreibung der Umstände: Das Einsatzkommando führte eine Durchsuchung bei einer Gruppe Skinheads durch. Am Ort wurde eine Anzahl Straßenkampfwaffen gefunden. Eine Zuordnung zu einer bestimmten Person war nicht möglich.

Beschlagnahmte Gegenstände: 1. Teil eines Wagenhebers, Material Eisen, ca. 35 cm. 2. Fahrradschlauch, gefüllt mit Schrauben (Straßenkampfwaffe).

Jetzt war ihr der Schweiß auf der Stirn ausgebrochen. Er lief in die Augenbrauen. Das Herz raste, und Übelkeit wallte in ihrem Körper auf.

Zwei Minuten vor halb zehn.

Sie hatte an diesem Morgen verschlafen. Der Wecker hatte nicht geklingelt, und vielleicht war das auch gut so. So hatte sie wenigstens keine Zeit gehabt, nervös zu werden. In einem Anfall von Schüchternheit schlich sie an der Rezeption vorbei. Sie traute sich nicht, stehenzubleiben und zu fragen, wohin sie gehen musste. Diese lähmende Befangenheit hatte sie während ihrer ganzen Jugend geplagt und überfiel sie auch heute noch manchmal. Es war eine Schande. Sie würde nie zugeben, dass sie – in bestimmten Situationen – zu schüchtern war, um beim Arzt anzurufen oder einen Mitmenschen auf der Straße nach der Uhrzeit zu fragen. Auch dieses Mal würde sie wohl nicht zu fragen brauchen. Es musste noch ein anderes Anschlagbrett geben.

Sie fand es auf der gegenüberliegenden Seite des Eingangs. Unter einer fleckigen Messingleiste hingen die Terminlisten – »Haftprüfung«, »Haftprüfung«, »Fortsetzung der Hauptverhandlung«, »Hauptverhandlung«, »Hauptverhandlung« …

Verfahren 1, 9.30 Uhr, Staatsanwaltschaft / Örjan Wall:
IN UNTERSUCHUNGSHAFT
Mord
Saal 17

Die Zeit war zu knapp, um weiter schüchtern zu sein. Sie ging zu dem Glaskäfig, aus dem ein freundlicher Mann in weißem Hemd und Schlips sie lächelnd ansah: »Ganz oben«, sagte er. »Sie können den Aufzug oder die Treppe nehmen.«

Schon auf der ersten Etage fühlten sich ihre Beine wie Blei an. Den Aufzug hatte sie nicht gefunden. Sie rannte drei weitere Treppenabsätze hoch und befand sich ganz oben in diesem verblüffend schönen Gebäude. Es wirkte wie eine Kirche. Die weißen Steinwände und Decken wölbten sich über ihrem Kopf, aber hier gab es keine Heiligen. Mitten in der hellen Treppenhalle entdeckte sie stattdessen die Figur eines alten Meister Hans. Sie hielt nicht Schwert und Waage in der Hand, sondern Schwert und Rute.

Er befand sich hoch oben auf einem Sockel, in Bronze gegossen, und blickte streng aus dem Fenster, über die Köpfe der Menschen hinweg, die leise redend um ihn herumstanden. Ziemlich viele Leute waren anwesend. Die Gesichter waren ihr alle unbekannt, nein, verdammt! Dort stand Klas mit seiner Frau. Helen begegnete seinem Blick, und ganz so, als hätten sie es abgemacht, nickten sie einander kurz und höflich zu. Er verzog keine Miene. Seine Frau war leichenblass, und ihre rot geschminkten Lippen waren zu einer messerscharfen Linie zusammengekniffen, es sah fast aus wie ein Schnitt.

Und da war auch Farsaneh.

Helen tat, als sehe sie sie nicht. Aus den Augenwinkeln bemerkte sie, dass Farsaneh ein schönes, halb durchsichtiges Baumwollkleid in Rot mit blauen Blumen trug. Es sah einfach aus, hatte jedoch gut und gern mehrere tausend Kronen gekostet. Traurig starrte Helen auf ihre eigenen kaputten Jeans und die abgetragenen Turnschuhe. Der eine Schnürsenkel war aufgegangen. Während sie ihn zuband, nutzte sie die Gelegenheit, um durchzuatmen – sie war wenigstens rechtzeitig erschienen.

Aber was waren das für Leute?

Sie erkannte auch Sofi wieder, die genauso aussah wie beim vorigen Mal – dasselbe rabenschwarze Haar, der glasklare ruhige Blick und das regelmäßige Schielen auf die Uhr. Sofi wälzte einen Kaugummi zwischen den Kiefern und wirkte, als wäre sie schon immer hier gewesen – als Beobachterin, nicht als Beteiligte einer Verhandlung.

All die anderen – waren das nur Neugierige? Möglich. Manche waren sicher Freunde von Örjan, die sie nie getroffen hatte, aber so viele …?

Vor dem Eingang zum Presseraum standen drei Männer in saloppen Anzügen und unterhielten sich, als würden sie sich schon lange kennen. Zwei von ihnen waren über fünfzig, sonnengebräunt und wortgewandt. Der dritte – ein sehr junger Mann mit einem Fahrradrucksack über der Schulter und

Block und Kugelschreiber in der Hand – bemühte sich, dem Jargon der anderen zu folgen und genauso locker zu wirken wie sie. Er sah ganz ernst aus und war sehr aufmerksam.

Noch so ein Aushilfsreporter, der für eine Bildunterschrift seine Mutter verkaufen würde, dachte Helen.

Man ist eine Hure, egal was man macht.

Vor all diesen Menschen sollte sie reden.

Vor ihren Blicken würde sie vielleicht als Lügnerin und Verbrecherin entlarvt. Sie hatte sich nicht informiert, wie hoch die Strafe für Meineid war, das wollte sie nicht wissen.

Der Boden unter ihr geriet ins Wanken.

Dann konnte sie sich nicht mehr von der Vorstellung befreien, der dunkle Marmor würde jeden Augenblick unter ihren Füßen nachgeben und sie verschlingen.

»Ich weiß nicht, wer ich bin«, murmelte sie.

»Bitte?«

Eine unbekannte Dame neben ihr schaute sie freundlich und verwundert an. Helen schüttelte abwehrend den Kopf, es sei nichts, gar nichts, sie habe nichts gesagt, nein.

Die Türen zu den Räumen 17 und 18 standen offen, aber der Gerichtssaal selbst war noch geschlossen. Dann ertönte der Aufruf über den Lautsprecher, *Dingdong,* wie auf einem Flugplatz: »Das Landgericht Stockholm ruft zur Hauptverhandlung in der Gerichtssache zwischen der Staatsanwaltschaft und Örjan Wall. Die Beteiligten bitte in Saal 17 eintreten.«

Alles erschien so unwirklich, dass es seinen Schrecken verloren hatte.

Einen Augenblick lang – in der Sekunde, als sie über die Schwelle des Gerichtssaals trat und bemerkte, wie es dort drinnen aussah – hatte sie allerdings erneut das Gefühl, zu versinken, wie eben im Treppenhaus. Die Mitglieder des Gerichts saßen ganz hinten im Saal, hinter einer rotbraunen Schranke. Sie schienen Helen direkt anzusehen.

Als sich der erste Schock gelegt hatte, bemerkte sie, wie normal sie wirkten.

Das waren keine Leute wie Örjan und sie.

Es waren normale Staatsbürger.

Wenn diese Sache hier vorüber war, würden sie ihre Papiere zusammenpacken, alles in Mappen und Aktentaschen verstauen und das Auto zu Familie und Eigenheim in der Vorstadt nehmen. Für diese Leute war das hier weder Film noch Leben, es war ihr Job.

Helen begriff nicht, warum diese Erkenntnis bei ihr ein Gefühl grenzenloser Kränkung auslöste.

Das Sonnenlicht fiel durch die hellen Gardinen und malte goldene Streifen auf die Holztäfelung der Wände. Der Raum war groß, er hatte eine hohe Decke, und sie fühlte sich winzig. Sie wusste nicht genau, wohin sie sich setzen sollte, auch nicht, wie sie schließlich doch auf einem geeigneten freien Platz gelandet war. *Vielleicht bin ich im Begriff kaputtzugehen. Wenn ich Glück habe, gibt es mich bald nicht mehr. Mein Körper zerbirst, und mein Ich sickert aus ihm heraus. Ich werde zu einer kleinen Pfütze hier auf dem Parkettboden, und dann ist es vorbei. Es wäre so schön.*

Rechter Hand, an einem Tisch im rechten Winkel zum Podium, entdeckte sie Örjans Anwältin. Die blonde junge Frau wirkte nicht einen Tag älter als 19, trotz ihres eleganten Kostüms und der Perlenkette, die unter dem sorgfältig geschlossenen Kragen der Bluse hervorsah. Sie saß, das Gesicht einem anderen, ebensolchen Tisch zugewandt, der an der gegenüberliegenden Längsseite des Saales stand. Wenn sie direkt geradeaus sah, blickte sie in die Augen einer Frau, die, wie Helen begriff, die Staatsanwältin sein musste.

Die schob gerade die Brille ein wenig nach oben und fuhr sich mit den Fingern fest unter dem einen, dann unter dem anderen Auge entlang. Sie war müde. Vielleicht hatte sie schlecht geschlafen. Es konnte dem Nachtschlaf kaum dienen, wenn man Anklage erheben musste, ohne im Besitz schlüssiger Beweise zu sein.

Zwischen den beiden Tischen – dem der Staatsanwaltschaft und dem der Verteidigung – stand ein einsamer, kleiner Tisch mit einem einsamen, kleinen Stuhl und einem einsamen Mikrofon. Als der Richter die Verhandlung eröffnete, begriff Helen, dass sie selbst genau dort Platz nehmen musste.

Sie würde, gottlob, mit dem Rücken zu den Zuhörern sitzen. Andererseits würde der Richter ihr die ganze Zeit ins Gesicht blicken. Jede Veränderung ihres Mienenspiels würde bemerkt werden.

Hier kam es darauf an, keine Gefühle zu haben. Wenn sie Gefühle zeigte, dann war sie verraten und verkauft.

Sie hatte keine Ahnung, welche Fragen für sie bereitlagen. Sie wusste lediglich, dass sie als Zeugin der Staatsanwaltschaft und nicht der Verteidigung vorgeladen war.

Örjan konnte sie nicht entdecken.

Sein Platz musste auf einem der leeren Stühle neben der Anwältin sein, aber wo blieb er?

Gerade, als sie sich ernsthaft danach zu fragen begann, öffnete sich eine Tür hinter dem Tisch der Verteidigung.

Zuerst erkannte sie ihn nicht wieder. Dieser bleiche, dickliche Mann mittleren Alters, der gerade hereingeführt wurde, musste jemand anders sein. Er war von einem Wärter auf jeder Seite flankiert und sah blinzelnd zu den Leuten im Saal, als hätte er die letzten Monate im Dunkeln verbracht.

Es dauerte ein paar Sekunden, bevor sie ihn als ihren Freund und Geliebten identifizieren konnte, *ich glaube, selbst Krieg, Hungersnot und Revolution würden an dir nichts ändern. Wird das nie langweilig? Ich meine, wenn man so ganz und gar unwiderstehlich geboren ist?* Weinen stieg in ihr auf. *Keine Gefühle haben. Wenn ich Gefühle zeige, bin ich verraten und verkauft.*

Sie wurde aufgerufen und musste bestätigen, dass sie anwesend war. Bald würde sie zumindest erfahren, was es für einen Grund für all das gab, sie würde die Berichte der Staatsanwaltschaft und der Verteidigung hören, sie würde …

»Dann verlassen die Zeugen den Raum«, sagte der Richter.

»Was?!«

»Sie dürfen an der Verhandlung nicht teilnehmen, bevor Sie ihre Aussage gemacht haben. Bitte warten Sie draußen, bis Sie wieder in den Saal gerufen werden.«

»Aber …«

Das hatte ihr niemand gesagt. Verwirrt stand sie auf und ging nach draußen. Als sie ihre Fassung zurückgewonnen hatte, fand sie sich im Treppenhaus wieder. Sie würde frühestens in einer Stunde mit ihrer Zeugenaussage an die Reihe kommen. Bis dahin blieb nichts anderes zu tun, als hier herumzulaufen.

Sie hatte den Saal zusammen mit Sofi, einem Mann in Polizeiuniform und einer Frau verlassen müssen, die sie zunächst überhaupt nicht wiedererkannte. Doch plötzlich vermochte Helen sie nur allzu gut einzuordnen. *Als Örjan die Polizisten erblickt hatte, war er reflexartig, wie ein Tier, hochgeschreckt und hatte versucht, die Flucht zu ergreifen. Er konnte nur einige wenige Schritte machen, bevor die Polizistin ihn zu Fall brachte und ihn mit ihrem eigenen Körper am Boden festnagelte. Sie hatte sich auf ihn gesetzt und zog die Dienstwaffe. Er hörte das Klicken, als sie die Waffe entsicherte, dann gelang es ihr, ihm die Handschellen anzulegen. Als er zu schreien versuchte, fauchte sie: »Du Scheißkerl hältst jetzt die Klappe.« Und er verstummte, blieb liegen, den Pistolenlauf im Blickfeld …*

Sie nickte den Polizisten und Sofi auf die gleiche reservierte Weise zu, wie sie es bei Klas getan hatte. Dann ging sie ein Stück weiter und setzte sich. Sie musste allein sein.

Ihre Erinnerungen und ihre Stimme waren mit Beschlag belegt worden. Die Redefreiheit war für einen Zeugen nicht auf dieselbe Weise gültig wie für andere Menschen. Man besaß nicht das gesetzliche Recht, zu lügen. Örjan dort drinnen durfte lügen, wenn er wollte, sie aber nicht.

Nichts zu verschweigen, hinzuzufügen oder zu verändern ...

Sie würde gezwungen sein, genau das zu geloben. Oder sagten das nur die Zeugen im Kino?

Ich, Åsa Helen Ljungbäck, schwöre auf Ehre und Gewissen, dass ich die ganze Wahrheit sagen und nichts verschweigen, hinzufügen oder verändern werde.«

Der Stuhl, auf dem sie saß, hatte schwarze Armlehnen aus Plastik. Die Handflächen klebten darauf fest. Sie stemmte die Arme krampfhaft auf die Lehnen, als wäre sie bereit, jeden Moment aufzuspringen und wegzurennen.

Es war, als hätte sie ihr halbes Leben im Treppenhaus auf diesen Augenblick gewartet. Sie hatte dagesessen und die Karten des alten Stockholm, die in Rot, Braun und Blau direkt auf die Steinwand gemalt waren, studiert, bis die Linien und Farben vor ihrem Blick verschmolzen waren und jeden Sinn verloren.

In Södermalm hatte es im Jahr 1733 Seen und zahlreiche Windmühlen gegeben. Das würde ihr von nun an immer im Gedächtnis bleiben.

Alle anderen Erinnerungen waren wie weggeblasen, einschließlich jener aus Madeleines Wohnung. Auch ihre Stimme hatte sie nicht mehr in der Gewalt. Bei der Antwort auf die erste Frage – ob sie den Angeklagten kannte und auf welche Weise – klang es, als würde ein winziges Haustier am Boden seines Käfigs kratzen. Der Richter bat sie höflich, lauter zu sprechen. Alle hier waren so freundlich. Sie war nahe daran, zu ersticken.

Die Zuhörer im Saal waren hinter ihr ausgelöscht worden, als sie auf dem Weg zum Zeugenstand an ihnen vorbeigegangen war. Nur noch sie selbst, das Gericht, die Staatsanwältin und Örjan nebst Verteidigerin existierten, sie alle saßen ganz in ihrer Nähe.

Örjan schaute sie unablässig an. Wäre es ihm erlaubt gewesen, hätte er die Hand ausgestreckt und versucht, sie zu berühren. Er hätte all die schönen Worte gesagt, die er so gut beherrschte. Sie warf ihm einen raschen Blick zu, *keine Gefühle haben, wenn ich Gefühle zeige, bin ich verraten und verkauft.* Also räusperte sie sich und sprach mit lauterer Stimme.

Sie musste über alle Details in Madeleines Wohnung berichten, an die sie sich erinnern konnte. Sie musste erzählen, wie sie dorthin gekommen war und warum, was Örjan gesagt und getan hatte, wie sie selbst gehandelt hatte und aus welchen Gründen. Niemand fragte sie, was sie empfunden hatte, und das war unglaublich schön.

»Als Sie die ermordete Frau entdeckten, haben Sie da die Polizei gerufen?«, fragte die Staatsanwältin.

»Nein«, erwiderte sie.

»Und warum nicht?«

Sie verstummte. Während sie vor sich auf den Tisch starrte, spürte sie Örjans Blick – und begriff plötzlich, wie sie sich fühlen würde, wenn sie Angst vor ihm hätte.

»Warum haben Sie nicht die Polizei gerufen, als sie begriffen, dass ein Verbrechen begangen worden war?«

»Einerseits bin ich nicht dazu gekommen, bevor die Polizei ganz von selbst erschien, sie war wegen eines Einbruchs alarmiert worden. Andererseits hatte ich das Gefühl, dass es Örjan nicht recht wäre, wenn ich es täte, und das hielt mich vielleicht zurück.«

»Hat er direkt gesagt, dass Sie die Polizei nicht rufen sollten?«

Sie schüttelte den Kopf und wurde aufgefordert, die Frage deutlicher zu beantworten.

»Er stand unter Schock ... Er brachte überhaupt nicht viel über die Lippen ... Ich erinnere mich nicht genau ... Nein, ich glaube nicht, dass er mich gebeten hat, nicht anzurufen. Er sagte wohl ungefähr, er selbst habe die Polizei nicht gerufen, und er wolle nicht in dieser Wohnung sein, wenn sie käme. Ich legte es so aus, dass er nicht wollte, dass ich anrufe.«

Die Fragen gingen weiter. Während sie antwortete, fixierte sie eine graue Blume auf der weißen Steinwand über der Holztäfelung. Sie spielte ein Spiel: Wenn es ihr gelang, die Blume unentwegt anzuschauen, würde sie unsichtbar werden, und die anderen könnten sie nicht beobachten.

Ihr Gesicht wurde ruhig und unbewegt.

Und sie fragten.

Und sie antwortete.

Und sie fragten.

Erst eine geraume Zeit, nachdem sie den Zeugenstand verlassen hatte, begriff sie, dass die Prüfung vorüber war.

Jetzt saß sie unter den anderen Zuhörern im Saal und konnte der Verhandlung bis zum Ende beiwohnen. Sie hörte, wie die Verteidigerin Sofi ausfragte: Ob sie der Getöteten jemals begegnet sei? Ja. Zusammen mit Örjan? Ja. Schienen Örjan und die Ermordete ein gutes Verhältnis zueinander zu haben? Ja. Ein Verhältnis welcher Art? Einfach Freunde. Nichts anderes? Nein, ganz bestimmt nur Freunde. Örjan habe es klar und deutlich zu Sofi gesagt, dass Madeleine und er Freunde seien.

»Und Sie und Örjan, sind Sie auch nur Freunde gewesen?«

»Ja.«

»Hat es bei irgendeiner Gelegenheit sexuellen Verkehr zwischen Ihnen beiden gegeben?«

»Also, was zum Teufel ...«

»Bitte, beantworten Sie die Frage.«

»Nein, das hat es nicht, falls das so wichtig ist.«

»Hat er, wenn Sie zusammen waren, irgendwann einmal gewalttätige Tendenzen gezeigt?«

»Nein.«

»Haben Sie jemals Angst empfunden, wenn Sie mit ihm zusammen waren?«

»Nein, im Gegenteil, mit Örjan habe ich mich immer völlig sicher gefühlt.«

»Hat er Sie jemals bedroht?«

»Glauben Sie etwa, ich hätte mich dann bei ihm sicher gefühlt?!«

»*Hat* er Sie bedroht?!«

»Nein!«

Der Platz, auf dem Helen saß, vermittelte ihr das Gefühl, im Lesesaal einer Bibliothek zu sitzen. Es fehlte nur eine Arbeitslampe und ein Bord zum Aufstellen der Bücher. Sie sehnte sich plötzlich ungemein nach etwas Obst – im Lesesaal hatte sie immer irgendetwas dabei. Ihr knurrte der Magen. Warum ging nach einer gewissen Zeit nicht jemand im Gerichtssaal von Platz zu Platz und bot Obst an? Das würde den Mitgliedern des Gerichts helfen, besser zu denken, den Zeugen, besser zu sprechen, und ...

Sie hatte keine Angst mehr.

Kein Wort von irgendwelchen Kassetten.

Im Moment war man damit beschäftigt, Örjans Privatleben durchzugehen, wozu auch immer. Er musste erzählen, dass er nicht verheiratet sei, aber eine Freundin *Farsaneh, die Zimtzicke,* habe, dass er weder einen Job noch eine feste Wohnung besitze und dass sein Einkommen unter dem Existenzminimum liege. Helen sah ihn mit den Augen des Gerichts und entdeckte einen No-good, einen Nichtsnutz, ja beinahe einen Penner. *Wenn Sie nur wüssten, wie schön er normalerweise ist, wenn man ihn nicht monatelang eingesperrt hat ...*

Welches Urteil würden sie über ihn fällen?

Ein Mensch wurde dadurch, dass ihn sein Leben nur lose umgab, nicht *mehr* zum Mörder als jeder andere, aber wie würden sie urteilen?

Er war zunichte gemacht. Das Wort bekam plötzlich einen Inhalt. Örjan war zu einem Nichts geworden. Sie wünschte, dass sie mit ihm leiden könnte, aber ihre Gefühle waren ebenfalls zunichte gemacht.

»Können wir das Schlussplädoyer der Staatsanwaltschaft hören?«, sagte der Richter dann.

Man näherte sich der Mittagszeit. Die Sache war trotz allem schnell gegangen.

»Alles in allem gibt es gewisse unwiderlegbar schwer wiegende Tatsachen, die gegen den Angeklagten Wall sprechen«, beschloss die Staatsanwältin ihr kurzes Plädoyer. »Ich überlasse es dem Gericht, zu entscheiden, ob dieselben für eine Verurteilung ausreichen.«

Sie hatte ihre Brille abgenommen. Jetzt rieb sie sich erneut die Augen. Sie hatte nichts hinzuzufügen.

Während sich das Gericht zur Beratung zurückgezogen hatte und die anderen Zuhörer wie heute Morgen unter lautem Stimmengewirr im Treppenhaus standen, rannte Helen in den Supermarkt und kaufte drei Minibananen. Mit normalen Bananen wollte sie nichts mehr zu schaffen haben. Sie waren in Wirklichkeit kein Obst, sondern Giftbomben.

Sie hatte erfahren, dass die Bananen-Konzerne die Arbeiter nicht von den Feldern holten, wenn sie die Plantagen mit Pflanzengift besprühten. Die Leute starben an schrecklichen Krankheiten, nur damit sich Helen und ihre Freunde in der westlichen Welt mit beliebig vielen Bananen zum niedrigsten Preis vollstopfen konnten. Das hinterließ ein schales Gefühl. Normale Bananen schmeckten ihr nicht mehr.

Minibananen waren wirklich nicht groß. Man brauchte drei Stück, um die Menge einer normalen Chiquita auszugleichen. Sie fand sie aber nicht teuer. Fünfundzwanzig Kronen waren okay für ein Kilo echter Bananen.

Erst als sie alle drei verspeist hatte, spürte sie, wie hungrig sie gewesen war. Noch immer hatte sie Hunger, aber sie würde die Sache überleben. Um den Ausgang des Verfahrens nicht zu verpassen, beeilte sie sich, zum Saal 17 zurückzukommen, vor dem sich das Stimmengewirr in gedämpfteres Gemurmel verwandelt hatte.

Direkt unter der Bronzefigur stand ein Ehepaar in den

Sechzigern. Die beiden berührten einander nicht. Das Gesicht der Frau war unter dem Make-up verwüstet und ausgehöhlt. An den Ohren baumelten ein paar glitzernde Brillantringe, und um den Hals hing eine schwere Goldkette. Der Schmuck an ihren Fingern war ein Vermögen wert.

Madeleines Mutter.

Madeleines Vater weinte. Es war eigentlich überhaupt nicht zu bemerken, Körper und Gesicht blieben ruhig und veränderten ihren Ausdruck nicht, doch liefen ihm unablässig Tränen aus den Augen. In regelmäßigen Abständen zog er ein kleines Stofftaschentuch hervor und wischte sie ab. Dann weinte er weiter, diskret und methodisch.

Seine Frau sah ihn nicht an. Ihr Blick war ganz woandershin gerichtet, einfach weit weg. Helen erinnerte sich an ein Rätsel, das sie von einem Kind gehört hatte: »Welches Gold kann niemand besitzen?«

»Das Gold, das auf dem Wasser glänzt.«

Jetzt ertönte die Klingel. Madeleines Vater fuhr heftig zusammen, als alle Beteiligten zur Urteilsverkündung im Verfahren gegen Örjan Wall hineingebeten wurden.

Was mache ich, wenn er nicht freikommt?

Blödsinn. Natürlich kommt er frei.

Aber wenn nicht …?

Sie hatte noch immer schrecklichen Hunger, und außerdem hatte sie vergessen, zur Toilette zu gehen. Ihr war, als würde ihr gleich die Blase platzen. Während die Leute sich auf ihren Plätzen zurechtsetzten, überlegte sie, ob sie es schaffen würde, zur Toilette zu laufen und wieder zurückzukommen, bevor das Urteil verkündet wurde? Sie hatte ein Klo auf derselben Etage gesehen, es war nicht weit. Die Chancen standen gut. Aber wenn sie den Richterspruch verpasste …

Vielleicht wäre es wirklich das Beste. Nichts zwang sie, noch länger hierzubleiben. Sie hatte ihre Zeugenaussage gemacht, und ihr stand frei zu gehen, wohin sie wollte. Aber sie musste es natürlich wissen.

Es ging nicht nur um seine Schuld, sondern auch um ihre.

Bevor sie nicht das Urteil gehört hatte, wusste sie auch nicht, wessen sie sich selbst schuldig gemacht hatte.

Es bestand die Gefahr, dass sie sich jeden Moment in die Hosen pinkelte. Sie verharrte reglos auf ihrem Stuhl, die Beine übereinander geschlagen, und versuchte, sich zu entspannen.

Der Boden unter ihren Füßen wurde weich wie Gelee.

Die Beisitzer saßen still und ernst zu beiden Seiten des Richters. Helen studierte sie und versuchte zu erraten, was in ihren Köpfen vorging, aber es gelang ihr nicht. Ihre Gesichter waren genauso rätselhaft wie das der Sphinx. Helens Bein begann heftig zu zittern, ohne dass sie etwas dagegen tun konnte. *Urteilsverkündung im Verfahren gegen Örjan Wall ...*

»Es hat sich nicht durch schlüssige Beweise bestätigen lassen, dass der Angeklagte Örjan Wall die getötete Emma Madeleine Larsson ums Leben gebracht hat. Das Landgericht befindet daher, dass die Anklage gegen Örjan Wall aufgehoben wird.«

Die Stille danach wurde durch Papierrascheln unterbrochen, als die Staatsanwältin ihre Dokumente einsammelte.

Sie sah erleichtert aus. Örjan blickte sich fragend um. Vor Verwirrung war sein Gesicht völlig offen. Die Anwältin legte ihm die Hand auf den Arm, beugte sich in seine Richtung und flüsterte ihm lächelnd etwas zu.

»Bedeutet das, ich ... Dass ich ...«

»Sie sind jetzt frei«, sagte der Richter.

»Ja ... Aber ... Wie lange dauert es, bis ich gehen kann? Ich meine, ich nehme an, dass ich trotzdem ins Untersuchungsgefängnis zurück muss ... Bevor Sie mich rauslassen, bin ich ja wohl gezwungen ...«

»Sie sind von *diesem Moment an* frei. Sie können aufstehen und sich sofort von hier wegbegeben.«

Örjan starrte seine Anwältin an. Sie erwiderte den Blick, und der ihre besagte: Aber warum sind Sie so verwundert? Ich habe Ihnen doch erklärt, dass es so ausgehen kann! Haben Sie nicht zugehört? Oder mir nicht geglaubt?!

Er schlug die Hand vor den Mund. Dann war ein Geräusch zu vernehmen, von dem nicht klar war, ob es Lachen oder Weinen war.

Ich nehme an, dachte Helen, dieses Urteil bedeutet, dass man sich nach einem anderen Mörder umsehen muss.

Aber sie werden ihn nicht finden.

Der Mörder ist tot.

Nein.

Ich kann mir dessen nicht so verdammt sicher sein.

Meine Intuition sagt mir, dass er tot ist, ich bin einfach überzeugt davon, aber wann konnte ich mich schon auf meine Intuition verlassen?

Wenn ich mich verliebe? Kaum. Meine Intuition ist nicht das, was sie sein sollte.

Ich möchte glauben, dass niemand mit dem, was dieser Mann getan hat, leben kann, aber Menschen können mit allem Möglichen leben.

Nimm nur mich.

Ich will, dass er tot ist, denn anderenfalls ist alles ganz furchtbar.

Wer sein Gesicht zu sehen bekommt, stirbt einen schrecklichen Tod.

Ich will sein Gesicht absolut nicht sehen.

Er kommt zu seiner Arbeitsstelle, begrüßt die Kollegen freundlich und setzt sich an den Schreibtisch. Er nimmt Anrufe entgegen, führt selbst diverse Telefongespräche, schickt und empfängt E-Mails, steht gähnend Sitzungen und Be-

sprechungen mit Kunden durch. Er hat auf sie eingestochen, bis sie fast tot war, und dann ist er weggegangen, als sei nichts geschehen, ein ganz normaler Mann, sein Teufel zerrte und riss an der Leine …

Verzeih mir, Madeleine …

Nein, Madeleine kann mir nicht verzeihen.

Und wenn er wieder tötet, wer verzeiht mir dann?

Ja, die Polizei muss sich wirklich nach einem anderen Mörder umsehen.

Ich selbst habe vor, mich nach einem anderen Leben umzusehen.

Die Wirklichkeit war absurd. Darüber ließen sich keine Bücher schreiben, die Leute würden es nicht glauben. Die Mordwaffe hatte man offenbar in Madeleines Messerblock gefunden, sorgfältig gespült, abgetrocknet und auf ihrem Platz zwischen all die anderen Messer gesteckt. Die Ärmste hatte sich fürs Kochen interessiert. Für wen, außer für sich selbst, hatte sie wohl Essen gemacht? Sie besaß eine Menge Kochbücher und eine Garnitur Messer, die einer Restaurantküche Ehre gemacht hätte.

Ich frage mich, dachte Helen, ob sich eine einsame Luxushure einen solchen Vorrat an Messern anschafft, weil sie in ihrem Innersten – irgendwo tief drinnen, wohin das Bewusstsein nicht dringt – trotz allem davon träumt, einem geliebten Mann und einer Familie das Essen zuzubereiten.

Ich frage mich, warum sie sich von jemandem, den sie danach provoziert und erniedrigt, festbinden lässt.

Er wird wahrscheinlich zu heulen anfangen, mich losbinden, mich überallhin küssen und bitten und betteln. Wie verdammt pathetisch.

Und wenn es nun genau das ist, was ich will, dass er mich losbindet, mich überallhin küsst und mich trotzdem liebt, obwohl ich ihn auf die schlimmste Weise verletzt habe, die man sich vorstellen kann? Äh, was für ein Quatsch. So eine Liebe gibt es nicht, und wenn es sie gäbe, würde ich sie nicht wollen. Niemand will von jemandem geliebt werden, der so pathetisch ist.

Eine einsame Luxushure beschafft sich jedenfalls nicht eine Garnitur Restaurantmesser, um damit von jemandem erstochen zu werden.

Als er fertig war – nachdem er das Messer wieder und wieder in ihren Körper gestoßen hatte –, da ging er in die Küche, spülte und trocknete es ab, wie es ein ordentlicher, häuslicher Mann mit einem beschmierten Messer tut. Madeleine hätte seinen Ordnungssinn geschätzt. Sie nahm es mit dem Säubern ihrer Küche selbst sehr genau.

Überhaupt kümmerte sie sich minutiös um ihre Wohnung.

Ihr ständiges Putzen grenzte an einen Ordnungsfimmel. Es war überall blitzsauber. Er hatte dort drinnen nichts angefasst – nur Madeleine selbst. Er hatte immer wieder auf sie eingestochen. Dann säuberte er das Messer, während sie im Schlafzimmer im Sterben lag, und ging weg.

Und niemand im Haus sah ihn kommen oder gehen.

Und dann erschien Örjan.

Und zwischen Messerklinge und Griff waren Reste von Madeleines Blut gesichert worden.

All das hätte Helen erfahren, wenn sie die Möglichkeit gehabt hätte, während des gesamten Verfahrens anwesend zu sein. Stattdessen erfuhr sie die Details von Örjan. Er hatte in den letzten Tagen unzählige Male angerufen, um lange und ausführlich mit ihr zu reden, aber sie hatte keine Lust dazu. Er konnte ja stattdessen mit Farsaneh reden.

Oder konnte er das nicht?

Ich trauere um Madeleine, dachte Helen. Immerzu weine ich. Erst jetzt kann ich um sie trauern, zuvor war ich nicht fähig, sie als Menschen, der gelebt hat und der jetzt tot ist, zu sehen. Nichts hat zusammengepasst. Der tote Körper und ihre Stimme ließen sich in mir nicht zusammenfügen. Jetzt endlich ist sie zu einem Ganzen geworden.

Wir haben einander nicht gekannt, trotzdem trauere ich um sie.

Ich möchte mit Blumen an ihr Grab gehen, aber ich weiß nicht, wo es ist. Vielleicht sollte ich ihre Eltern anrufen und danach fragen.

Ich könnte mich mit ihrer wunderbaren Mutter unterhalten.

Ich könnte ihrem Vater erzählen, was sein Freund mit seiner Tochter gemacht hat.

Ich könnte eine Menge Dinge tun.

Als wir uns von unserer Heldin trennen, steht sie auf einem Platz im Regen, kerzengerade und mit Tränen in den Augen. Wir beobachten sie aus der Entfernung. Sie hat keinen Regenschirm. Ihr Haar ist feucht und kräuselt sich an den Ohren. Ihre helle Jacke wird übersät von Regenflecken. Sie folgt einem Mann mit dem Blick, bis er ganz im Gewimmel verschwunden ist.

»Madeleine-Mann freigesprochen« lauteten die Schlagzeilen vor ein paar Tagen. Das ist völlig falsch. Er ist nicht der Madeleine-Mann, und er ist nicht freigesprochen. Sie steht auf dem Medborgarplats. Hinter ihrem Rücken türmt sich ein schmutzig gelber Backsteinkomplex; dort drinnen befinden sich Bibliothek, Schwimmhalle und Hörsäle. Links von ihr blitzen die Südhallen, ein Geschäftscenter mit viel Glas und Neon, wo man Kaffeebohnen, Delikatess-Schokolade und Putenfilet kaufen kann. Man kann auch ins Kino gehen, ein Bier trinken oder stundenlang in dem Café hocken, wo unsere Heldin gerade einen Job bekommen hat. Im Augenblick hat sie jedoch frei. Sie hat ihre Arbeit für heute beendet.

Örjan ist vom Gewimmel auf der Götgata geschluckt worden und nicht mehr zu sehen; sie wischt sich die Tränen aus dem Gesicht. Vielleicht hatte sie soeben nicht aus Trauer geweint, sondern aus Scham.

Er hatte darauf bestanden, sich ordentlich zu verabschieden. Er wollte schließlich lange wegbleiben. Persien mit seinen Hochebenen und dem grenzenlosen, von der Sonne verbrannten Land lockte. Er und Farsaneh würden morgen nach Teheran fliegen.

»Wie kannst du dir das leisten?! Du hast doch den ganzen Sommer im Gefängnis zugebracht?«

Sie sah ihn forschend an, und er begegnete ihrem Blick mit weit geöffneten Augen.

»Farsaneh kann es«, sagte er.

»Hmm. Und ihr liebt euch?«

»Helen, ich habe Schreckliches hinter mir. Ich weiß überhaupt nichts mehr über mich und meine Gefühle. Ich glaube nicht, dass ich das Wort ›lieben‹ im Moment in den Mund
en kann. Aber …«

ber sie bezahlt deine Reise. Und deshalb fährst du mit

an hatte sich nicht völlig verwandelt, auch wenn ihn
it im Gefängnis lädiert und grauer gemacht hatte. Jetzt
a wieder dieser Ausdruck in seinem Gesicht, den sie
üher so gut im Gedächtnis hatte. Er erinnerte an einen
, der in der Tiefe seiner Seele verletzt worden war, weil
n gerade um seinen Leckerbissen gebracht hatte.

darfst nicht bitter werden, Helen«, sagte er bekümmert. »Ehrlich gesagt, du bist anders geworden, so … So hart. Du bist hübscher, wenn du nicht so bist.«

»Sie bezahlt deine Reise, und deshalb fährst du mit ihr«, stellte Helen ungerührt fest. »Du bist wie immer! Dich kriegt man nicht so schnell klein, und jetzt hat man dich ja außerdem von jedem Verdacht reingewaschen. Du bist ein freier Mann und kannst gehen, wohin du willst. Ist das nicht ein schönes Gefühl?«

»Das hat man nicht! Es gab keine Verurteilung, aber man hat mir nicht wirklich bescheinigt, dass ich Madeleine *nicht* getötet habe. Begreifst du?! Ich werde den Rest meines Lebens mit einem Schwert über dem Kopf verbringen. Ich kann es schließlich immer noch getan haben, oder nicht?«

Er schniefte. Das stand ihm nicht. Als er mit der Hand übers Gesicht fuhr, sah er plötzlich alt aus.

Die grauen Strähnen in seinem Haar waren seit dem Frühjahr mehr geworden, und die Haut war schlaff geworden, was nicht nur an den schlimmen Erlebnissen lag. Es beruhte auch darauf, dass Örjan bereits eine geraume Zeit auf Erden war.

»Es steht jedem frei, weiter zu glauben, dass ich es getan habe«, fuhr er fort. »Wenn es wenigstens irgendwelche Spuren eines anderen Mörders geben würde ... Aber die gibt es nicht. Es gibt nichts, was mich verurteilen, und nichts, was den Verdacht von mir nehmen könnte.«

Ein finsteres Tiefdruckgebiet lag über Süd- und Mittelschweden und ließ sie aufatmen. Der Sommer war gegen Ende unerträglich geworden. Morgen für Morgen war ein glühender Sonnenstreifen auf ihr Gesicht gefallen und hatte sie geweckt. Die Hitze der Tage hatte sie am Denken gehindert. Nun war es endlich vorbei, glaubte sie.

Sie wusste, dass ein Altweibersommer auf sie wartete, der die Leute zwingen würde, die Sommersachen aus den Kleidersäcken in den Schränken zu kramen. Man weiß nichts. Man soll nie »für immer« sagen.

»Es muss doch einer ihrer Kunden getan haben«, murmelte Örjan. »Was glaubst du, wie oft ich im Gefängnis darüber nachgedacht habe. Am Anfang lag ich nächtelang wach und grübelte, wer sie wohl ermordet hatte und wie man ihm auf die Spur kommen könnte. Doch nach einiger Zeit fing ich an zu denken, dass ich es vielleicht doch selbst gewesen bin. Alle anderen schienen es schließlich zu glauben. Nicht mal meine eigene Anwältin vertraute mir. Ich dachte, ich sei verrückt geworden und hätte sie ermordet, obwohl ich mich nicht daran erinnerte. Manchmal habe ich noch immer das Empfinden, als wäre ich nicht ganz normal … Manche Dinge, die wirklich sind, stimmen nicht mit anderen überein, die es ebenfalls sind …«

»Ich weiß, wie das ist«, sagte Helen.

»Das weißt du nicht, verdammt noch mal! Du hast nie hinter Gittern gesessen!«

Er sah sie an. Diese Hundeaugen. Dass sie so effektiv sein konnten, verwunderte sie nach wie vor im höchsten Maße.

Sorry, Örjan, dachte sie und begegnete seinem Blick. Ich habe keine Doggybites mehr.

Wenn es ein Kunde war«, überlegte sie, »dann müsste er ja in ihrem Telefonverzeichnis zu finden sein.«

»Glaubst du etwa, die Bullen hätten nicht jede Scheißnummer in ihrem Telefonverzeichnis angerufen?! Aber dort hat sie nichts über ihre Kunden vermerkt, und im Übrigen war es in der Regel so, dass die Männer zu ihr Kontakt aufnahmen. Die meisten wollten ganz sicher nicht, dass Madeleine ihre Privatnummer kennt.«

»Ein Freier ist vermutlich so etwas wie eine Qualle«, sagte Helen. »Schleimig und ohne Rückgrat. Oder was denkst du?«

Sie betrachtete ihn prüfend.

Er reagierte nicht im Geringsten auf das Wort ›Qualle‹. Offensichtlich hatte es Madeleine in Bezug auf einen Freier nie vor ihm erwähnt.

Madeleine war wirklich äußerst diskret gewesen.

Madeleine wird Örjan für immer verfolgen. Auch auf seine alten Tage wird er zuweilen mit einem Schrei aufwachen, weil sie im Traum neben ihm im Bett liegt.

Im Schlaf verwechselt er seinen eigenen kalten Schweiß mit ihrem Blut und ihren Ausscheidungen. Das Geräusch seiner eigenen Atemzüge verwandelt sich in das Heulen aus ihrer Kehle. Sie verlässt ihn nicht, starrt ihn an aus einem Gesicht, das nur noch blutige Masse ist, zischt ihn an aus einem Mund, der nichts weiter ist als ein Loch. Er bekommt keine Luft, und die Atemnot verwandelt sich im Traum in ihre Hand, die ihn, als er sie berührt, zu erwürgen versucht.

Die Worte, die von der Staatsanwältin während des Prozesses gegen ihn verlesen wurden – vor einer Woche, einem Jahr, vor vielen Jahrzehnten –, werden unermüdlich seinen Schlaf zerreißen. Aus Madeleines Mund heulen sie durch ihn hindurch, sie sagt diese Worte, sagt sie, sagt sie stets aufs Neue, mit einer Stimme, die sie nicht mehr besitzt. Sie dringen wie ein pfeifender Wind durch den Türspalt:

Gestützt auf die Angaben in Species facti – Befunde bei der Obduktion und Ergebnisse der mikroskopischen und toxikologischen Untersuchungen – kann ich folgendes Gutachten abgeben:

Dass der tote Körper der Emma Madeleine Larsson aufgewiesen hat

…

…

…

Wind durch einen Türspalt, Wind …

…

…

…

Teils eine Schnitt- und Stichwunde, geführt gegen die linke Schulter, die sich in Form eines nach unten und außen gerichteten Kanals fortsetzte, das Unterhautgewebe durchdrang und bis in die Muskulatur des linken Schultergelenks reichte, bei einer Kanallänge von ca. 7 cm.

Teils eine Stichwunde im vorderen Brustbereich, mit einem nach unten und rechts gerichteten Kanal, der in der Wand des Brustkorbs endete, bei einer Gesamtlänge von ca. 8 cm.

Teils eine Stichwunde, geführt gegen den vorderen Brustbereich, kurz über dem rechten Rippenbogen, mit einem Kanal nach hinten und unten gerichtet, bei Durchtrennung des Rippenknorpels ab V. bis VIII. Rippe.

Teils eine Stichwunde …

…

…

…

… Wind …

…

…

…

Eigene Worte besitzt er nicht für das, was er gesehen hat und woran er sich erinnert.

Statt seiner Erinnerungen existiert da nur ein ewig wiederkehrender Schwindel.

In seinen Träumen wird sie immer leben, doch nicht länger, als sie ihren eigenen Tod wiederholen kann. Es ist ein Fluch.

»In den Augen einiger Menschen habe ich wirklich getötet«, murmelt Örjan. »Nachts bekomme ich furchtbare Anrufe von einer Frau, die mich ›Mörder‹ nennt und dann einfach auflegt. Manchmal glaube ich, die Anruferin kennt mich. Vielleicht ist es irgendeine alte Freundin, die die Gelegenheit ergreift, um sich zu rächen, aber so braucht es nicht zu sein. Sie kann ebenso gut eine völlig Unbekannte sein, eine Person, die einfach hassen muss.«

»Versuch, die Telefonnummer herauszufinden«, schlug Helen vor.

»Darum habe ich mich schon gekümmert. Sie hat eine Geheimnummer. Du, ich weiß nicht, was du von mir denkst. Ganz ehrlich. Glaubst du, ich bin ein Mörder?«

Der erste Tropfen fiel auf ihren Jackenärmel. Sie stand schweigend da und hielt nach weiteren Flecken auf dem hellen Stoff Ausschau, aber der Himmel hatte offenbar vor, sein Nass noch ein Weilchen zurückzuhalten. Im Moment nieselte es nur leicht.

Er ähnelte seinem Bruder auf geradezu lächerliche Weise. Vielleicht war allein das der Grund, weshalb sie Klas an sich gezogen und vernichtet hatte – weil Klas in seinem Äußeren Örjan so sehr glich.

Wie es Klas jetzt erging, wusste sie nicht, aber sie konnte es sich denken.

Sie hatte ihn fallen lassen und nicht mehr zurückgerufen. Noch begriff er vermutlich nicht, dass er fallen gelassen worden war. Seine immer fragenderen und verzweifelteren Nachrichten würden sich weiter auf ihrem Anrufbeantworter häufen, bis er seine eigenen Schlussfolgerungen ziehen und aufgeben würde.

Sie war nicht imstande, etwas zu erklären. Er war selbst schuld, wenn er fremdging. Männer, die das taten, waren vogelfrei.

Vielleicht war es ja feige von ihr, ihm nicht klar zu sagen, dass sie ihn nicht mehr sehen wollte, aber ein richtig gemeines Weib war sie nicht. Ein richtig gemeines Weib hätte die Sache seiner Frau verraten.

Ich bin ein Miststück, dachte sie. Es ist schön, ein Miststück zu sein. Ein Miststück zu sein, heißt, Macht zu haben. Die Macht, jemanden zu verletzen, ist die einzig verfügbare Macht für uns, denen es nicht gelungen ist, sich eine edlere Sorte Macht zu beschaffen. Ja, ich bin ein Miststück, aber wenigstens bin ich keine Despotin. Es gibt nichts, worüber ich befehlen könnte.

Sie fingerte an dem Brief in ihrer Tasche herum – für Madeleine, statt Blumen auf ihrem Grab. Es war Helen überhaupt nicht schwer gefallen, ihn zu schreiben, im Gegenteil, sie hätte so viel mehr erzählen wollen.

Zu diesem Zeitpunkt bereute sie es bitter, die Kassetten vernichtet zu haben. Wenn es sie noch gäbe, hätte die Polizei mehr, woran sie sich halten könnte. Was für eine Idiotin sie doch gewesen ist.

Diese ganze Hitze …

Die Lider zusammengepresst …

Prallheit …

Lava …

Im Traum hatte er Sonne in den Augen, er war so schön …

Im Traum hatte sie breitbeinig über ihm gestanden wie ein Himmel, der Himmel senkte sich über ihn …

Sie klammerte sich mit ihrer Möse um den Traum …

Hinterher blieb nur ein feuchter Fleck übrig.

Sie war jetzt wach.

Sie sah, wer er war.

Bis zum nächsten Postamt war es ein ganzes Stück, es lag in der Folkungagata, aber in den Südhallen gab es sicher einen Tabakhändler, der Briefmarken verkaufte. Sie musste den Brief an die Polizei noch heute einwerfen.

»Für Madeleine Larsson, statt Blumen auf ihrem Grab.

Derjenige, der so getötet hat, war ein sandfarbener Stammkunde, vom Typ eines Ministerialrats, den sie ›die Qualle‹ nannte. Manchmal trug er blaue Strümpfe zu braunen Schuhen. Fragen Sie die Nachbarn, ob sie ihn gesehen haben. Ich habe Madeleine gekannt. Ich bin eine ihrer Schwestern. Sie las das Buch »Deine grenzenlose Stärke« und unterstrich darin wichtige Passagen. Außerdem hatte sie gerade ihren Ficus Benjamini umgetopft, bevor sie ermordet wurde. Nehmen Sie diesen Brief ernst.«

»Bitte Helen, antworte mir. Sag, was du denkst! Glaubst du, dass ich ein Mörder bin?«

Sie strich ihm über die Wange. Ihre Hand war trocken und kühl.

»Ich habe keine Zeit für Leute wie dich«, sagte sie. »Weißt du, ich habe einen Sohn, und er braucht mich, er steckt zur Zeit in Schwierigkeiten. Aber alles wird gut werden.«

Örjans Augen weiteten sich. Er öffnete den Mund, um etwas zu sagen, aber sie legte ihm den Finger sanft auf die Lippen, um ihn zu stoppen.

»Ich weiß, dass du kein Mörder bist«, sagte sie. »Keiner weiß das so gut wie ich.«

Sie nahm die Hand von seinem Mund.
Er erwartete, dass sie noch mehr sagen würde.
Sie stand kerzengerade da und schwieg.
Schließlich wandte er sich um und ging.